D1504687

Camilla Läckberg

LEJONTÄMJAREN

Månpocket

Denna Månpocket är utgiven enligt överenskommelse med
Bokförlaget Forum, Stockholm

Omslag: Emma Graves

Copyright © Camilla Läckberg 2014
Svensk utgåva enligt avtal med Nordin Agency

Tryckt hos Nørhaven, Viborg, Danmark 2015

ISBN 978-91-7503-464-5

Till Simon

Hästen kände lukten av skräck redan innan flickan kom ut ur skogen. Ryttaren manade på honom, hälarna trycktes in i hans sidor, men det hade inte behövts. De var så samspelta att han uppfattade viljan framåt ändå.

Det dova, taktfasta ljudet från hovarna bröt stillheten. Under natten hade det fallit ett tunt lager snö och han plöjde upp nya spår, så att den finpudriga snön rök om hovarna.

Flickan sprang inte. Hon rörde sig ostadigt, i ett oregelbundet mönster, med armarna lindade tätt om kroppen.

Ryttaren ropade. Ett högt skrik som fick honom att förstå att något inte stod rätt till. Flickan svarade inte utan stapplade bara framåt.

De närmade sig henne och han ökade farten än mer. Den starka, fräna lukten av skräck blandades med något annat, något odefinierbart och så skrämmande att han vinklade öronen bakåt. Han ville stanna, vända och galoppera tillbaka till tryggheten i spiltan. Det här var inte en säker plats att vara på.

Vägen låg emellan dem. Den var öde, och nysnön blåste över asfalten som ett stilla dis.

Flickan fortsatte mot dem. Hennes fötter var bara och det röda på hennes nakna armar och ben stod i skarp kontrast till allt det vita runtomkring, de snötäckta granarna var som en vit kuliss bakom henne. De var nära varandra nu, på var sin sida om vägen, och han hörde ryttaren ropa igen. Ljudet av hennes röst var välbekant men den lät ändå främmande på något sätt.

Plötsligt stannade flickan. Stod där mitt på vägen med snön virvlande om fötterna. Något var konstigt med hennes ögon. De var som svarta hål i det vita ansiktet.

Bilen kom som från ingenstans. Ljudet av bromsarna skar genom tystnaden och sedan hördes dunsen av en kropp som landade på marken. Ryttaren drog så hårt i tyglarna att bettet skar in i hans mungipor. Han lydde och gjorde tvärt halt. Hon var han och han var hon. Det var vad han hade fått lära sig.

På marken låg flickan stilla. Med de underliga ögonen vända upp mot himlen.

Erica Falck stannade till framför anstalten och granskade den för första gången mer ingående. Under sina tidigare besök hade hon varit så uppfylld av vem hon skulle träffa att hon inte riktigt reflekterat över byggnaden och omgivningen. Men hon skulle behöva alla intryck när hon skrev boken om Laila Kowalska, kvinnan som så brutalt hade mördat sin make Vladek många år tidigare.

Hon funderade på hur hon skulle förmedla stämningen som ruvade över den bunkerliknande byggnaden, hur hon skulle få läsarna att känna instängdheten och hopplösheten. Anstalten låg en dryg halvtimme med bil från Fjällbacka, ödsligt och isolerat, med stängsel och taggtråd runtom men utan de torn med beväpnade vakter som man alltid såg i amerikanska filmer. Den var byggd enbart med tanke på funktion, och syftet var att hålla människor kvar där inne.

Utifrån såg anstalten helt tom ut, men hon visste att det snarare var tvärtom. Spariver och en snäv budget gjorde att så många som möjligt skulle samsas om ytan. Ingen politiker i kommunen var särskilt intresserad av att lägga pengar på en ny anstalt och kanske därmed förlora röster. I stället höll man till godo med den som fanns.

Kylan började krypa in under kläderna och Erica rörde sig mot ingången. När hon klev in i receptionen tittade vakten slött på hennes legitimation och nickade utan att lyfta blicken. Han reste sig och hon följde honom genom korridoren medan hon tänkte på sin helvetiska morgon. Den hade varit som alla morgnar verkade vara nu för tiden. Att säga att tvillingarna kommit in i trotsåldern var en underdrift.

Hon kunde inte för sitt liv minnas att Maja hade varit så besvärlig i tvåårsåldern, eller i någon ålder för den delen. Noel var värst. Han hade alltid varit den livligaste av dem, men Anton hakade mer än gärna på. Om Noel skrek, skrek han också. Det var ett under att Patriks och hennes trumhinnor fortfarande var intakta med tanke på decibelnivån där hemma.

Och detta gissel med påklädning av vinterkläder. Hon sniffade sig diskret under ena armen. Hon hade redan börjat lukta svett. När hon väl hade lyckats brotta på tvillingarna alla plagg för att få iväg dem och Maja till dagis, hade hon inte haft tid att byta om. Nåja, hon skulle ju inte direkt på fest.

Det rasslade om nyckelknippan när vakten låste upp och visade in Erica i besöksrummet. På något sätt kändes det underligt gammaldags att de fortfarande hade lås med nycklar här. Men det var naturligtvis enklare att ta reda på en kod till ett kodlås än att stjäla en nyckel, så det var kanske inte så konstigt att gamla lösningar oftast vann över moderniteter.

Laila satt vid rummets enda bord, med ansiktet vänt mot fönstret så att vintersolen som lyste in bildade en gloria runt det blonda håret. Gallren utanför fönstren skapade fyrkanter av ljus på golvet, där svävande dammkorn avslöjade att rummet inte hade städats så noga som det borde.

"Hej", sa Erica och satte sig.

Egentligen undrade hon varför Laila hade gått med på att träffa henne igen. Det här var den tredje gången de sågs och Erica hade inte kommit någon vart. Till en början hade Laila vägrat att över huvud taget ta emot henne. Det hade inte spelat någon roll hur många vädjande brev Erica skrev eller hur många samtal hon ringde. Men för några månader sedan hade Laila plötsligt sagt ja. Antagligen var besöken ett välkommet avbrott i det enformiga livet på anstalten, och så länge Laila tog emot henne tänkte Erica fortsätta att komma hit. Det var längesedan hon längtat så mycket efter att få berätta en historia och hon kunde inte göra det utan Lailas hjälp.

"Hej, Erica." Laila fäste sin märkliga ljusblå blick på henne. Första

9

gången Erica träffade henne hade hon tänkt på de hundar som brukade dra hundspann. Efter besöket hade hon kollat upp vad rasen hette. Husky. Laila hade ögon som en siberian husky.

"Varför vill du träffa mig om du inte vill prata om fallet?" sa Erica rakt på sak. Genast ångrade hon att hon använt ett sådant formellt ord. För Laila var ju det som hänt inte ett fall. Det var en tragedi och något som fortfarande plågade henne.

Laila ryckte på axlarna.

"Jag får inga andra besök", sa hon och bekräftade Ericas tanke.

Erica tog fram mappen med artiklar, foton och anteckningar ur väskan.

"Jag har inte gett upp än", sa hon och knackade på mappen.

"Det är väl priset jag får betala för en stunds sällskap", sa Laila och lät humorn glimta fram, den oväntade humor som Erica skymtat emellanåt. Det svaga leendet förändrade hela hennes ansikte. Erica hade sett bilder av henne från tiden innan allt hände. Hon hade inte varit vacker men söt, på ett lite annorlunda, fascinerande sätt. Det blonda håret hade varit långt då, och på de flesta bilderna utsläppt och blankborstat. Nu var det mycket kort, samma längd över hela hjässan. Ingen egentlig frisyr utan bara snaggat på ett sätt som visade att det var längesedan Laila brytt sig om sitt yttre. Och varför skulle hon göra det? Hon hade inte varit ute i den riktiga världen på många år. Vem skulle hon göra sig fin för här inne? Besökare som aldrig kom? De andra internerna? Vakterna?

"Du ser trött ut i dag." Laila studerade Erica ingående. "Har du haft en jobbig morgon?"

"Jobbig morgon, jobbig kväll i går och antagligen blir det en lika jobbig eftermiddag. Men det är väl så när man har småbarn ..." Erica släppte ut ett djupt andetag och försökte slappna av. Hon kände själv hur spänd hon var efter morgonens stress.

"Peter var alltid så snäll", sa Laila, och en hinna drogs över de ljusa ögonen. "Inte en dag av trots som jag kan minnas."

"Han var rätt tystlåten, sa du förra gången."

"Ja, vi trodde först att det var något fel på honom. Han sa inte ett ljud förrän han var tre. Jag ville ta honom till en specialist, men Vladek vägrade." Hon fnös och händerna som hade vilat på bordet knöts utan att hon själv verkade medveten om det.

"Vad hände när han var tre?"

"En dag pratade han bara. Hela meningar. Stort ordförråd. Han läspade lite men annars var det som om han alltid hade pratat. Som om åren av lugnt tigande aldrig existerat."

"Ni fick aldrig någon förklaring?"

"Nej, vem skulle vi ha fått det av? Vladek ville ju inte be någon om hjälp. Utomstående skulle inte blanda sig i familjens angelägenheter, sa han alltid."

"Varför tror du att Peter teg så länge?"

Laila vände ansiktet mot fönstret, så att ljuset åter bildade en gloria runt hennes blonda snagg. Fårorna som åren ristat i hennes ansikte syntes obarmhärtigt i ljuset. Som en karta över allt lidande hon fått utstå.

"Han insåg nog att det bästa var att göra sig så osynlig som möjligt. Att inte göra något väsen av sig. Peter var en klok pojke."

"Louise då? Var hon tidig med att prata?" Erica höll andan. Hittills hade Laila låtsats som om hon inte hörde de frågor som handlade om dottern.

Så även denna gång.

"Peter älskade att sortera saker. Han ville ha ordning och reda. När han som bebis staplade klossar gjorde han perfekta, raka torn, och han blev alltid så ledsen när ..." Laila hejdade sig abrupt.

Erica såg hur hon bet ihop käkarna, och hon försökte med tankekraft mana Laila att fortsätta, att släppa fram det som hon så noga låst inne. Men ögonblicket var förbi. Precis som under de tidigare besöken. Ibland kändes det som om Laila stod på randen till en avgrund och innerst inne ville kasta sig ner i den. Som om hon ville falla handlöst men hindrades av starkare krafter som tvingade henne att retirera in i skuggornas trygghet igen.

Det var ingen slump att Erica tänkte på skuggor. Redan första gången de träffades hade hon fått en känsla av att Laila levde i en skuggtillvaro. Ett liv som löpte parallellt med det liv hon skulle ha haft, det liv som försvunnit i ett bottenlöst mörker den där dagen för så många år sedan.

"Känner du ibland att du är nära att förlora tålamodet med pojkarna? Att du är på väg att gå över den där osynliga gränsen?" Laila lät uppriktigt intresserad, men hennes röst hade också en vädjande ton.

Frågan var inte lätt att svara på. Alla föräldrar hade nog känt hur de snuddat vid gränsen mellan tillåtet och förbjudet, hur de stått och tyst räknat till tio medan tankar på vad de skulle kunna göra för att få slut på bråk och tjat exploderade i huvudet. Men det var en stor skillnad mellan att känna så och att handla därefter. Så Erica ruskade på huvudet.

"Jag skulle aldrig kunna göra dem illa."

Laila svarade först inte. Såg bara på Erica med sina lysande blå ögon. Men när vakten knackade på och meddelade att besökstiden var slut, sa Laila tyst, med blicken fortfarande fäst på Erica:

"Det tror du bara."

Erica tänkte på bilderna i mappen och rös.

Tyra ryktade Fanta med jämna tag. Som alltid mådde hon bättre när hon var nära hästarna. Egentligen skulle hon hellre ha velat ta hand om Scirocco, men Molly lät ingen annan göra det. Det var så orättvist. Bara för att det var Mollys föräldrar som ägde stallet fick hon alltid precis som hon ville.

Själv älskade hon Scirocco. Det hade hon gjort ända sedan hon såg honom första gången. Han hade tittat på henne som om han förstod henne. Det var en ordlös kommunikation som hon aldrig hade upplevt med någon annan, vare sig människa eller djur. Vem skulle det vara? Morsan? Eller Lasse? Bara tanken på Lasse fick henne att rykta Fanta hårdare, men det stora vita stoet verkade inte ha något emot det. Hon såg snarare ut att njuta av borsttagen, frustade till och förde huvudet upp och ner som om hon bockade sig. För ett ögonblick tyckte Tyra att det såg ut som om hon bjöd upp till dans, och hon log och strök Fanta över den grå mulen.

"Du är fin, du med", sa hon, som om hästen hade kunnat höra hennes tankar om Scirocco.

Sedan kände hon ett styng av dåligt samvete. Hon tittade på sin hand på Fantas mule och insåg hur futtig hennes avundsjuka var.

"Du saknar Victoria, va?" viskade hon och lutade huvudet mot hästens hals.

Victoria, som varit Fantas skötare. Victoria, som varit försvunnen i flera månader. Victoria, som varit – som var – hennes bästa vän.

"Jag saknar henne också." Tyra kände hästens lena hårrem mot sin kind, men det gav inte den tröst hon hade hoppats på.

Hon borde ha varit på mattelektionen nu, men just den här morgonen hade hon inte orkat hålla skenet uppe och saknaden borta. Hon hade låtsats gå till skolbussen men i stället sökt tröst i stallet, den enda plats där hon kanske kunde finna den. De vuxna förstod ingenting. De såg bara sin egen oro, sin egen sorg.

Victoria var mer än en bästis. Hon var som en syster. De hade blivit bästa vänner redan första dagen på lekis och varit oskiljaktiga sedan dess. Det fanns ingenting som de inte hade delat. Eller gjorde det kanske det? Tyra visste inte längre. De sista månaderna innan Victoria försvann hade något förändrats. Det var som om en mur vuxit upp mellan dem. Tyra hade inte velat tjata. Hon hade tänkt att Victoria tids nog skulle berätta vad det hela handlade om. Men tiden hade runnit ut, och Victoria var borta.

"Hon kommer säkert tillbaka", sa hon till Fanta, men innerst inne tvivlade hon. Även om ingen sa det visste alla att något allvarligt måste ha hänt. Victoria var inte den sortens tjej som försvann frivilligt, om det nu fanns någon sådan sort. Hon var för nöjd, och hon hade alldeles för lite äventyr i sig. Hon ville helst vara hemma eller i stallet, ville inte ens följa med in till Strömstad på helgerna. Och hennes familj var inte alls som Tyras familj. De var jättesnälla, till och med Victorias storebror. Han hade ofta ställt upp och skjutsat sin syster till stallet, även tidiga morgnar. Tyra hade alltid trivts hemma hos dem. Hon hade känt sig som en i familjen. Ibland hade hon till och med önskat att det var hennes familj. En vanlig, normal familj.

Fanta buffade mjukt på henne. Några tårar vätte stoets mule, och Tyra torkade sig snabbt i ögonen med handen.

Plötsligt hörde hon ljud utanför stallet. Även Fanta lystrade, riktade öronen framåt och höjde huvudet så häftigt att hon slog till Tyra på hakan. Den beska smaken av blod fyllde munnen. Hon svor till och med handen hårt pressad mot läpparna gick hon för att se vad det var som hände där utanför.

När hon öppnade stalldörren bländades hon av solen, men ögonen vande sig snart vid ljuset och hon såg Valiant komma över gårdsplanen i full galopp med Marta på ryggen. Marta gjorde halt så häftigt att hingsten var nära att stegra sig. Hon ropade något. Först hörde inte Tyra vad hon sa, men Marta fortsatte att skrika. Och till slut gick orden fram:

"Victoria! Vi har hittat Victoria."

Patrik Hedström satt vid sitt skrivbord på polisstationen i Tanumshede och njöt av lugnet. Han hade börjat tidigt, så han hade sluppit påklädningen och dagislämningen, något som numera var att likna vid tortyr med tanke på tvillingarnas förvandling från gulliga bebisar till Damien i filmen Omen. Han fattade inte hur två så små människor kunde sluka så mycket kraft. Hans favoritstund med dem var numera när han fick sitta vid deras sängar på kvällen och betrakta dem när de sov. Då kunde han njuta av den rena, stora kärleken utan att den blandades med den enorma frustration han emellanåt kände när de vrålade: "NEEEEJ, VILL INTE!"

Med Maja var allt så mycket enklare. Så enkelt att han ibland fick skuldkänslor för att både han och Erica ägnade småbröderna så mycket uppmärksamhet. Maja blev ofta lite bortglömd. Hon var så snäll och så duktig på att sysselsätta sig själv att de bara antog att hon var nöjd. Dessutom verkade hon, så liten hon var, ha en magisk förmåga att lugna sina bröder även under de värsta utbrotten. Men det var inte rättvist, och Patrik bestämde att han och Maja skulle ha en alldeles egen stund med mys och sagoläsning i kväll.

I samma stund ringde telefonen. Han svarade frånvarande, fortfarande med Maja i tankarna, men snart vaknade han till och satte sig rakt upp på stolen.

"Vad säger du?" Han lyssnade. "Okej, vi kommer direkt."

Han slängde på sig jackan i farten och skrek ut i korridoren:

"Gösta! Mellberg! Martin!"

"Vad är det, brinner det?" grymtade Bertil Mellberg som högst förvånande kom först ut ur sitt rum. Snart anslöt även Martin Molin, Gösta Flygare och stationens sekreterare Annika som suttit på sin plats i receptionen, längst bort från Patriks rum.

"Man har hittat Victoria Hallberg. Hon har blivit påkörd vid östra infarten till Fjällbacka och är redan på väg med ambulans till Uddevalla. Du och jag åker dit, Gösta."

"Åh fan", sa Gösta och rusade in på sitt rum igen för att även han dra på sig en jacka. Ingen vågade ge sig ut utan varma kläder den här vintern, hur akut situationen än var.

"Martin, du och Bertil åker ut till olycksplatsen och pratar med föraren", fortsatte Patrik. "Ring tekniska också och be dem att möta er där."

"Värst vad du är bossig i dag", muttrade Mellberg. "Men visst, eftersom det är jag som är chef på den här stationen är det naturligtvis jag som ska åka ut till olycksplatsen. Rätt man på rätt plats."

Patrik suckade inombords men sa ingenting. Med Gösta i släptåg skyndade han sig ut till en av de två stationsbilarna, kastade sig in och startade motorn.

Jäkla väglag, tänkte han när bilen sladdade till i den första kurvan. Han vågade inte köra så fort som han ville. Det hade börjat snöa igen och han ville inte ta risken att fara av vägen. Otåligt slog han näven i ratten. Det var bara januari och med tanke på de långa svenska vintrarna kunde de förvänta sig minst två månader till av det här eländet.

"Ta det lugnt", sa Gösta och höll sig i handtaget i taket. "Vad sa de när de ringde?" Bilen slirade till än en gång och han drog häftigt efter andan.

"Inte mycket. Bara att det skett en trafikolycka och att den påkörda flickan var Victoria. Tydligen fanns det ett vittne på platsen som kände igen henne. Det verkar tyvärr som om hon är illa däran, och hon hade andra skador också, som hon fått redan innan bilen körde på henne."

"Vad för skador?"

"Jag vet inte, vi får se när vi kommer dit."

Knappt en timme senare var de framme vid Uddevalla sjukhus och parkerade utanför ingången. De halvsprang in på akutmottagningen och fick snabbt tag i en läkare, som enligt skylten på bröstet hette Strandberg.

"Vad bra att ni kommer. Flickan ska precis in för operation. Men det är osäkert om hon kommer att klara sig. Vi fick höra att hon försvunnit hos er, och omständigheterna är så pass speciella att vi tänkte att det var bättre att ni fick underrätta familjen. Jag antar att ni redan har haft mycket kontakt med dem?"

Gösta nickade. "Jag ringer dem."

"Har du någon information om vad som hänt?" sa Patrik.

"Inte mer än att hon blivit påkörd. Hon har rejäla inre blödningar, och även en skallskada som vi ännu inte vet omfattningen av. Vi kommer att hålla henne nedsövd ett tag efter operationen, för att minimera skadorna på hjärnan. Om hon nu överlever, vill säga."

"Det sades att hon hade skador redan före olyckan."

"Ja…" Strandberg drog på orden. "Vi vet ju inte exakt vilka skador hon ådrog sig när hon blev påkörd och vilka skador hon hade sedan tidigare. Men…" Han samlade sig och verkade leta efter rätt formulering. "Båda ögonen är borta. Liksom tungan."

"Borta?" Patrik såg vantroget på honom, och i ögonvrån uppfattade han Göstas lika undrande blick.

"Ja, tungan är avskuren och ögonen har på något sätt… avlägsnats."

Gösta satte handen för munnen. Hans hy hade fått en lätt grönaktig ton.

Patrik svalde. För ett ögonblick undrade han om det här var en mardröm som han strax skulle vakna upp ur. Att han lättat skulle kunna konstatera att det bara var en dröm, vända på sig och somna om. Men det här var verklighet. En vedervärdig verklighet.

"Hur lång tid beräknas operationen ta?"

Strandberg skakade på huvudet. "Svårt att säga. Hon har som sagt massiva inre blödningar. Ett par tre timmar. Minst. Ni kan vänta här." Han nickade mot ett stort väntrum.

"Då tar jag och ringer familjen", sa Gösta och gick iväg en bit i korridoren.

Patrik avundades honom inte uppgiften. Den första glädjen och lättnaden över att Victoria hade återfunnits skulle snabbt ersättas av samma förtvivlan och ångest som familjen Hallberg levt med de senaste fyra månaderna.

Han satte sig ner på en av de hårda stolarna med bilder av Victorias skador flimrande i huvudet. Men tankarna avbröts när en jäktad sköterska stack in huvudet och ropade på Strandberg. Patrik hann knappt reagera på vad hon sa förrän läkaren hade rusat ut ur väntrummet. Ute i korridoren hördes Gösta prata i telefon med någon i Victorias familj. Frågan var vilket besked de nu skulle få.

Ricky betraktade spänt sin mammas ansikte medan hon pratade i telefonen. Försökte avläsa varje ansiktsuttryck, höra varje ord. Hjärtat slog så hårt i bröstkorgen att han knappt kunde andas. Hans pappa satt bredvid, och Ricky anade att hans hjärta bultade lika hårt. Det kändes som om tiden stod stilla, som om den stoppats i just detta ögonblick. Sinnena skärptes på ett märkligt sätt. Samtidigt som hela hans uppmärksamhet var riktad på samtalet, hörde han alla andra ljud i detalj, kände tydligt vaxduken mot de knutna händerna, hårstrået som kliade under kragen, linoleumgolvet under fötterna.

Polisen hade hittat Victoria. Det var det första de förstod när det ringde. Mamma hade känt igen numret och kastat sig på telefonen, och Ricky och pappa hade upphört med sitt håglösa ätande i samma ögonblick som hon svarade: "Vad har hänt?"

Inga artighetsfraser, inget "hej", inget förnamn så som mamma brukade svara annars. Den senaste tiden hade allt sådant – artighetsfraser, sociala regler, vad man skulle, vad man borde – förvandlats till något fullkomligt obetydligt, något som tillhörde livet innan Victoria försvann.

Grannar och vänner hade kommit i en strid ström, med mat och tafatta välmenande ord. Men de hade inte stannat länge. Hans föräldrar hade inte orkat med frågorna, vänligheten, oron och deltagandet i allas ögon. Eller lättnaden, alltid samma lättnad, över att det inte var de som var drabbade. Att deras barn var hemma, i säkerhet.

"Vi kommer."

Mamma tryckte bort samtalet och lade sakta ner mobilen på disk-
bänken. Den gamla sortens diskbänk i stål. Mamma hade i åratal tjatat
på pappa att de skulle byta ut den mot något modernare, men pappa hade
muttrat att man inte bytte ut något som var helt och rent och fortfarande
fullt funktionellt. Och mamma hade inte insisterat. Bara fört ämnet på
tal då och då, i hopp om att pappa plötsligt skulle ändra sig.

Ricky trodde inte att mamma längre brydde sig om vilken sorts köks-
bänk de hade. Underligt hur allt så snabbt kunde bli meningslöst. Allt
utom att hitta Victoria.

"Vad sa de?" sa pappa. Han hade ställt sig upp, men Ricky satt kvar
och stirrade ner på sina knutna händer. Mammas ansiktsuttryck avslö-
jade att de inte ville höra vad hon hade att säga.

"De har hittat henne. Men hon är allvarligt skadad och ligger på
sjukhuset i Uddevalla. Vi skulle skynda oss dit, sa Gösta. Sedan vet jag
inte mer."

Hon brast i gråt och rasade ihop som om benen inte bar henne längre.
Pappa hann precis fram för att fånga upp henne, och han strök henne
över håret och hyssjade åt henne, men tårarna rann även nedför hans
kinder.

"Nu måste vi försöka komma iväg, älskling. Ta på dig jackan så åker
vi direkt. Ricky, hjälp mamma, så går jag ut och startar bilen."

Ricky nickade och gick fram till henne. Varligt lade han hennes arm
om sina axlar och fick henne att röra sig ut i hallen. Där gav han henne
den röda dunkappan och hjälpte henne att ta på den som man klär på
ett barn. En arm i, sedan den andra, och så drog han försiktigt upp
dragkedjan.

"Så där", sa han och ställde stövlarna framför henne. Han satte sig på
huk, tog hennes fötter och satte på stövlarna en och en. Sedan klädde
han raskt på sig och öppnade ytterdörren. Han hörde att pappa fått igång
bilen, såg hur han ursinnigt skrapade rutorna så att frosten stod som
ett moln runt honom och blandades med röken från hans andedräkt.

"Jävla vinter!" skrek pappa och skrapade så hårt att han säkert skulle
rispa vindrutan. "Satans helvetes jävla vinter!"

"Sätt dig i bilen, pappa. Jag gör det där", sa Ricky. Han tog skrapan ifrån honom, efter att först ha satt sin mamma i baksätet. Pappa lydde honom utan motstånd. De hade alltid låtit pappa tro att han var den som bestämde i familjen. Alla tre – han själv, mamma och Victoria – hade en tyst överenskommelse om att låtsas som om pappa Markus pekade med hela handen, fast de allihop visste att han var alldeles för snäll för att peka ens med fingret. I stället hade det alltid varit mamma Helena som smidigt hade sett till att saker och ting blev som det var tänkt. När Victoria försvann hade luften gått ur henne så snabbt att Ricky ibland undrade om hennes bestämdhet någonsin funnits där, eller om hon alltid varit den hopsjunkna, modlösa människa som nu satt i baksätet och stirrade tomt framför sig. Men för första gången på länge syntes nu någonting annat i hennes ögon, en blandning av iver och panik som tänts av samtalet från polisen.

Ricky satte sig bakom ratten. Det var egendomligt hur hålen i en familj täpptes till, hur han reflexmässigt hade klivit fram och tagit mammas plats. Som om han besatt en kraft som han inte ens visste om att han hade.

Victoria hade alltid sagt till honom att han var som tjuren Ferdinand. Dumsnäll och slö på utsidan, men om det gällde skulle han kunna stå upp mot vemsomhelst. Han hade alltid måttat ett låtsasslag mot henne för ”dumsnäll” och ”slö”, men i hemlighet hade han tyckt om hennes beskrivning av honom. Han ville gärna vara tjuren Ferdinand. Fast han hade inte längre ro att sitta och lukta på blommorna. Det kunde han bara göra när Victoria var tillbaka.

Tårarna började rinna och han torkade bort dem med jackärmen. Han hade inte tillåtit sig själv att tänka att hon inte skulle komma hem igen. Om han hade gjort det skulle allt ha rasat samman.

Nu var Victoria återfunnen. Men de visste ännu inte vad som väntade dem på sjukhuset. Och han kände på sig att de kanske inte ville veta det.

Helga Persson tittade ut genom köksfönstret. Tidigare hade hon sett hur Marta kom ridande i full fart in på gårdsplanen, men nu var allt lugnt och stilla. Hon hade bott här länge och vyn var välbekant, även om den hade ändrats lite under åren. Den gamla ladan fanns kvar, men ladugården, där de haft korna som hon skött om, var riven. Nu upptogs platsen i stället av stallet, som Jonas och Marta byggt för att driva sin ridskola.

Det hade glatt henne att sonen valt att slå sig ner så nära henne, att de var grannar. Deras hus låg bara hundra meter ifrån varandra, och eftersom han drev sin veterinärmottagning hemifrån tittade han allt som oftast in till henne. Varje besök fick hennes vardag att te sig lite ljusare, och det behövdes.

"Helga! Heeeelgaaa!"

Hon blundade där hon stod vid diskbänken. Einars röst fyllde varje vrå av huset, omringade henne och fick henne att knyta nävarna. Men det fanns inte längre någon vilja att fly. Den hade han bankat ur henne för många år sedan. Trots att han nu var hjälplös och helt beroende av henne var hon oförmögen att ge sig av. Hon tänkte inte ens tanken längre. Vart skulle hon ta vägen?

"HEELGAAA!"

Det enda hos honom som behållit sin forna styrka var rösten. Sjukdomarna, amputeringen av båda benen som en följd av att han misskött sin diabetes, hade berövat honom hans fysiska styrka. Men rösten var lika krävande. Den tvingade henne fortfarande till underkastelse lika effektivt som hans knytnävar hade gjort förr om åren. Minnet av slagen, känslan av ett knäckt revben och ömmande blåmärken, var så levande att enbart hans röst kunde framkalla rädslan och skräcken för att hon inte skulle överleva nästa gång.

Hon rätade på sig, tog ett djupt andetag och ropade tillbaka:

"Jag kommer!"

Raskt gick hon uppför trappan. Einar tyckte inte om att vänta, det hade han aldrig gjort, men hon förstod inte varför det skulle vara sådan brådska. Han hade ju inget annat för sig än att sitta och klaga på alltifrån vädret till hur regeringen skötte landet.

"Det läcker", sa han när hon kom upp.

Hon svarade inte. Vek bara upp blusärmarna och gick fram till honom för att få en uppfattning om hur stor förödelsen var. Hon visste att han njöt av det. Han höll henne inte längre fången med våld, utan med ett behov av omvårdnad som borde ha varit förbehållet de barn som hon aldrig fick, de som han bankade ur kroppen på henne. Bara ett hade överlevt, och det fanns stunder när hon tänkte att det kanske hade varit bäst om också det barnet hade farit ut i en fors av blod mellan hennes ben. Samtidigt visste hon inte vad hon skulle ha tagit sig till om hon inte fått honom. Jonas var hennes liv, hennes allt.

Einar hade rätt. Stomipåsen hade läckt. Ordentligt dessutom. Halva skjortan var blöt och nedkladdad.

"Varför kom du inte med en gång?" sa han. "Hörde du inte att jag ropade? Du har väl knappast något annat viktigt för dig." Han glodde på henne med sina vattniga ögon.

"Jag var på toaletten. Jag kom så fort jag kunde", sa hon och knäppte upp hans skjorta. Försiktigt drog hon i ärmarna för att få av den utan att kleta ner ännu mer av hans kropp.

"Jag fryser."

"Du ska få en ny skjorta. Jag måste bara tvätta av dig först", sa hon med allt det tålamod som hon kunde uppbringa.

"Jag kommer att dra på mig lunginflammation."

"Jag ska vara snabb. Jag tror inte att du hinner bli förkyld."

"Jaså, är du sjukvårdsutbildad nu också. Du kanske vet bättre än läkarna, till och med?"

Hon teg. Han försökte bara få henne ur balans. Bäst mådde han när hon grät, när hon tiggde och bad honom att sluta. Då fylldes han av ett lugn, en tillfredsställelse som fick det att lysa i ögonen på honom. Men i dag tänkte hon inte skänka honom den glädjen. Numera lyckades hon för det mesta undvika det. De flesta tårarna hade nog runnit ur henne genom åren.

Helga gick och hämtade vatten i baljan som stod i badrummet intill sovrummet. Rutinerna satt i ryggmärgen vid det här laget. Fylla baljan med vatten och tvål, väta trasan, torka av hans nedsölade kropp, ta på honom en ren skjorta. Hon misstänkte att han själv såg till att påsen läckte. Hon hade tagit upp det med Einars läkare, som sagt att den omöjligt kunde läcka så ofta. Men påsarna fortsatte ändå att läcka. Och hon fortsatte att torka.

"Vattnet är för kallt." Einar ryckte till när trasan nuddade hans mage.

"Jag fyller på med mer varmt." Helga reste sig, gick till badrummet, satte baljan under kranen och vred på varmvattnet. Sedan gick hon tillbaka.

"Aj! Det är ju skållhett! Försöker du bränna mig, din satmara?" Einar skrek så högt att hon hoppade till. Men hon sa inget, lyfte bara baljan igen, bar ut den, fyllde på med kallvatten, kände noga så att tvålvattnet var aningen varmare än kroppstemperatur och bar tillbaka baljan. Den här gången sa han inget när trasan vidrörde hans hud.

"När kommer Jonas?" frågade han medan hon vred ur trasan så att vattnet färgades ljust brunt.

"Jag vet inte. Han jobbar. Han är hos Anderssons. De har en ko som ska kalva men kalven ligger fel."

"Skicka upp honom till mig när han kommer", sa Einar och blundade.

"Ja", sa Helga tyst och vred ur trasan igen.

Gösta såg dem komma i sjukhuskorridoren. De småsprang mot honom och han fick bekämpa en instinkt att fly åt andra hållet. Han visste att beskedet de skulle få stod skrivet över hela hans ansikte, och han hade rätt. Så fort Helena mötte hans blick famlade hon efter Markus arm och sjönk ihop på golvet. Hennes skrik ekade i korridoren och alla andra ljud tystnade.

Ricky stod som fastfrusen. Vit i ansiktet hade han stannat bakom sin mor, medan Markus fortsatte framåt. Gösta svalde hårt och gick dem till mötes. Markus passerade honom, med oseende blick, som om han inte förstått, som om han inte sett samma besked i Göstas ansikte som hans hustru gjort. Han fortsatte bortåt i korridoren, till synes utan mål.

Gösta hejdade honom inte utan gick fram till Helena och lyfte varligt upp henne till stående. Sedan lade han armarna om henne. Det var inte något han brukade göra. Han hade bara släppt två människor in på livet: sin hustru, och så flickan som var hos dem en kort tid som liten och som nu genom ödets outgrundliga vägar kommit in i hans liv igen. Så det kändes inte helt naturligt för honom att stå här och omfamna en kvinna han bara känt ett kort tag. Men sedan Victoria försvann hade Helena ringt honom varje dag, ömsom hoppfull, ömsom uppgiven, arg och sorgsen, och frågat om sin dotter. Det enda han hade kunnat ge henne var ännu fler frågetecken och mera oro. Och nu hade han slutgiltigt släckt allt hopp. Att lägga armarna om henne och låta henne gråta mot hans bröst var det minsta han kunde göra.

Gösta mötte Rickys blick över Helenas huvud. Det var något alldeles särskilt med den pojken. Han hade varit ryggraden som höll Victorias familj uppe under de månader som gått. Men där han nu stod, framför Gösta, vit i ansiktet och med tomma ögon, såg han ut som den unga pojke han var. Och Gösta visste att Ricky för evigt förlorat den oskuld som bara är barn förunnad, tron på att allting alltid ordnar sig.

"Kan vi få se henne?" sa Ricky med tjock röst. Gösta kände hur Helena stelnade till. Hon drog sig ur hans famn, torkade tårar och snor mot kappärmen och tittade bönfallande på honom.

Gösta fäste blicken på en punkt långt bakom dem. Hur skulle han kunna tala om för dem att de inte ville se Victoria? Och varför.

Hela arbetsrummet var belamrat med papper. Renskrivna anteckningar, post-it-lappar, artiklar, kopior av foton. Det såg ut som ett fullkomligt kaos, men Erica trivdes med att arbeta på det här sättet. Hon ville omge sig med all information, alla tankar hon hade kring ett fall, när hon jobbade med en ny bok.

Men den här gången hade hon kanske tagit sig vatten över huvudet. Hon hade så mycket material och bakgrundsfakta, men bara från andrahandskällor. Hur bra hennes böcker blev, hur väl hon kunde återge ett mordfall och ge svar på alla frågor som omgav det, hängde alltid på om hon fick förstahandsuppgifter eller inte. Hittills hade hon alltid lyckats. Ibland hade de berörda personerna varit lättövertalade. Vissa hade till och med varit väl beredvilliga att prata, för att få medial uppmärksamhet och en stund i rampljuset. Men ibland hade det tagit tid, hon hade fått lirka och förklara varför hon ville dra upp det förflutna igen, hur hon ville berätta deras historia. Slutligen brukade hon alltid lyckas. Till nu. Hon kom ingen vart med Laila. Vid sina besök hade hon kämpat för att få henne att för första gången berätta om det som hänt, men förgäves. Laila pratade gärna, bara inte om det.

Frustrerad lade Erica upp fötterna på skrivbordet och lät tankarna vandra. Kanske skulle hon ringa Anna. Ofta kunde hon bidra med bra idéer och nya infallsvinklar. Fast Anna var sig inte lik. Hon hade gått igenom så mycket de senaste åren, och eländet verkade aldrig ta slut. En del av det som hänt var visserligen självförvållat, men Erica kunde ändå inte döma sin lillasyster. Hon förstod varför det som hänt hade hänt. Frågan var bara om Dan någonsin skulle kunna förstå, och förlåta. Erica måste erkänna att hon tvivlade på det. Hon hade känt honom i hela sitt liv, i tonåren hade de till och med varit ett par, och hon visste hur tjurig han kunde vara. Den envishet och den stolthet som var hans främsta egenskaper skulle i det här fallet bara slå tillbaka mot honom själv. Och resultatet var att alla var olyckliga: Anna, Dan, barnen, ja, även hon själv. Hon hade önskat att systern äntligen skulle få lite lycka i livet efter det helvete hon hade genomlidit med barnens pappa Lucas.

Det var så orättvist, tänkte hon, hur olika deras liv hade blivit. Själv hade hon ett starkt och kärleksfullt äktenskap, tre friska barn och en författarkarriär som gick allt bättre. Anna hade däremot drabbats av den ena motgången efter den andra och Erica hade ingen aning om hur hon skulle kunna hjälpa henne. Det hade alltid varit hennes roll: hon var beskyddaren, den som stöttade och tog om hand. Anna hade varit den levnadsglada, den vilda. Men allt det hade livet bankat ur henne och nu fanns bara ett stillsamt, vilset skal kvar. Erica saknade den gamla Anna.

Jag ringer henne i kväll, tänkte hon och plockade i stället upp en bunt med artiklar och började bläddra. Det var härligt tyst i huset, och hon var tacksam för att hennes jobb möjliggjorde att hon satt hemma och arbetade. Hon hade aldrig känt någon längtan efter arbetskamrater eller ett kontor att gå till. Hon trivdes alldeles för bra i sitt eget sällskap.

Det absurda var att hon redan längtade efter att tvillingarna och Maja skulle hämtas. Hur var det möjligt att man kunde ha sådana kluvna känslor inför föräldravardagen? Pendlandet mellan toppar och dalar gjorde henne fullkomligt utmattad. Att i ena stunden knyta näven hårt i fickan och i andra stunden vilja pussa dem så mycket att de bad om nåd. Hon visste att Patrik kände likadant.

Tankarna på Patrik och barnen ledde osökt vidare till samtalet med Laila. Det var så ofattbart. Hur kunde man passera den där osynliga men ändå skarpa gränsen för vad man tillät sig att göra? Var inte det själva essensen av att vara människa, att kunna lägga band på sina mest primitiva instinkter och göra det som var rätt och socialt accepterat av gruppen? Att följa de lagar och regler för mänsklig existens som gjorde att samhället fungerade.

Erica bläddrade vidare bland artiklarna. Det var sant, det som hon hade sagt till Laila i dag. Hon skulle aldrig kunna göra sina barn illa. Inte ens i sina mörkaste stunder, när hon led av förlossningsdepression efter att Maja föddes, eller i kaoset när tvillingarna kom, eller under vaknätter eller raseriutbrott som ibland kändes som om de varade i timmar, inte ens när barnen upprepade "Nej!" lika ofta som de tog ett andetag, hade hon varit i närheten av att göra det. Men i pappersbunten i hennes knä, på bilderna som låg på skrivbordet, i hennes anteckningar, fanns bevisen för att den gränsen kunde överskridas.

Hon visste att Fjällbackaborna kallade huset på bilderna Skräckens hus. Det var inte ett särskilt originellt namn, men väldigt passande. Ingen hade velat köpa det efter tragedin, och det hade sakta fått förfalla. Erica sträckte sig efter en bild av huset som det såg ut då. Inget vittnade om vad som försiggått där. Det såg ut som ett helt vanligt hus, vitt med grå knutar och ensligt beläget på en kulle, med några få träd omkring. Hon undrade hur det såg ut i dag, hur mycket det hade förstörts.

Sedan satte hon sig rakt upp på kontorsstolen, lade fotografiet på skrivbordet. Varför hade hon inte åkt dit? Hon brukade ju alltid söka sig tillbaka till brottsplatsen. Det hade hon gjort i arbetet med alla de tidigare böckerna, men inte den här gången. Något hade hållit henne därifrån. Hon hade inte ens fattat ett medvetet beslut om att inte åka dit, hon hade bara inte gjort det.

Men det fick vänta till i morgon. Nu var det dags att åka och hämta hem vildarna. Magen knöt sig i en blandning av längtan och trötthet.

Kon kämpade tappert. Jonas var alldeles genomsvettig efter att i flera timmar försökt vända kalven rätt. Det stora djuret spjärnade emot och förstod inte att de ville hjälpa henne.

"Bella är vår goaste ko", sa Britt Andersson. Tillsammans med sin man Otto drev hon gården som låg ett par kilometer från hans och Martas ägor. De hade ett litet men än så länge livskraftigt lantbruk, med korna som främsta inkomstkälla. Britt var driftig och det hon fick från mjölkförsäljningen till Arla drygade hon ut med inkomster från en liten gårdsbutik med egenystad ost. Och hon såg orolig ut där hon stod bredvid kon.

"Ja, hon är fin, Bella", sa Otto och rev sig bekymrat i bakhuvudet. Det var fjärde kalven hon fick och de tre tidigare gångerna hade allt gått bra. Men den här kalven hade satt sig på tvären och vägrade envist komma ut, och Bella såg alltmer kraftlös ut.

Jonas torkade svetten ur pannan och förberedde sig på att göra ytterligare ett försök att dra kalven rätt så att den snart kunde landa i halmen, kladdig och vinglig. Han fick inte ge upp, för då skulle både kon och kalven dö. Lugnande strök han Bella över den mjuka pälsen. Hon andades i korta, ytliga stötar och ögonen var uppspärrade.

"Såja, gumman, nu ska vi se om vi inte kan få ut din kalv", sa han och drog på sig de långa plasthandskarna igen. Sakta men bestämt förde han in handen i den trånga kanalen tills han kände kalven. Han behövde få ett rejält tag om ett ben som han kunde dra i för att vända kalven rätt, men varsamt så att inte något bröts.

"Jag har en av klövarna", sa han och såg i ögonvrån hur Britt och Otto sträckte på sig för att se bättre. "Lugn och fin nu, gumman."

Han pratade med låg, mild röst samtidigt som han började dra. Inget hände. Han drog lite hårdare men kunde fortfarande inte rubba kalven.

"Hur går det, vänder den sig?" sa Otto. Han kliade sig så mycket i håret nu att Jonas tänkte att det måste bli en kal fläck där.

"Inte än", sa Jonas mellan sammanbitna tänder. Svetten rann och ett hårstrå från den ljusa luggen hade fastnat i ögonen så att han var tvungen att blinka hela tiden. Men nu kunde han inte att tänka på något annat än att få ut kalven. Bellas andetag blev ytligare och ytligare och hon lade ner huvudet i halmen, som om hon var nära att ge upp.

"Jag är rädd att bryta något", sa han och tog i så mycket han vågade. Och då! Han drog lite till, höll andan och hoppades slippa höra ljudet av något som knäcktes. Sedan kände han hur kalven till slut lossnade ur läget den fastnat i. Några försiktiga ryck till, och så låg kalven där på golvet, medtagen men vid liv. Britt rusade fram och började gnugga kalven med halm. Med bestämda, kärleksfulla tag torkade och masserade hon den, och de såg hur den blev allt piggare.

Bella låg däremot alldeles stilla på sidan. Hon reagerade inte på att kalven nu var ute, det liv som växt i henne i drygt nio månader. Jonas gick runt och satte sig vid hennes huvud och plockade bort några halmstrån som hamnat nära ögat.

"Nu är det klart. Du var jätteduktig, gumman."

Han strök henne över den lena, svarta pälsen och fortsatte prata med henne, precis som han gjort under hela kalvningen. Först fick han ingen reaktion alls. Sedan lyfte hon mödosamt på huvudet och tittade mot kalven.

"Du har fått en jättefin liten flicka. Titta, Bella", sa Jonas och fortsatte klappa henne. Han kände hur pulsen började gå ner. Kalven skulle klara sig, och det skulle nog Bella också göra. Han reste sig, fick äntligen bort det irriterande hårstrået ur ögat och nickade mot Britt och Otto.

"Ser ut att vara en fin liten kalv, det där."

"Tack, Jonas", sa Britt och gick fram och gav honom en stor kram.

Otto sträckte förläget fram en rejäl näve. "Tack, tack, det var fint ordnat av dig", sa han och pumpade Jonas hand upp och ner.

"Jag gör bara mitt jobb", sa Jonas men log brett. Det var alltid tillfredsställande när något ordnade sig till slut. Han tyckte inte om när saker och ting inte gick att lösa, vare sig det var i jobbet eller privat.

Nöjd med hur allt till slut förlöpt tog han fram sin mobil ur jackfickan. Han stirrade några sekunder på displayen. Sedan rusade han mot bilen.

Fjällbacka 1964

Ljuden, lukterna, färgerna. Allt var omtumlande och andades äventyr. Laila höll sin syster i handen. Egentligen var de för vuxna för det, men Agneta och hon sökte ofta varandras händer när något särskilt hände. Och en cirkus i Fjällbacka hörde onekligen inte till vanligheterna.

De hade knappt varit utanför det lilla fiskesamhället. Två dagsturer till Göteborg var de längsta resor de någonsin gjort, och cirkusen förde med sig löften om den stora världen.

"Vad är det för språk de pratar?" viskade Agneta, fast de hade kunnat skrika utan att någon hörde vad de sa i sorlet runtomkring dem.

"Tant Edla sa att cirkusen kommer från Polen", viskade hon tillbaka och tryckte systerns svettiga hand.

Sommaren hade bestått av en ändlös räcka soliga dagar, men det här måste vara den varmaste dagen hittills. Hon hade på nåder fått ledigt från arbetet i sybehörsaffären och gladde sig åt varenda minut som hon slapp tillbringa inne i den kvava lilla affären.

"Titta, en elefant!" Agneta pekade upphetsat på det stora grå djuret som i sakta mak lunkade förbi dem, ledd av en man i trettioårsåldern. De stannade till och betraktade elefanten, så imponerande vacker och så fullkomligt malplacerad på den åker utanför Fjällbacka där cirkusen slagit läger.

"Kom, vi går och ser vilka andra djur de har. Jag har hört att de ska ha lejon och zebror också." Agneta drog henne med sig och Laila följde andfått efter. Hon kände hur svetten pärlade sig på ryggen och fläckade hennes tunna blommiga sommarklänning.

De sprang mellan vagnarna som stod uppställda runt tältet som höll på att resas. Starka män i vita linnen jobbade hårt för att få allt klart inför morgondagen då Cirkus Gigantus skulle ha sin första föreställning. Det var många från trakten som inte hade kunnat hålla sig till dess utan gått hit för att titta på spektaklet. Nu betraktade de storögt allt som var så olikt det som de var vana vid. Förutom under två tre sommarmånader med badgäster och det liv de förde med sig, var vardagen i Fjällbacka ganska enahanda. Dagarna följde på varandra utan att något särskilt hände, så att det för första gången skulle komma en cirkus hade spritt sig som en löpeld.

Agneta fortsatte att dra i henne, bort mot en av vagnarna där ett randigt huvud stack ut genom en lucka.

"Åh, titta vad fin den är!"

Laila kunde inte annat än instämma. Zebran var otroligt söt, med sina stora ögon och långa ögonfransar, och hon fick lägga band på sig för att inte gå fram och klappa den. Hon antog att man inte fick röra vid djuren, men det var svårt att motstå.

"Don't touch." En röst bakom dem fick dem att hoppa till.

Laila vände sig om. Hon hade aldrig sett en så stor man. Lång och muskulös tornade han upp sig framför dem. Han hade solen i ryggen så att de fick skugga ögonen med handen för att kunna se något, och när hon mötte hans blick gick det som en elektrisk stöt genom kroppen. Det var en känsla som hon aldrig tidigare hade varit i närheten av. Hon kände sig förvirrad och yr, och hela huden brann. Hon intalade sig att det måste vara värmen.

"No... We... no touch." Laila försökte hitta rätt ord. Även om hon hade läst engelska i skolan och snappat upp en hel del från de amerikanska filmer hon sett, hade hon aldrig behövt tala det främmande språket.

"My name is Vladek." Mannen sträckte fram en valkig näve, och efter några sekunders tvekan fattade hon den och såg sin egen hand försvinna i hans.

"Laila. My name is Laila." Svetten strilade nu nedför hennes rygg.

Han skakade hennes hand och upprepade namnet men fick det att låta främmande och annorlunda. Ja, när det kom över hans läppar lät det nästan exotiskt och inte som ett vanligt tråkigt namn.

"This...", hon letade febrilt i minnet och tog sats för att våga, "this is my sister."

Hon pekade på Agneta, och den stora mannen hälsade även på henne. Laila skämdes lite för sin stapplande engelska men hennes nyfikenhet övervann blygheten.

"What... what you do? Here? In circus?"

Han sken upp. "Come, I show you!" Han gjorde en gest åt dem att följa med och började sedan gå utan att vänta på svar. De halvsprang efter honom och Laila kände hur blodet rusade runt i kroppen. Han gick förbi vagnarna och cirkustältet som höll på att resas, bort till en vagn som stod lite avsides. Den var snarare en bur, med järngaller i stället för väggar. Innanför gallret vankade två lejon av och an.

"This is what I do. This is my babies, my lions. I am... I am a lion tamer!"

Laila stirrade på de vilda djuren. Inom henne började något helt nytt att spira, något skrämmande men underbart. Och utan att tänka på vad hon gjorde, fattade hon Vladeks hand.

Det var tidig morgon på stationen. Kökets gula väggar såg snarare grå ut i det vinterdis som svävade över Tanumshede. Alla var tysta. Ingen av dem hade sovit särskilt många timmar och tröttheten satt som en mask över deras ansikten. Läkarna hade kämpat heroiskt för att rädda Victorias liv, men förgäves. Klockan 11.14 i går hade hon förklarats död.

Martin hade fyllt på kaffe till alla och Patrik kastade en blick på honom. Sedan Pia gått bort hade han nästan slutat le, och alla deras försök att få tillbaka den gamla Martin hade misslyckats. Pia hade bevisligen tagit med sig en bit av honom när hon dog. Läkarna hade trott att hon hade högst ett år kvar att leva, men det hade gått fortare än någon befarat. Redan tre månader efter beskedet var hon borta, och Martin hade lämnats ensam kvar med deras lilla dotter. Fuck cancer, tänkte Patrik och reste sig.

”Victoria Hallberg avled som ni alla vet av de skador hon fick när hon blev påkörd. Föraren av bilen är inte misstänkt för något brott.”

”Nej”, inflikade Martin. ”Jag pratade med honom i går. En David Jansson. Enligt honom dök Victoria plötsligt upp där på vägen och han hade ingen möjlighet att hinna bromsa. Han försökte väja, men det var väldigt halt och han förlorade kontrollen över bilen.”

Patrik nickade. ”Det finns ju ett vittne till händelsen, Marta Persson. Hon var ute och red när hon såg någon komma ut ur skogen och sedan bli påkörd. Det var också hon som larmade polis och ambulans och som kände igen Victoria. Hon var rätt chockad i går, vad jag förstår, så vi skulle behöva prata med henne i dag. Gör du det, Martin?”

”Visst, jag tar hand om det.”

"I övrigt måste vi snabbt komma vidare i undersökningen av Victorias försvinnande. Det vill säga hitta den eller dem som förde bort henne och uppenbarligen utsatte henne för grovt våld."

Patrik strök sig över ansiktet. Bilderna av Victoria när hon låg död på sin brits hade etsat sig fast på näthinnan. Han hade åkt direkt från sjukhuset till stationen och ägnat några timmar åt att gå igenom det material de hade. Alla samtal med familjen, med kompisar i skolan och i stallet. Försöken att kartlägga såväl personer i Victorias omgivning som de sista timmarna innan hon försvann på väg hem från paret Perssons ridskola. Och så uppgifterna de fått om de andra flickorna som försvunnit de senaste två åren. Självklart kunde de inte vara säkra, men att fem flickor i ungefär samma ålder och med liknande utseende försvunnit från ett relativt begränsat område kunde inte bara vara ett sammanträffande. I går hade Patrik också skickat ut all ny information till de andra distrikten och bett dem att göra detsamma om de hade fått reda på något mer. Man visste aldrig, kanske hade något missats.

"Vi kommer att fortsätta samarbetet med de berörda polisdistrikten och förena våra krafter i den här utredningen så gott det går. Victoria är ju den första av flickorna som återfunnits, och kanske kan den här tragiska händelsen åtminstone leda till att vi hittar de andra. Och att vi kan sätta stopp för att fler flickor förs bort. En människa som är kapabel till sådana grymheter som de Victoria utsattes för ... ja, en sådan människa får inte gå lös."

"Sjuka jävel", muttrade Mellberg, och hunden Ernst lyfte oroligt på huvudet. Som vanligt hade han legat och slumrat med huvudet på sin husses fötter och han kände av minsta ändring i hans sinnesstämning.

"Hur ska man tänka om skadorna?" Martin lutade sig framåt på stolen. "Vad får gärningsmannen att göra något sådant?"

"Den som det visste. Jag har funderat på om vi skulle kontakta någon som kan göra en gärningsmannaprofil. Det finns ju inte så mycket att gå på, men kanske finns det ändå mönster som kan vara intressanta, ett samband som vi inte ser."

"En gärningsmannaprofil? Ska en sådan där psykologmänniska och förståsigpåare som aldrig har varit i kontakt med riktiga brottslingar sitta och tala om för oss hur vi ska sköta vårt jobb?" Mellberg skakade på huvudet så att håret, som låg upprullat på huvudet i ett försök att dölja flinten, trillade ner över ena örat. Med ett vant handgrepp svingade han det på plats igen.

"Det är värt ett försök", sa Patrik. Han kände väl till Mellbergs motstånd mot alla former av moderniteter inom polisarbetet. Och i teorin var det Bertil Mellberg som var chef för Tanumshede polisstation, men alla visste att det i praktiken var Patrik som stod för det faktiska arbetet och att det var hans förtjänst att några brott över huvud taget löstes inom distriktet.

"Ja, det är ditt ansvar om det blir pannkaka av det och cheferna gormar om onödiga utgifter. Jag tvår mina händer." Mellberg lutade sig tillbaka och knäppte fingrarna över magen.

"Jag kollar upp vem som skulle vara lämplig att prata med", sa Annika. "Och kanske är det bäst att höra med de andra distrikten så att de inte redan har gjort något liknande och glömt att meddela oss. Det känns ju onödigt att vi dubbeljobbar. Slöseri med både tid och resurser."

"Bra tänkt, tack." Patrik vände sig mot whiteboarden där de hade satt upp ett fotografi av Victoria och antecknat grundläggande fakta om henne.

En radio spelade en glad schlagerdänga en bit bort i korridoren, och det hurtiga budskapet och melodin stod i bjärt kontrast till den tunga atmosfären i rummet. Det fanns ett konferensrum de kunde sitta i, men det var kallt och opersonligt och de föredrog att använda det betydligt hemtrevligare köket för sina möten. Dessutom hade de närmare till kaffet då, och det skulle gå åt många liter innan de var färdiga.

Patrik funderade en stund, sedan sträckte han på sig och började dela ut arbetsuppgifter.

"Annika, du gör en mapp med allt material vi har om Victorias fall samt alla uppgifter som vi fått från de övriga distrikten. Materialet kan du sedan skicka till den person som eventuellt kan hjälpa oss med en gärningsmannaprofil. Du ser även till att den kontinuerligt uppdateras med det som vi får fram."

"Jadå, jag antecknar allt", sa Annika där hon satt vid köksbordet med penna och papper. Patrik hade försökt få henne att börja använda en bärbar dator i stället, men hon vägrade. Och ville inte Annika göra något, så gjorde hon det inte heller.

"Fint. Förbered en presskonferens till klockan fyra i eftermiddag också. Vi kommer att bli nedringda annars." Patrik noterade i ögonvrån att Mellberg belåtet slätade till håret. Antagligen skulle inget kunna hålla honom därifrån.

"Gösta, du hör med Pedersen när vi kan tänkas få några obduktions-resultat. Vi behöver alla konkreta fakta så snabbt som möjligt. Du får gärna prata med familjen igen också, om de möjligen har kommit på något som kan vara viktigt för utredningen."

"Vi har ju redan pratat med dem så många gånger. Borde de inte få vara i fred en dag som den här?" Göstas blick var uppgiven. Han hade fått den tunga uppgiften att ta hand om Victorias föräldrar och bror på sjukhuset, och Patrik såg hur sliten han var.

"Jo, men de är säkert angelägna om att vi arbetar vidare och hittar den som gjort det här. Du får ta det varsamt. Vi kommer att vara tvungna att kontakta flera personer som vi redan har pratat med. Nu när Victoria är död kan de kanske tänka sig att berätta sådant som de inte ville avslöja tidigare. Det gäller familjen, kompisarna, personer i stallet som kan ha sett något när hon försvann. Till exempel borde vi prata med Tyra Hansson igen, hon var ju Victorias bästa vän. Det kanske du kan göra, Martin?"

Martin hummade ett ja.

Mellberg harklade sig. Just det. Någon meningslös uppgift måste som vanligt tilldelas Bertil, något som kunde få honom att känna sig viktig samtidigt som han gjorde minsta möjliga skada. Patrik tänkte efter. Ibland var det klokast att ha Mellberg i närheten, så att han kunde hålla uppsikt över honom.

"Jag pratade med Torbjörn i går kväll och den tekniska undersök-ningen hade inte gett något. Eftersom det snöade var det svårjobbat och de hittade inga spår efter var Victoria kan ha kommit ifrån. Nu har de inte mer resurser att lägga på det, så därför tänkte jag att vi skulle samla ihop frivilliga som kan hjälpa till att söka av ett större område.

Hon kan ha hållits fången i något gammalt torp eller en sommarstuga ute i skogen. Hon dök ju upp inte särskilt långt ifrån där hon sist sågs, och kanske har hon hela tiden funnits i vår närhet."

"Ja, jag har tänkt på det", sa Martin. "Tyder inte det på att gärningsmannen faktiskt är från Fjällbacka?"

"Jo, på sätt och vis", sa Patrik. "Men det behöver inte nödvändigtvis vara så. Inte om Victorias fall hör ihop med de övriga försvinnandena. Vi har ju inte hittat någon given koppling mellan de orterna och Fjällbacka."

Mellberg harklade sig igen och Patrik vände sig till honom.

"Jag tänkte att du skulle hjälpa mig med det här, Bertil. Vi får ge oss ut i skogen, och med lite tur kan vi hitta stället där hon har hållits fången."

"Det låter bra", sa Mellberg. "Men det blir inte roligt i den här satans kylan."

Patrik svarade inte. Vädret var hans minsta bekymmer just nu.

Anna plockade håglöst med tvätten. Hon var så obeskrivligt trött. Sedan bilolyckan hade hon varit sjukskriven och ärren på kroppen höll på att blekna, men inombords hade skadorna ännu inte läkt. Hon brottades inte bara med sorgen efter barnet som hon förlorat, utan också med en smärta som var självförvållad.

Skuldkänslorna molade i henne som ett ständigt illamående, och varje natt låg hon vaken och gick igenom det som hänt, granskade sina motiv. Men inte ens när hon försökte vara förlåtande mot sig själv kunde hon förstå vad som fått henne att hamna i säng med en annan man. Hon älskade ju Dan, och ändå hade hon kysst någon annan, låtit någon annan röra vid hennes kropp.

Var hennes självkänsla så svag, hennes bekräftelsebehov så starkt, att hon trott att en annan mans händer och mun skulle ge henne något som Dan inte kunde? Hon förstod det inte, så hur skulle Dan kunna göra det? Han som var tryggheten och lojaliteten personifierad. Folk sa att man aldrig kunde veta allt om en annan människa, men hon visste att Dan aldrig ens tänkt tanken på att bedra henne. Han skulle aldrig ha rört vid en annan kvinna. Det enda han hade velat var att älska henne.

Efter den första tidens ilska hade de hårda orden ersatts av något mycket värre: tystnad, en kvävande, tung tystnad. De kretsade runt varandra som två sårade djur, och Emma, Adrian och Dans flickor var som gisslan i sitt eget hem.

Drömmarna hon hade haft om att driva en egen verksamhet, med inredning och vackra föremål, hade dött i samma ögonblick som Dans sårade blick mötte hennes. Det var sista gången han sett henne i ögonen. Nu kunde han inte ens förmå sig att titta på henne. När han var tvungen att tilltala henne – om något som rörde barnen eller något så banalt som att be henne skicka saltet vid middagsbordet – mumlade han fram orden med blicken riktad nedåt. Och hon ville skrika, ruska om honom, tvinga honom att se henne, men hon vågade inte. Så även hon höll blicken sänkt, men inte av smärta utan av skam.

Barnen förstod naturligtvis inte vad som hänt. De förstod inte, men de led av effekterna. Varje dag gick de runt i tystnaden och försökte låtsas att allt var som vanligt. Men det var längesedan hon hörde deras skratt.

Med hjärtat så fyllt av ånger att hon trodde att det skulle sprängas lutade sig Anna fram, begravde ansiktet i tvätten och grät.

Det var här allt hade ägt rum. Erica klev försiktigt in i huset, som såg ut som om det skulle kunna falla ihop vilket ögonblick som helst. Utsatt för väder och vind hade det stått tomt och övergivet, och nu fanns det inte mycket som påminde om att en familj bott här en gång.

Erica duckade för en bräda som hängde ner från taket. Det knastrade av glas under hennes vinterkängor. Inte en enda av fönsterrutorna här nere var hel. På golv och väggar syntes tydliga spår av tillfälliga gäster. Klottrade namn och ord som bara betydde något för dem som skrivit dem, könsord och förolämpningar, en hel del felstavat. De som ägnade sig åt att spreja ner ödehus visade sällan prov på några större litterära färdigheter. Tomma ölburkar låg utspridda överallt, och intill en filt som såg så äcklig ut att Erica fick kväljningar fanns ett tomt kondompaket. Snö hade blåst in och bildat små högar här och där.

Hela huset andades misär och ensamhet, och Erica tog fram bilderna hon hade i en mapp i väskan för att få hjälp att se något helt annat framför sig. De visade ett helt annat hus, ett möblerat hem där människor levt. Ändå ryste hon till, för där syntes också spåren av det som hänt. Hon tittade sig sökande omkring. Jo, man kunde fortfarande urskilja den: blodfläcken på trägolvet. Och fyra märken efter soffan som stått där. Erica tittade på bilderna igen och försökte orientera sig. Hon började se rummet framför sig, hon såg soffan, soffbordet, fåtöljen i hörnet, tv:n på en bänk, golvlampan strax till vänster om fåtöljen. Det var som om allt i rummet materialiserade sig framför hennes ögon.

Men hon kunde också föreställa sig Vladeks sargade kropp. Hans stora, muskulösa kropp som halvlåg i soffan. Det gapande röda jacket i hans hals, huggen i hans överkropp, hans blick som var riktad mot taket. Och blodet som samlats i en stor pöl på golvet.

På bilderna som polisen hade tagit av Laila efter mordet var hennes blick helt tom. Tröjan var blodig framtill, och det fanns spår av blod i hennes ansikte. Det långa blonda håret hängde löst kring hennes ansikte. Hon såg så ung ut. Helt annorlunda än den kvinna som nu satt inspärrad på livstid.

Fallet hade aldrig rymt några tveksamheter. Det fanns ett slags logik i det, som alla hade accepterat. Ändå kände Erica starkt att något inte stämde, och för ett halvår sedan hade hon bestämt sig för att skriva om det. Hon hade hört om fallet ända sedan hon var barn, om mordet på Vladek och familjens hemska hemlighet. Historien om Skräckens hus ingick i ortens flora av berättelser och hade vuxit till en legend allteftersom åren gick. Huset var ett ställe där barn kunde utmana sig själva, ett spökhus att skrämma kompisarna med, där de kunde visa sitt mod och trotsa fruktan för den ondska som satt i väggarna.

Hon vände sig bort från familjens gamla vardagsrum. Det var dags att gå upp till övervåningen. Kylan i huset fick hennes leder att stelna, och hon hoppade några gånger på stället för att få upp värmen innan hon gick mot trappan. Prövande kände hon sig för innan hon klev upp på varje trappsteg. Hon hade inte nämnt för någon att hon skulle hit, och hon ville inte trampa igenom en rutten bräda och bli liggande här med bruten rygg.

Trappstegen höll, men hon var lika försiktig när hon långsamt började gå över golvet på övervåningen. Brädorna knarrade betänkligt, men det kändes som om de skulle bära och hon fortsatte med mer bestämda steg medan hon tittade sig omkring. Huset var litet, så det fanns bara tre rum på övervåningen och en minimal hall. Precis ovanför trappan låg det större sovrummet, som varit Vladeks och Lailas. Möblerna hade forslats bort eller stulits, och kvar fanns endast några smutsiga och trasiga gardiner. Även här låg det ölburkar, och en smutsig madrass tydde på att någon antingen övernattat eller använt det tomma huset till amorösa aktiviteter, långt borta från föräldrars vakande ögon.

Hon kisade och försökte visualisera rummet utifrån bilderna. En orange matta på golvet, en dubbelsäng med furugavlar och påslakan med stora gröna blommor. Rummet hade skrikit sjuttiotal, och att döma av bilderna som tagits av polisen efter mordet hade det varit i perfekt ordning, prydligt och rent. Hon hade blivit förvånad första gången hon fått titta på bilderna, för utifrån det hon visste hade hon snarare förväntat sig ett hem i kaos, smutsigt, ovårdat och rörigt.

Hon gick ut ur Lailas och Vladeks sovrum och in i ett lite mindre rum. Det hade varit Peters. Erica bläddrade fram rätt bild ur högen hon höll i handen. Även hans rum hade varit fint och prydligt, men sängen var obäddad. Det hade varit klassiskt inrett, med en blå tapet med små cirkusfigurer som mönster. Glada clowner, elefanter med färgglada plymer, en säl med en röd boll på nosen. Det hade varit en vacker barntapet, och Erica förstod varför de blivit förtjusta i just det motivet. Hon lyfte blicken från bilden och studerade rummet. Små rester av tapeten satt kvar här och där, men det mesta hade flagnat bort eller klottrats över, och av den tjocka heltäckningsmattan syntes inga spår förutom några klisterrester på det smutsiga trägolvet. Bokhyllan som varit fylld med böcker och leksaker var borta, liksom de två små stolarna vid det lilla bordet som var perfekt för ett litet barn att sitta och rita vid. Inte heller sängen som stått i hörnet till vänster om fönstret fanns kvar. Erica huttrade till. Fönsterrutorna var sönderslagna även här, och lite snö som blåst in virvlade över golvet.

Det återstående rummet på övervåningen hade hon medvetet sparat till sist. Louises rum. Det låg bredvid Peters, och när hon tog fram bilden av det fick hon stålsätta sig. Kontrasten var bisarr. Medan Peters rum hade varit fint och ombonat, såg Louises rum ut som en fängelsecell, vilket det på sätt och vis hade varit. Erica strök med fingret över den stora regel som fortfarande satt kvar utanpå dörren men nu hängde i några skruvar. En regel som var ditsatt för att hålla dörren ordentligt låst utifrån. För att låsa in ett barn.

Erica höll upp bilden framför sig när hon klev över tröskeln. Hon kände hur de små håren bak i nacken reste sig. Det vilade en kuslig stämning över rummet, men hon visste att det var inbillning. Varken hus eller rum hade minnen eller förmågan att bevara det förflutna. Det var säkert vetskapen om vad som hänt i det här huset som fick henne att känna obehag i Louises rum.

Rummet hade varit helt kalt. Det enda som funnits där var en madrass som legat direkt på golvet. Inte en leksak, inte någon riktig säng. Erica gick fram till fönstret. Det var förspikat med brädor, och om hon inte hade vetat bättre skulle hon ha trott att det varit något som tillkommit medan huset stått tomt. Hon sneglade på bilden. Samma brädor hade suttit där redan då. Ett barn, instängt och inlåst i sitt eget rum. Och tragiskt nog var det inte det värsta som polisen funnit när de kom till huset efter larmet om mordet på Vladek. Erica rös. Det var som om en kall vind svepte in över henne, men här berodde det inte på ett trasigt fönster, utan kylan tycktes komma från själva rummet.

Hon tvingade sig att stanna kvar där inne, ville inte ge efter för den märkliga stämningen. Men hon kunde inte låta bli att dra en suck av lättnad när hon klev ut i hallen igen. Hon gick mot trappan och trevade sig nedåt lika försiktigt som hon gått upp. Det fanns bara ett ställe kvar att titta på nu. Hon gick in i köket där skåpen saknade luckor och gapade tomma. Spis och kylskåp var borta, och spillning i utrymmena där de stått visade att mössen hittat bra passager in i och ut ur huset.

Med lätt darrande hand tryckte hon ner handtaget till källardörren och möttes av samma märkliga köld som hon känt i Louises rum. Hon svor när hon tittade ner i det kompakta mörkret och insåg att hon inte tänkt på att ta med sig en ficklampa. Hennes undersökning av källaren fick kanske vänta. Men hon famlade längs väggen och fann till slut en gammaldags strömbrytare. Hon vred om den och som genom ett mirakel tändes källarbelysningen. Det kunde omöjligt vara glödlampor från sjuttiotalet som fortfarande fungerade, så hon lade på minnet att någon måste ha satt i en ny.

Hjärtat bultade i bröstet när hon gick nedför trappan. Hon fick ducka för spindelväv och försökte ignorera känslan av att det kliade överallt på kroppen efter inbillade spindlar som smitit in innanför kläderna.

Väl nere på betonggolvet tog hon ett par djupa andetag för att lugna ner sig. Det var ju bara en tom källare i ett övergivet hus, ingenting annat. Och det såg ut som en helt vanlig källare. Här fanns några hyllor kvar, och en gammal verktygsbänk som varit Vladeks, men utan alla verktyg. Intill den stod en tom dunk, och några gamla hopknycklade tidningar låg slängda i ett hörn. Inget som var uppseendeväckande. Förutom en detalj: den cirka tre meter långa kätting som satt fastskruvad i väggen.

Händerna skakade häftigt när Erica bläddrade fram rätt bilder. Kedjan var densamma som då, bara något rostigare. Däremot saknades handklovarna. Dem hade polisen tagit med sig, och i polisrapporten hade hon läst att man fått såga loss dem eftersom man inte hade hittat nyckeln. Hon satte sig på huk, kände på kedjan, vägde den i handen. Den var tung och solid, så stadig att den säkert skulle ha hållit för en betydligt större person än en mager och undernärd sjuårig flicka. Hur var folk funtade?

Erica kände illamåendet stiga i halsen. Hon skulle nog behöva ta en paus från besöken hos Laila. Hon förstod knappt hur hon skulle klara av att träffa henne igen efter att ha varit här och med egna ögon sett spåren av hennes ondska. Bilder var en sak, men där hon satt med den tunga och kalla kättingen i händerna såg hon än tydligare framför sig vad som mött poliserna den där dagen i mars 1975. Hon kände den fasa de måste ha känt när de klev ner i källaren och upptäckte ett barn som var fastkedjat i väggen.

Det rasslade till i ett hörn och Erica reste sig snabbt. Hjärtat började rusa igen. Sedan slocknade ljuset och hon skrek rakt ut. Paniken grep henne med full kraft och hon andades med korta, ytliga andetag medan hon med gråten i halsen famlade sig fram mot trappan. Överallt hördes konstiga små ljud, och när något strök mot hennes ansikte skrek hon rakt ut igen. Hon slog vilt omkring sig innan hon insåg att hon gått in i ännu ett spindelnät. Äcklad kastade hon sig mot det håll där trappan borde ligga och tappade andan när trappräcket träffade henne rakt i mellangärdet. Ljuset blinkade till och kom tillbaka, men skräcken hade henne i sitt grepp och hon tog tag i räcket och sprang snubblande uppför trappan. Hon missade ett av trappstegen och slog i skenbenet, men kravlade sig vidare upp och ut i köket.

Tacksamt föll hon ner på knä efter att ha smällt igen dörren bakom sig. Det ömmade i benet och i magen, men hon ignorerade smärtan och koncentrerade sig på att andas lugnt för att dämpa paniken. Hon kände sig lite löjlig där hon satt, men barndomens mörkrädsla verkade aldrig växa bort och där nere hade hon känt en fasa som genomsyrat hela hennes kropp. I några ögonblick hade hon fått uppleva en del av det Louise varit med om i källaren. Den stora skillnaden var att hon hade kunnat rusa upp till ljus och frihet medan Louise hade varit fast där nere, i mörkret.

Vidden av flickans öde drabbade henne för första gången med full kraft och Erica lutade huvudet mot knäna och grät. Grät för Louises skull.

Martin betraktade Marta när hon satte på kaffebryggaren. Han hade aldrig träffat henne förut, men liksom alla i trakten kände han till Fjällbackas veterinär och hans fru. Precis som alla sagt var hon vacker, men det var ett slags otillgänglig skönhet och det lite kyliga draget förstärktes av att hon var anmärkningsvärt blek.

"Du borde kanske prata med någon", sa han.

"Med en präst, menar du? Eller en psykolog?" Marta skakade på huvudet. "Det är inte mig det är synd om. Jag är bara lite … tagen."

Hon tittade ner i golvet men lyfte snart blicken igen och fäste den på honom.

"Jag kan inte sluta tänka på Victorias familj. När de äntligen fick tillbaka henne, förlorade de henne igen. En så ung och begåvad flicka …" Marta tystnade.

"Ja, det är fruktansvärt", sa Martin. Han såg sig omkring i köket. Det var inte direkt omysigt, men han anade att husets invånare inte brydde sig så mycket om inredning. Saker och ting verkade vara slumpmässigt hopplockade, och även om det såg städat ut vilade en svag doft av häst över rummet.

"Vet ni något om vem som kan ha gjort det här mot henne? Kan andra flickor vara i fara?" frågade Marta. Hon serverade kaffet och slog sig sedan ner mittemot honom.

"Det kan vi inte säga någonting om." Han önskade att han hade ett bättre svar, och han fick en klump i magen när han tänkte på den oro som alla föräldrar till unga flickor nu måste känna. Han harklade sig. Att fastna i sådana tankar ledde ingen vart. Han måste koncentrera sig på att göra sitt jobb och ta reda på vad som hänt Victoria. Det var det enda sättet han kunde hjälpa dem på.

"Berätta om det som hände i går", bad han och tog en klunk av kaffet.

Marta verkade fundera några sekunder. Sedan redogjorde hon med låg röst för ridturen, hur hon sett en flicka komma ut ur skogen. Hon stakade sig några gånger och Martin skyndade inte på henne utan lät henne ta det i sin egen takt. Han kunde inte ens föreställa sig hur vidrig synen måste ha varit.

"När jag såg att det var Victoria ropade jag på henne flera gånger. Jag försökte varna henne för bilen, men hon reagerade inte. Hon bara fortsatte framåt, som en robot."

"Du såg ingen annan bil i närheten? Eller någon person i skogen eller där omkring?"

Marta skakade på huvudet.

"Nej. Jag har försökt att tänka igenom det som hände, men jag såg ingenting mer, vare sig före eller efter olyckan. Det var bara jag och föraren där. Allting gick ju så snabbt också, och jag var så koncentrerad på Victoria."

"Hade du och Victoria en nära relation?"

"Det beror på vad man menar", sa Marta och drog med fingret längs kanten av koppen. "Jag försöker att ha en nära relation till alla flickorna i stallet, och Victoria hade ju varit på ridskolan i många år. Vi är som ett slags familj här, även om den är aningen dysfunktionell ibland. Och Victoria var en del av den familjen."

Hon tittade bort och Martin såg att det blänkte till i hennes ögon. Han sträckte sig efter en servett som låg på bordet och gav den till henne. Hon tog emot den och torkade sig försiktigt i ögonvrårna.

"Kan du påminna dig något misstänkt som hänt kring stallet, någon person som verkat spana på tjejerna? Kanske har ni haft någon anställd här som vi borde titta närmare på? Jag vet att vi har ställt de här frågorna redan, men de blir ju aktuella igen nu när Victoria återfunnits här i området."

Marta nickade. "Jag förstår det, men jag kan bara upprepa det som jag redan har sagt. Vi har inte haft några sådana problem, och några anställda har vi inte. Ridskolan ligger så pass avsides att vi direkt skulle märka om någon började hänga här omkring. Den som gjorde det måste ha uppmärksammat Victoria någon annanstans. Hon var ju en söt flicka."

"Ja, det var hon", sa Martin. "Och hon verkar ha varit en snäll tjej. Hur såg de andra flickorna på henne?"

Marta tog ett djupt andetag. "Victoria var väldigt omtyckt i stallet. Hon hade inga fiender eller ovänner som jag känner till. Hon var en helt vanlig tonårstjej från en trygg familj. Hon måste bara ha haft otur och råkat ut för en sjuk människa."

"Jag tror att du har rätt", sa Martin. "Även om otur känns som ett otillräckligt ord i sammanhanget."

Han reste sig för att avsluta samtalet.

"Det är sant." Marta gjorde ingen ansats att följa honom till dörren. "Otur räcker inte för att beskriva det som hänt."

Det som hade varit svårast de första åren var att dagarna var så lika varandra. Men med tiden hade rutinerna blivit Lailas livlina. Det trygga och välbekanta i att varje dag såg ut exakt som den förra höll skräcken inför att leva vidare i schack. De första årens självmordsförsök hade handlat om det: om fasan i att se livet sträcka ut sig oändligt framför henne medan det förflutnas tyngd drog ner henne i mörkret. Rutinerna hade gjort att hon vant sig vid det. Tyngden var konstant.

Nu hade allt förändrats, och den hade blivit alltför stor för att hon skulle kunna bära den ensam.

Med darrande fingrar bläddrade hon i kvällstidningarna. De fanns bara i uppehållsrummet, och de andra intagna väntade på att få läsa dem och tyckte att hon tog för lång tid på sig. Journalisterna verkade inte veta så mycket än, men de försökte göra det mesta av det de hade. Sensationslystnaden i skriverierna störde henne. Hon visste hur det var att befinna sig på andra sidan av de svarta rubrikerna. Bakom varje sådan artikel fanns det verkliga liv, verkliga lidanden.

"Är du inte klar snart?" Marianne kom och ställde sig framför henne.

"Snart", mumlade hon utan att lyfta blicken.

"Du har haft tidningarna i evigheter nu. Läs klart och lämna ifrån dig dem."

"Jag ska", sa hon och fortsatte att studera samma sidor som hon haft uppslagna en lång stund.

Marianne suckade och gick bort till ett bord vid fönstret och satte sig och väntade.

Laila kunde inte ta ögonen från bilden på den vänstra sidan. Flickan såg så glad och oskuldsfull ut, så omedveten om vilken ondska som fanns i världen. Men Laila hade kunnat berätta det för henne. Hur ondskan kunde leva sida vid sida med det goda, i ett samhälle där människor levde med skygglappar och vägrade att se vad som fanns precis framför näsan på dem. Hade man en gång sett ondskan på nära håll kunde man aldrig blunda igen. Det var hennes förbannelse, hennes ansvar.

Hon slog sakta ihop tidningen, reste sig och lade den framför Marianne.

"Jag vill ha den sedan när ni är klara med den", sa hon.

"Visst", mumlade Marianne, som redan hade fastnat i nöjessidorna.

Laila blev stående ett ögonblick och betraktade Mariannes hjässa, böjd över en artikel om den senaste Hollywoodskilsmässan. Så skönt det måste vara att leva med skygglapparna på.

Det här jäkla vädret. Mellberg förstod inte hur hans chilenska sambo Rita över huvud taget hade kunnat vänja sig vid att bo i ett land med ett sådant fruktansvärt klimat. Själv funderade han på att emigrera. Det skulle kanske ha varit värt besväret att åka hem och byta till varmare kläder, men han hade inte trott att även han skulle behöva ge sig ut i skogen. Att vara chef innebar ju att man talade om för andra vad de skulle göra, och hans plan hade varit att dirigera gruppen av människor de samlat ihop, tala om för dem i vilken riktning de skulle gå och sedan sätta sig i värmen i bilen med en rejäl termos med kaffe.

Men så hade det inte blivit. För naturligtvis hade Hedström insisterat på att de också skulle hjälpa till att leta. Sådana dumheter. Det var slöseri med chefsresurser att han knatade runt här och förfrös vitala delar av sin kropp. Han skulle säkert bli sjuk på kuppen och hur skulle stationen klara sig då? Allt skulle rasa ihop på ett par timmar och det var en gåta att Hedström inte insåg detta.

"Helvete också!" Han halkade till i sina lågskor och tog instinktivt tag i en trädgren för att hålla sig på fötter. Manövern fick trädet att skaka till och mängder av snö föll ner. Den lade sig som ett kallt täcke över honom, letade sig in under kragen och ner på ryggen.

"Hur går det?" sa Patrik. Han såg inte ut att frysa ett dugg, i stor pälsmössa, rejäla kängor och en vinterjacka som såg avundsvärt tjock ut.

Mellberg borstade ilsket av sig snön. "Borde inte jag sticka i förväg till stationen och förbereda presskonferensen i stället?"

"Det ordnar Annika, och den är inte förrän fyra i eftermiddag. Vi hinner det med."

"Jag vill i alla fall understryka att jag anser detta vara slöseri med tid. Snön som föll i går har utplånat hennes spår för längesedan, och inte ens hundarna kan ju nosa upp något i den här kylan." Han nickade in bland träden där de kunde se en av de två polishundar med förare som Patrik hade lyckats kalla dit. Hundarna hade fått ett försprång för att inte förvirras av nya spår och lukter.

"Vad ska vi titta efter nu igen?" frågade Mats, en av de personer som de fått tag i via idrottsklubben. Det hade gått förvånansvärt snabbt att samla ihop frivilliga, alla ville hjälpa till, alla ville bidra på det sätt de kunde.

"Vadsomhelst som Victoria kan ha lämnat efter sig. Fotavtryck, blod-spår, avbrutna grenar, ja, allt som väcker er uppmärksamhet." Mellberg

45

rabblade exakt det som Patrik hade sagt när han informerade alla innan sökandet drog igång.

"Vi hoppas också hitta var hon kan ha hållits fången", lade Patrik till och drog pälsmössan ännu längre ner över öronen.

Mellberg betraktade avundsjukt hur skön den såg ut. Hans egna öron värkte och det överkammade håret räckte inte till för att värma flinten.

"Hon kan ju inte ha gått så långt. Inte i det skick som hon var i", muttrade han mellan skallrande tänder.

"Nej, inte om hon gick till fots", sa Patrik och fortsatte sakta framåt medan blicken svepte över marken och omgivningen. "Men hon kan ju ha lyckats smita ur en bil, till exempel. Om gärningsmannen var på väg att flytta henne. Eller så kanske hon släpptes av här ute med flit."

"Skulle gärningsmannen verkligen ha släppt henne frivilligt? Varför det? Det måste ju innebära en alldeles för stor risk för honom."

"Varför då?" Patrik stannade till. "Hon kunde inte tala, hon kunde inte se. Säkert var hon allvarligt traumatiserad. Och vi har antagligen att göra med en gärningsman som börjar känna sig självsäker eftersom det har gått två år utan att polisen lyckats hitta ett enda spår efter de försvunna flickorna. Kanske ville han håna oss genom att släppa ett av sina offer och visa vad han hade gjort? Så länge vi inte vet någonting kan vi inte anta någonting. Vi kan inte anta att hon har hållits fången i det här området, och vi kan inte anta motsatsen heller."

"Ja ja, du behöver inte prata till mig som om jag var en nybörjare", sa Mellberg. "Självklart vet jag allt det där. Jag ställer bara de frågor som jag vet att allmänheten kommer att ställa."

Patrik svarade inte, han hade böjt på huvudet och koncentrerade sig på marken igen. Mellberg ryckte på axlarna. Unga kolleger var så stingsliga. Han korsade armarna över bröstet och försökte få tänderna att sluta skallra. En halvtimme till, sedan tänkte han leda arbetet från bilen. Någon måtta fick det vara på resursslöseriet. Han hoppades att kaffet i termosen fortfarande skulle vara varmt då.

Martin var inte avundsjuk på Patrik och Mellberg som var ute i snön. Det kändes som om han dragit vinstlotten då han fick i uppdrag att prata med Marta och Tyra. Egentligen tyckte han inte att det var en optimal arbetsfördelning att Patrik skulle lägga tid på att söka igenom skogen, men under åren de arbetat tillsammans hade han lärt känna kollegan tillräckligt väl för att förstå varför. För Patrik var det viktigt att komma nära offret, att fysiskt vara på samma ställe, känna samma lukter, höra samma ljud, för att få en känsla av det som hänt. Den instinkten och förmågan hade alltid varit Patriks styrka. Att han också kunde sysselsätta Mellberg var naturligtvis en positiv bieffekt.

Martin hoppades att Patriks instinkt skulle leda honom rätt. För det stora dilemmat var att Victoria hade försvunnit utan ett spår. De hade ingen aning om var hon hade befunnit sig under de månader då hon varit borta, och de skulle verkligen behöva få fram något nytt där ute i skogen. Om varken det eller obduktionen gav något konkret, skulle det vara svårt att hitta nya infallsvinklar.

Medan Victoria var försvunnen hade de pratat med varenda människa som hon rimligtvis hade kunnat komma i kontakt med. De hade finkammat hennes rum, gått igenom hennes dator, tittat på chattkontakter, mejl, sms, utan resultat. Patrik hade samarbetat med de övriga distrikten, och de hade ägnat mycket tid åt att leta efter någon gemensam nämnare mellan Victoria och de andra försvunna flickorna. Men de hade inte hittat någon koppling. Flickorna verkade inte dela några intressen, gillade inte samma musik, hade aldrig haft kontakt med varandra eller varit medlemmar på samma internetforum eller liknande. Ingen i Victorias närhet hade sagt sig känna igen någon av de andra flickorna.

Han reste sig och gick ut till köket för att hämta en kopp kaffe. Troligtvis drack han alldeles för mycket kaffe numera, men alla sömnlösa nätter gjorde att han behövde koffeinet för att över huvud taget fungera. När Pia dog hade han fått utskrivet både sömnmedel och ångestdämpande och han hade provat det i någon vecka. Men tabletterna svepte in honom i en våt filt av likgiltighet, vilket skrämde honom, och samma dag som Pia begravdes slängde han dem i soporna. Nu mindes han knappt hur det kändes att sova en hel natt. På dagarna gick det sakta bättre och bättre. Så länge han sysselsatte sig – jobbade hårt, hämtade Tuva från dagis, lagade mat, städade, lekte, läste sagor, nattade – höll han sig uppe. Men på nätterna övermannades han av sorgen och tankarna. Timme efter timme låg han och stirrade upp i taket medan minnesbilderna avlöste varandra och han fylldes av en outhärdlig saknad efter ett liv som aldrig skulle komma igen.

"Hur är det?" Annika lade en hand på hans axel och han insåg att han blivit stående med kaffekannan i handen.

"Jag sover lite dåligt fortfarande", sa han och hällde upp till sig. "Vill du ha?"

"Ja, tack", sa hon och sträckte sig efter en kopp.

Ernst kom lunkande från Mellbergs rum, säkert i hopp om att en fikastund i köket skulle innebära någon form av godsak för hans del. När de satte sig lade han sig under bordet och placerade huvudet på tassarna, medan han noga följde minsta rörelse som Martin och Annika gjorde.

"Ge honom inget", sa Annika. "Han börjar bli för tjock för sitt eget bästa. Rita gör vad hon kan för att motionera honom, men hon hinner inte riktigt hålla den höga takt som krävs för att kompensera intaget."

"Pratar du om Bertil eller Ernst nu?"

"Ja, det skulle onekligen stämma på båda två." Annika drog på munnen men blev sedan allvarlig. "Hur mår du egentligen?"

"Jag mår okej." Han såg Annikas skeptiska min. "Det är säkert. Jag sover dåligt bara."

"Får du någon hjälp med Tuva? Du måste få chans att vila och komma ikapp också."

"Pias föräldrar är fantastiska, och mina föräldrar också. Så det är ingen fara, men ... Jag saknar henne. Ingen kan hjälpa mig med det. Jag ju tacksam för alla fina minnen vi har men samtidigt skulle jag vilja slita dem ur kroppen, för det är allt det fina som gör så ont. Och jag vill inte ha det så här längre!" Han kvävde en snyftning. Han ville inte gråta på jobbet. Det var hans frizon och han ville inte att sorgen skulle invadera också den, så att det inte längre fanns någonstans där han kunde fly undan smärtan.

Annika såg medlidsamt på honom. "Jag önskar jag hade en massa tröstande och kloka saker att säga. Men jag har ingen aning om hur det är, eller känns, och bara tanken på att förlora Lennart får mig nästan att gå sönder. Det enda jag kan säga är att det nog får ta sin tid, och jag finns här, vad det än gäller. Det vet du väl?"

Martin nickade.

"Och försök se till att sova lite. Du börjar se ut som en urvriden disktrasa. Jag vet att du inte vill ta sömntabletter, men gå till hälsokosten och se om de har något som kan hjälpa till."

"Ja, det skulle jag kunna göra", sa han och bestämde sig för att det faktiskt var värt att pröva. Han skulle inte orka länge till om han inte fick åtminstone ett par timmars sammanhängande sömn per natt.

Annika reste sig och fyllde på deras kaffekoppar. Ernst lyfte hoppfullt huvudet från tassarna, men lade besviket ner det igen när han insåg att det inte verkade komma några bullar i hans väg.

"Vad sa de andra distrikten om idén med en gärningsmannaprofil?" Martin bytte medvetet samtalsämne. Annikas omtanke värmde, men det tog för mycket på krafterna att prata om sorgen efter Pia.

"De verkade tycka att det var en bra idé. Ingen av dem har gjort någon tidigare och alla nya uppslag tas tacksamt emot. Det som hänt har skakat om dem. Alla tänker ju likadant: har deras försvunna flickor råkat ut för samma sak som Victoria? Och de oroar sig såklart för hur familjerna kommer att reagera när de får reda på detaljerna. Vi får hoppas att det dröjer ett tag."

"Ja, men jag tvivlar på det. Folk verkar ha en sjuklig böjelse för att skvallra för pressen. Och med tanke på all sjukvårdspersonal som såg skadorna tror jag tyvärr att det kommer att läcka ut snart, om det inte redan har gjort det."

Annika nickade. "Det lär vi märka på presskonferensen i så fall."

"Är allt förberett?"

"Allt är klart, det är bara frågan om det finns något sätt att hålla Mellberg därifrån. I så fall skulle jag vara betydligt lugnare."

Martin höjde ett ögonbryn och Annika höll avvärjande upp händerna. "Jag vet, inget skulle kunna hindra honom från det. Inte ens döden. Han skulle stiga upp som Lasarus ur sin grav bara för att få vara med på presskonferensen."

"En helt korrekt analys…"

Martin ställde ner koppen i diskmaskinen, och på väg ut ur köket stannade han till och gav Annika en kram.

"Tack", sa han. "Nu ska jag ge mig iväg och träffa Tyra Hansson. Hon borde ha kommit hem från skolan vid det här laget."

Ernst följde efter med dyster min. Fikan hade för hans del varit en stor besvikelse.

Fjällbacka 1967

Livet var underbart. Fantastiskt och fullkomligt overkligt men ändå alldeles självklart. Allt hade förändrats den där heta sommardagen. När cirkusen farit från Fjällbacka hade Vladek inte följt med den. Laila och han hade stämt träff på kvällen efter den sista föreställningen, och som i en tyst överenskommelse hade han packat sina saker och följt med hem till hennes lägenhet. Han hade lämnat allt för henne. Sin mamma och sina bröder. Sitt liv och sin kultur. Sin värld.

Sedan dess hade de varit lyckligare än hon trodde var möjligt. Varje kväll somnade de i varandras famn i hennes säng, som var alldeles för liten men som ändå rymde dem och deras kärlek. Hela deras hem var egentligen för litet. De hade bara en etta med kokvrå, men konstigt nog verkade Vladek trivas bra. De trängde ihop sig på den yta som fanns, och kärleken växte alltmer för varje dag.

Och nu skulle en till få plats. Handen sökte sig ner mot magen. Än var den lilla bulan knappt synlig för den som inget visste, men hon kunde inte låta bli att titt som tätt stryka med handen över den. Hon var nästan tvungen att nypa sig i armen för att förstå att det var verklighet. Att hon och Vladek skulle bli föräldrar.

Över gården framför hyreshuset kom Vladek gående, precis vid samma tid som han alltid brukade komma hem efter dagens arbete. Det kändes fortfarande som om hon fick en elektrisk stöt varje gång hon såg honom. Han verkade känna hennes blick, för han höjde huvudet och såg upp mot deras fönster. Med ett brett leende, fyllt av kärlek, vinkade han till henne. Hon vinkade tillbaka och smekte magen på nytt.

"Hur mår pappa i dag?" Jonas kysste sin mor på kinden, slog sig ner vid köksbordet och försökte sig på ett leende.

Helga verkade inte höra frågan.

"Vad hemskt det är, det som hänt med den där stallflickan", sa hon i stället och satte ner ett fat med tjocka skivor av nybakt sockerkaka framför honom. "Det måste vara svårt för er alla."

Jonas tog den översta skivan och bet en stor tugga. "Du skämmer bort mig, mamma. Eller göder mig, kanske man kan säga."

"Nåja. Du var så mager som liten. Det gick att räkna revbenen på dig."

"Jag vet. Jag har hört det där tusen gånger, hur liten jag var när jag föddes. Men nu är jag nästan en och nittio och har inga problem med aptiten."

"Det är bra att du äter, med tanke på hur mycket du rör dig. Allt det där springandet. Det kan inte vara bra."

"Nej, motion är ju känt för att vara en hälsorisk. Har du aldrig motionerat? Inte ens i ungdomen?" Jonas sträckte sig efter en skiva till.

"I ungdomen? Du får det att låta som om jag är lastgammal." Helgas ton var sträng, men hon kunde inte hindra skrattet som ryckte i mungiporna. Jonas fick henne alltid att le.

"Nej, inte lastgammal. Jag tror att antik är ordet jag skulle använda."

"Hörru du", sa hon och slog honom lätt på axeln. "Om du inte passar dig blir det ingen mer sockerkaka, och ingen hemlagad mat heller. Då får du nöja dig med det som Marta ställer på bordet."

"Herregud, då skulle vi svälta ihjäl, jag och Molly." Han tog den sista kakskivan.

"Det måste vara svårt för flickorna i stallet att en av deras vänner råkat ut för något så hemskt", upprepade Helga och torkade bort några osynliga smulor från köksbänken.

Det var alltid skinande rent i köket. Jonas kunde inte minnas att han någonsin sett det stökigt och modern var alltid i rörelse: städade, plockade, bakade, lagade mat, tog hand om hans far. Han såg sig omkring. Hans föräldrar var inte mycket för att modernisera och det hade sett likadant ut i alla år. Tapeten, skåpluckorna, linoleummattan, möblerna, allt var sådant han mindes från sin barndom. Det var bara kylen och spisen som de motvilligt bytt ut under åren. Men han tyckte om att allt var sig likt. Det gav hans tillvaro en beständighet.

"Jo, det är såklart en chock. Marta och jag ska prata med flickorna i eftermiddag", sa han. "Men oroa dig inte för det, mamma."

"Nejdå, det ska jag inte." Hon plockade undan fatet där nu bara sockerkakssmulor återstod. "Hur gick det med kon i går då?"

"Bra. Det var lite komplicerat för att…"

"JOOONAS!" Faderns röst dånade från övervåningen. "Är du här?"

Irritationen studsade mellan väggarna och Jonas såg sin mors spända käkar.

"Lika bra att du går upp", sa hon och började torka av bordet med en våt trasa. "Han blev arg för att du inte kom i går."

Jonas nickade. När han gick uppför trappan kände han sin mors blick i ryggen.

Erica var fortfarande skakig när hon kom till förskolan. Klockan var bara två och de brukade inte hämta barnen förrän vid fyra, men efter besöket i källaren längtade hon så mycket efter dem att hon bestämt sig för att åka direkt dit. Hon behövde se dem, krama om dem, höra deras röster som bubblade och tog över hela hennes tillvaro.

"Mamma!" Anton kom springande mot henne med utsträckta armar. Han var smutsig från topp till tå, ena örat stack fram under mössan och han var så söt att hon trodde att hjärtat skulle sprängas. Hon satte sig på huk och sträckte fram armarna för att fånga upp honom. Hon skulle bli lika smutsig hon, men det spelade ingen roll.

"Mamma!" En liten röst till hördes över förskolans gård och Noel kom springande han också, i röd overall i stället för blå som Anton, men med mössan på sniskan på precis samma sätt som sin bror. De var så lika, men ändå så olika.

Erica satte Anton på högra knäet och fångade upp ännu ett smutsigt barn, som borrade in ansiktet i hennes halsgrop. Noels näsa var iskall och hon rös till och skrattade.

"Hörru du, din lilla isbit, hade du tänkt värma den där kalla näsan på mamma?"

Hon nöp honom i näsan så att han också skrattade. Sedan lyfte han upp hennes tröja och lade sina kalla och grusiga vanthänder mot hennes mage, så att hon gallskrek. Båda pojkarna tjöt av skratt.

"Vilka busungar ni är! Det blir ett varmt bad för er när vi kommer hem." Hon satte ner dem, reste sig och drog ner tröjan. "Kom nu, skitungar, så går vi och hämtar syrran", sa hon och pekade på Majas avdelning. Tvillingarna älskade att följa med och hämta henne så att de fick busa lite med de stora barnen i Majas grupp. Och Maja var lika förtjust när de kom. Med tanke på vilken plåga hennes småbröder ibland kunde vara, så fick de oförtjänt mycket kärlek av henne.

När de kom hem började projekt sanering. Vanligtvis var det något som Erica avskydde, men i dag struntade hon i att gruset spreds över hallen, och hon brydde sig inte ett dugg om att Noel lade sig på golvet och skrek i protest över något som hon inte förstod vad det var. Inget av allt detta hade någon betydelse efter att hon suttit i familjen Kowalskis källare och anat den fasa som Louise måste ha känt när hon satt fastkedjad där nere i mörkret.

Hennes barn levde i ljuset. Hennes barn var ljuset. Noels skrik som brukade få det att krypa i henne hade ingen effekt alls, hon bara strök honom över huvudet, vilket fick honom att sluta skrika av ren häpnad.

"Kom, så sätter vi er i ett bad. Sedan tinar vi alldeles för många av farmors bullar och äter dem framför tv:n med varm choklad. Låter det som en bra idé?" Erica log mot barnen där de satt i det blöta gruset i hallen. "Och så struntar vi i middag i kväll. Vi äter upp alla glassrester i frysen i stället. Och ni får stanna uppe så länge ni vill."

Det blev knäpptyst. Maja tittade allvarligt på henne och gick fram och lade en hand på hennes panna.

"Är du sjuk, mamma?"

Erica kunde inte låta bli att gapskratta.

"Nej, älsklingarna", sa hon och drog dem till sig alla tre. "Mamma är varken sjuk eller galen. Jag älskar er bara så otroligt mycket."

Hon kramade dem hårt, kände deras närhet. Men framför sig såg hon ett annat barn. En liten flicka som satt ensam i mörkret.

Ricky hade gömt hennes hemlighet djupt inom sig, i ett särskilt skrymsle. Sedan Victoria försvann hade han vänt och vridit på den, granskat den ur alla vinklar och försökt förstå om den på något sätt hade med hennes försvinnande att göra. Han trodde inte det, men tvivlet fanns ändå där. Tänk om. De två orden snurrade runt i hans huvud, särskilt på kvällarna när han låg i sängen och stirrade upp i taket: tänk om. Frågan var om han hade gjort fel, om det var ett fruktansvärt misstag att tiga. Men det var så enkelt att låta hemligheten ligga kvar inombords, för alltid begravd, på samma sätt som Victoria nu skulle begravas.

"Ricky?"

Göstas röst fick honom att rycka till där han satt i soffan. Han hade nästan glömt bort polismannen och alla hans frågor.

"Du har inte kommit på något mer som kan vara relevant för utredningen? Nu när det kanske visar sig att Victoria hållits fången här i trakten."

Göstas röst var mild och sorgsen och Ricky såg hur trött han var. Han hade kommit att tycka om den äldre polisen, som varit deras kontaktperson de senaste månaderna, och han visste att Gösta tyckte om honom också. Han hade alltid kommit väl överens med vuxna, och ända sedan han var liten hade han fått höra att han var en gammal själ. Kanske var det så? Hursomhelst kändes det som om han blivit tusen år äldre sedan i går. All glädje och förväntan inför det liv som låg framför honom hade försvunnit i samma ögonblick som Victoria dog.

Han skakade på huvudet.

"Nej, jag har redan berättat allt jag vet. Victoria var en vanlig tjej, med vanliga vänner och vanliga intressen. Och vi är en vanlig familj – ja, hyfsat normal i alla fall ..." Han log och tittade på sin mor, men hon log inte tillbaka. Den humor som alltid förenat familjen hade även den försvunnit med Victoria.

"Jag hörde av grannen att ni har bett allmänheten om hjälp med att söka igenom skogarna i omgivningen. Tror du att det kommer att ge någonting?" Markus tittade hoppfullt på Gösta. Hans ansikte var grått av utmattning.

"Vi får hoppas det. Folk har gått man ur huse för att hjälpa till, så med lite tur kanske vi hittar något. Någonstans måste hon ju ha hållits fången."

"De andra flickorna då? De som tidningarna har skrivit om?" Helena sträckte sig efter sin kaffekopp. Hennes hand skakade och Ricky fick ont i hjärtat av att se hur mager hon blivit. Hon hade alltid varit liten och späd, men nu var hon så tunn att skelettet avtecknade sig under huden.

"Vi fortsätter att samarbeta med de andra polisdistrikten. Alla är angelägna om att lösa det här, så vi hjälps åt och byter information med varandra. Vi kommer att lägga all kraft på att hitta den som förde bort Victoria och antagligen de andra flickorna."

"Jag menar ..." Helena tvekade. "Tror ni att samma sak ..." Hon förmådde inte avsluta meningen, men Gösta verkade förstå vad hon ville fråga.

"Vi vet inte. Men, ja, det är väl sannolikt att ..." Inte heller han avslutade meningen.

Ricky svalde. Han ville inte tänka på vad Victoria hade utsatts för. Men bilderna tvingade sig ändå på och fick illamåendet att stiga i halsen på honom. Hennes vackra blå ögon, som alltid rymt så mycket värme. Det var så han ville minnas dem. Det andra, fasansfulla, orkade han inte tänka på.

"Vi ska ha en presskonferens nu i eftermiddag", sa Gösta efter en stunds tystnad. "Och tyvärr kommer journalisterna säkert att höra av sig till er också. Flickornas försvinnanden har varit riksnyheter länge, och det här kommer ... ja, det kan vara bra att ni är förberedda."

"De har redan varit här och ringt på ett par gånger. Och vi har slutat svara i telefonen", sa Markus.

"Jag begriper inte att de inte kan lämna oss i fred." Helena skakade på huvudet. Den mörka pagen rörde sig glanslöst runt hennes ansikte. "Förstår de inte ..."

"Nej, tyvärr gör de inte det", sa Gösta och reste sig. "Jag måste tillbaka till stationen nu. Men tveka inte att höra av er. Jag har telefonen på dygnet runt. Och jag lovar att hålla er informerade."

Han vände sig till Ricky och lade en hand på hans arm.

"Ta hand om pappa och mamma."

"Jag ska göra mitt bästa." Han kände hur ansvaret tyngde hans axlar. Men Gösta hade rätt. Just nu var han starkare än båda sina föräldrar. Det var han som skulle bli tvungen att hålla ihop allt.

Molly kände tårarna bränna innanför ögonlocken. Besvikelsen fyllde hennes kropp och hon stampade med foten i stallgolvet så att dammet yrde.

"Du är ju för fan helt dum i huvudet!"

"Inte det språket, tack." Martas röst var iskall och Molly kände hur hon krympte. Men ilskan var för stor för att hon skulle kunna hejda sig.

"Men jag vill! Och jag tänker säga det till Jonas."

"Jag vet att du vill", Marta korsade armarna över bröstet, "men med tanke på omständigheterna går det inte. Och Jonas tycker som jag."

"Vadå 'omständigheterna'? Jag kan väl inte hjälpa vad som hänt med Victoria. Varför ska jag lida för det?"

Tårarna började rinna och Molly torkade dem frenetiskt med jackärmen. Hon kikade under lugg på Marta för att se om tårarna fick henne att vekna, men egentligen visste hon svaret redan på förhand. Marta rörde inte en min. Hon betraktade henne bara med det där avmätta uttrycket som Molly hatade. Ibland önskade hon att Marta kunde bli arg i stället, att hon kunde skrika och svära och visa känslor. Men hon var alltid lika lugn. Och aldrig att hon kunde ge med sig eller lyssna.

Tårarna forsade fram nu. Det rann ur näsan också och jackärmen blev kladdig.

"Det är den första tävlingen på säsongen! Jag förstår inte varför jag inte kan ställa upp bara för det här med Victoria. Det är ju inte jag som har haft ihjäl henne!"

Smack! Örfilen brände i huden innan hon ens anade att den var på väg. Molly förde vantroget handen mot kinden. Det var första gången Marta hade slagit henne. Det var första gången någon hade slagit henne. Tårarna upphörde abrupt och Molly stirrade på henne. Marta var återigen lugnet självt och stod med armarna korsade över den gröna quiltade ridvästen.

"Nu räcker det", sa hon. "Nu slutar du bete dig som en bortskämd snorunge och uppför dig som folk." Martas ord sved lika djupt som örfilen. Aldrig hade hon blivit kallad en bortskämd snorunge. Jo, möjligtvis bakom ryggen, av de andra tjejerna i stallet, men det var ju bara för att de var avundsjuka.

Molly fortsatte att stirra på Marta, med handen på kinden. Sedan vände hon på klacken och sprang ut ur stallet. De andra flickorna viskade till varandra när hon gråtande skyndade över gårdsplanen, men det brydde hon sig inte om. De skulle väl tro att hon grät för Victorias skull. Som alla de andra hade gjort sedan i går.

Hon sprang hem, rundade huset och ryckte i dörren till mottagningen, men den var låst. Det var mörkt där inne, Jonas var inte där. Molly stod en stund i snön, trampade på stället för att hålla värmen och funderade på var han kunde vara. Så sprang hon vidare.

Hon slet upp dörren till farföräldrarnas hus. "Farmor!"

"Jösses, brinner det?" Helga kom ut i hallen och torkade händerna på en kökshandduk.

"Är Jonas här? Jag måste prata med honom."

"Lugna ner dig. Du gråter ju så att jag knappt hör vad du säger. Handlar det om den där flickan som Marta hittade i går?"

Molly skakade på huvudet. Helga hade lett henne fram till köksbordet och fått henne att sätta sig på en stol.

"Jag … jag …" Rösten hackade och Molly tog några djupa andetag. Atmosfären i köket hjälpte henne att få tillbaka lugnet. Hos farmor var det som om tiden stod stilla, som om världen utanför fortsatte brusa medan allting här inne var som det alltid varit.

"Jag måste prata med Jonas. Marta tänker förbjuda mig att åka på tävlingen i helgen." Hon hickade till och tystnade en stund för att farmor skulle kunna hinna förstå och begrunda hur orättvist allting var.

Helga satte sig. "Ja, Marta tycker ju om att bestämma. Du får väl höra sedan vad din pappa säger. Är det en viktig tävling?"

"Ja, det är det! Men Marta säger att det inte är passande att åka nu efter det här med Victoria. Visst, det är jättesorgligt, men jag fattar inte varför jag ska behöva missa en tävling för det. Den där apan Linda Bergvall kommer säkert att vinna bara för det, och hon kommer att vara så himla jobbig sedan, även om hon vet att jag skulle ha slagit henne om jag bara hade fått vara med. Jag dör om jag inte får åka i morgon!" Med en dramatisk rörelse lutade hon huvudet mot armarna på köksbordet och hulkade.

Helga klappade henne lätt på axeln. "Nåja, så illa är det väl inte och det är ändå dina föräldrar som bestämmer. De ställer ju upp och kör land och rike runt för din skull. Om de tycker att du bör avstå från tävlingen … ja, då är det nog inte så mycket att göra."

"Men Jonas borde ju fatta, tror du inte det?" sa Molly och såg vädjande på Helga.

"Vet du, jag har känt din pappa sedan han var så här liten", Helga måttade en centimeter mellan tummen och pekfingret, "och jag har känt din mamma rätt länge också. Tro mig, ingen av dem går att övertala till något de inte vill. Så om jag var du skulle jag sluta tjata och se fram emot nästa tävling i stället."

Molly torkade sig i ansiktet med en servett som Helga räckte henne.

Hon snöt sig ordentligt och reste sig för att slänga servetten i sophinken. Det värsta var att farmor hade rätt. Det var lönlöst att försöka prata med hennes föräldrar när de väl bestämt sig. Men hon tänkte ändå försöka. Kanske skulle Jonas stå på hennes sida trots allt.

Det hade tagit Patrik en timme att tina upp och för Mellberg skulle det ta ännu längre tid. Att ge sig ut i skogen i sjutton minusgrader i tunna lågskor och vindtygsjacka var att betrakta som vansinne, och Mellberg stod nu i ena hörnet av konferensrummet med blå läppar.

"Hur är det, Bertil? Fryser du?" sa Patrik.

"Fy fan", sa Mellberg och gjorde en åkarbrasa. "Jag skulle behöva en rejäl whisky, så att jag tinade inifrån."

Patrik fasade vid tanken på en berusad Bertil Mellberg på presskonferensen. Fast frågan var om det var så mycket bättre med en nykter variant.

"Och hur ska vi lägga upp det här, tycker du?" sa han.

"Jag tänkte att jag håller i det hela, och du backar upp mig. Medierna vill ju gärna ha en stark ledargestalt att vända sig till i sådana här lägen." Mellberg försökte låta så myndig han kunde när han samtidigt hackade tänder.

"Visst", sa Patrik och suckade så högt inombords att han nästan trodde att Mellberg kunde höra det. Ständigt samma visa. Det var lika svårt att få Mellberg att göra nytta i en utredning som det var att fånga flugor med ätpinnar. Men så fort det gällde att stå i centrum, eller att på något sätt ta åt sig äran för det arbete som utfördes, kunde inget hålla honom borta.

"Släpper du in hyenorna?" Mellberg nickade åt Annika som reste sig och gick mot dörren. Hon hade förberett allt medan de var ute i skogen, och Mellberg hade fått en snabbgenomgång av de viktigaste punkterna och ett papper med stödanteckningar. Nu kunde de inte göra mer än hålla tummarna och hoppas på att han inte skulle göra bort dem mer än nödvändigt.

Journalisterna släntrade in och Patrik hälsade på flera han kände igen, både reportrar från lokala medier och några från rikspressen som han stött på vid olika tillfällen. Som vanligt såg han också ett par nya ansikten. Tidningarna verkade ha en enorm omsättning på journalister.

De satte sig och mumlade lite sinsemellan och fotograferna trängdes vänskapligt för att få de bästa platserna. Patrik hoppades att Mellbergs läppar skulle framstå aningen mindre blå på bild men befarade att det skulle se ut som om han borde ligga på bårhuset.

"Är alla här?" sa Mellberg och rös till som i frossa. Journalisterna hade redan börjat vifta, men han höll avvärjande upp en hand. "Vi tar frågor om en liten stund, först ska jag lämna över ordet till Patrik

Hedström som får göra en kort sammanfattning av det som hänt."

Patrik tittade förvånat på honom. Kanske insåg Mellberg trots allt att han inte hade den överblick som krävdes inför den samlade presskåren.

"Javisst, tack för det…" Patrik harklade sig och klev fram bredvid Mellberg. Han samlade tankarna ett ögonblick, funderade på vad han skulle berätta och vad han skulle utelämna. Ett förfluget ord till medierna kunde förstöra mycket, samtidigt som de var länken till en av de största tillgångar en utredning hade: allmänheten. Det gällde att ge lagom mycket och rätt information, så att den sedan kunde ge ringar på vattnet i form av tips från vanliga människor. Det var något han hade lärt sig under alla år som polis, att det alltid fanns de som sett eller hört något som kunde vara relevant utan att de själva insåg det. Fel eller för mycket information kunde däremot ge gärningsmannen ett försprång. Om han eller hon visste vad polisen hade för ledtrådar blev det lättare att sopa igen spåren, eller helt enkelt undvika att göra samma misstag nästa gång. För det var deras stora skräck nu, att det skulle hända ännu en gång. En serieförbrytare slutade inte av sig själv, i alla fall inte den här. Det hade Patrik en obehaglig känsla av.

"I går återfanns Victoria Hallberg vid ett skogsområde öster om Fjällbacka. Hon blev då påkörd av en bil, i det som med all säkerhet var en olycka. Hon fördes till Uddevalla sjukhus, där stora insatser gjordes för att rädda hennes liv. Tyvärr var hennes skador för omfattande och klockan 11.14 förklarades hon död." Han pausade och sträckte sig efter ett av vattenglasen som Annika hade ställt fram. "Vi har genomsökt området där hon återfanns, och jag vill passa på att tacka alla här i Fjällbacka som har ställt upp och hjälpt till. I övrigt har jag inte mycket mer att berätta. Vi samarbetar självklart vidare med de polisdistrikt som har liknande fall, för att de ska hitta flickorna och vi ska kunna sätta fast den som fört bort dem." Patrik tog en klunk vatten till. "Frågor?"

Allas händer åkte upp samtidigt och en del började prata rakt ut utan att ha fått ordet. Kamerorna längst fram surrade och hade gjort så under hela Patriks anförande, och han fick bekämpa en impuls att känna efter hur håret låg. Det var en märklig känsla att se sitt ansikte upptryckt i stort format på kvällstidningarnas sidor.

"Kjell?" Han pekade på Kjell Ringholm från Bohusläningen, den största lokaltidningen i området. Kjell hade varit polisen behjälplig vid tidigare utredningar och Patrik gav honom gärna lite extra uppmärksamhet.

"Du nämnde att hon hade skador. Vad var det för skador? Fick hon dem då hon blev påkörd eller hade hon fått några av dem innan dess?"

"Det kan jag inte uttala mig om", svarade Patrik. "Jag kan bara säga att hon blev påkörd av en bil och att hon sedan dog av sina skador."

"Vi har uppgifter om att hon hade blivit utsatt för något slags tortyr", fortsatte Kjell.

Patrik svalde och såg framför sig Victorias tomma ögonhålor och munnen där tungan saknades. Men det var uppgifter som de måste hålla för sig själva. Han förbannade folk som inte kunde hålla tyst. Var det verkligen nödvändigt att sprida sådana här saker vidare?

"Med tanke på utredningen kan vi inte uttala oss om detaljerna eller omfattningen av Victorias skador."

Kjell började säga något igen, men Patrik höjde handen och gav ordet till Expressens reporter Sven Niklasson. Även de hade haft med varandra att göra i samband med en utredning, och han visste att Niklasson alltid var vass och påläst och aldrig skrev sådant som kunde skada en utredning.

"Fanns det något som tydde på att hon blivit sexuellt utnyttjad? Och har ni hittat någon koppling till de andra försvunna flickorna ännu?"

"Det vet vi inte än. Hon ska obduceras i morgon. Och vad gäller de andra flickorna kan jag i dagsläget inte avslöja vad vi vet om en eventuell gemensam nämnare. Men vi arbetar som sagt tillsammans med de övriga distrikten och jag är övertygad om att det kommer att leda till att vi hittar gärningsmannen."

"Är ni säker på att det är en gärningsman vi pratar om?" Aftonbladets utsända tog ordet på eget bevåg. "Kan det inte vara flera eller till och med en liga? Har ni till exempel undersökt om det kan ha någon koppling till trafficking?"

"Som det ser ut nu låser vi oss inte vid en utredningslinje, och det gäller även antalet gärningsmän. Självklart har tankar om någon sorts människohandel kommit upp, men Victorias fall kan ju till stor del motsäga den teorin."

"Varför det?" envisades reportern från Aftonbladet.

"För att hon hade skador av en sådan art att det inte var tal om att hon skulle säljas på något sätt." Kjell synade Patrik.

Patrik bet ihop. Slutsatsen var helt riktig och avslöjade mer än han ville, men så länge han inte bekräftade något kunde tidningarna inte skriva annat än spekulationer.

"Vi undersöker som sagt alla möjliga spår, både troliga och otroliga. Vi utesluter ingenting."

Han lät journalisterna ställa frågor i ytterligare en kvart, men de flesta var omöjliga att svara på, antingen för att han inte visste svaret eller för att det var hemligt. Tyvärr tillhörde alltför många den första kategorin. Ju fler frågor som kastades mot honom, desto klarare blev det hur lite polisen egentligen visste. Det hade gått fyra månader sedan Victoria försvann, och för de andra distrikten ännu längre tid. Ändå hade de ingenting att komma med. Frustrerad bestämde han sig till sist för att avsluta frågestunden.

"Bertil, har du något du vill runda av med?" Patrik klev åt sidan för att smidigt få Mellberg att känna att det var han som hade hållit i presskonferensen.

"Ja, jag skulle vilja ta tillfället i akt att säga att det var tur i oturen att det var just i vårt distrikt som den första av de försvunna flickorna återfanns, med tanke på den unika kompetens vi besitter på vår station. Under min ledning har vi löst ett antal uppmärksammade mordfall och min meritlista sedan tidigare är ju ..."

Patrik avbröt honom genom att lägga en hand på hans axel.

"Jag kan bara instämma. Vi tackar för era frågor och hörs framöver, antar jag."

Mellberg blängde på honom.

"Jag hade inte hunnit prata till punkt", väste han. "Jag ville lyfta fram min tid vid Göteborgspolisen och min mångåriga erfarenhet av polisarbete på hög nivå. Det är viktigt att de får alla detaljerna rätt när de ska porträttera mig."

"Absolut", sa Patrik och ledde varsamt men bestämt ut Mellberg ur rummet medan journalister och fotografer samlade ihop sina saker. "Men de skulle ju ha missat sin deadline om vi inte avslutade nu. Och med tanke på vilken bra genomgång du gjorde kände jag att det var viktigt att rapporteringen från presskonferensen kommer med i morgondagens tidning, så att vi kan få den draghjälp vi behöver från medierna."

Patrik skämdes över det dravel han levererade, men det verkade fungera för hans chef lyste upp igen.

"Ja, det såklart. Bra där, Hedström. Du har dina ljusa stunder."

"Tack", sa Patrik trött. Att hantera Mellberg tog lika mycket kraft i anspråk som att driva själva utredningen. Om inte mer.

"Varför vill du fortfarande inte prata om det som hände? Det har ju gått så många år?" Anstaltens terapeut Ulla tittade på henne över sina röda glasögon.

"Varför fortsätter du fråga? Efter så många år?" svarade Laila.

De första åren hade hon känt sig pressad av kraven på att hon skulle berätta allt, vända ut och in på sig själv och avslöja alla detaljer från den dagen, från tiden dessförinnan. Men nu brydde hon sig inte om det längre. Det fanns ingen som förväntade sig att hon skulle svara på frågorna och de spelade bara ett spel som byggde på ömsesidig förståelse. Laila förstod att Ulla måste fortsätta fråga, och Ulla förstod att Laila inte skulle svara. I tio år hade Ulla varit terapeut här. Det hade funnits andra före henne, och de hade stannat olika länge beroende på vilka deras ambitioner var. Att arbeta med internernas psykiska tillfrisknande gav inte någon större belöning, vare sig i form av pengar, steg i karriären eller tillfredsställelsen i att uppnå goda resultat. De flesta av de intagna var bortom all räddning, vilket alla var införstådda med. Men jobbet skulle ändå göras, och Ulla verkade vara den av terapeuterna som kände sig mest tillfreds med sin roll här. Och det gjorde i sin tur Laila mer tillfreds med att sitta här, trots att hon visste att de aldrig skulle komma någon vart.

"Du verkar se fram emot Erica Falcks besök", sa Ulla, och Laila ryckte till. Det var ett nytt samtalsämne. Inte ett av de gamla invanda, som de dansade sina inövade turer kring. Hon kände hur händerna började skaka i knäet. Hon tyckte inte om nya frågor, och väl medveten om det satt Ulla tyst och väntade på svar.

Laila brottades med sig själv. Plötsligt måste hon fatta ett beslut: vara tyst eller svara. Nu dög inget av de automatiska svar som hon kunde rabbla i sömnen.

"Det är något annat", sa hon till slut och hoppades att det skulle räcka. Men Ulla verkade ovanligt på hugget i dag. Som en hund som vägrade släppa ett köttstycke som den äntligen fått tag i.

"På vilket sätt? Menar du ett avbrott från vardagen här, eller menar du något annat?"

Laila knäppte händerna för att hålla dem stilla. Frågan gjorde henne förvirrad. Hon visste ju inte exakt vad hon ville uppnå genom att träffa Erica. Hon kunde ha fortsatt att svara nej på Ericas enträgna förfrågningar om att få komma och besöka henne. Hon kunde ha fortsatt att leva i sin egen värld, medan åren sakta passerade förbi och det enda som förändrades var hennes egen spegelbild. Men hur skulle hon kunna göra det nu när ondskan trängde sig på? När hon förstått att den inte bara skördade nya offer utan att den också fanns här i hennes närhet.

"Jag tycker om Erica", sa Laila. "Och det är klart. Ett avbrott i tristessen blir det ju."

"Jag tror att det är mer än så", sa Ulla och granskade henne med hakan sänkt. "Du vet ju vad hon vill. Hon vill höra om det som vi så många gånger har försökt prata om. Det som du inte vill berätta."

"Det är hennes problem. Ingen tvingar henne att komma hit."

"Så sant", sa Ulla. "Men jag kan inte låta bli att undra om du inte innerst inne skulle vilja berätta allt för Erica och lätta på bördan. Att hon har nått fram till dig på ett sätt som vi andra har misslyckats med, trots att vi försökt."

Laila svarade inte. Nog hade de försökt alltid. Men hon var inte säker på att hon hade kunnat berätta ens om hon velat. Det var för stort. Och var skulle hon börja: med deras första möte, med ondskan som växte, med den där sista dagen eller med det som hände nu? Vilken utgångspunkt kunde hon rimligtvis välja för att få någon att förstå det som var oförståeligt även för henne själv?

"Kan det vara så att du fastnat i ett mönster med oss, att du så länge hållit allt inom dig att det inte går att släppa ut det?" Ulla lade huvudet på sned. Laila undrade om det var något de fick lära sig på psykologutbildningen. Alla terapeuter som hon mött hade gjort så.

"Vad har det för betydelse nu? Det är så längesedan."

"Ja, men du är fortfarande kvar här. Och jag tror att det på sätt och vis är ditt eget val. Du verkar inte ha någon längtan efter att leva ett vanligt liv, utanför anstaltens murar."

Om Ulla bara visste hur rätt hon hade. Laila skulle inte vilja leva utanför anstalten, hade ingen aning om hur man gjorde. Men det var inte hela sanningen. Hon skulle inte heller våga. Hon vågade inte leva i samma värld som den ondska hon sett på nära håll. Anstalten var det enda ställe där hon kunde känna sig trygg. Det var kanske inte mycket till liv, men det var ett liv och numera det enda hon kände till.

"Jag vill inte prata mer", sa Laila och reste sig.

Ulla synade henne. Det kändes som om hon såg rakt igenom henne. Laila hoppades inte det. Det fanns saker hon hoppades att ingen någonsin skulle få se.

Det brukade vara Dans uppgift att följa tjejerna till stallet, men i dag hade det kört ihop sig på jobbet, så Anna hade skjutsat dem dit. Hon var barnsligt glad över att Dan hade bett henne rycka in, att han bett henne om något över huvud taget. Men hon hade gärna undvikit stallet. Hon avskydde hästar, innerligt och hjärtligt. De stora djuren skrämde henne, en rädsla som hade grundlagts under barndomens påtvingade ridning. Deras mor Elsy hade fått för sig att hon och Erica skulle lära sig rida, vilket inneburit två års plåga för båda systrarna. Det hade varit en gåta för Anna hur de andra tjejerna i stallet kunde bli så besatta av hästar. Själv tyckte hon att de var fullkomligt opålitliga, och hjärtat rusade fortfarande vid minnet av hur det kändes att klamra sig fast på en stegrande häst. Hästarna kunde säkert känna hennes rädsla på en mils avstånd, men det spelade ingen roll. Nu tänkte hon bara lämna av Emma och Lisen och sedan hålla sig på tryggt avstånd.

"Tyra!" Emma hoppade ut ur bilen och rusade fram till flickan som kom gående över gårdsplanen. Hon kastade sig i hennes armar och Tyra fångade upp och svängde runt henne.

"Oj, vad stor du har blivit bara sedan sist! Du kommer ju att växa om mig snart", sa Tyra med ett svagt leende och Emma lyste av lycka. Tyra var hennes favorit bland tjejerna som alltid hängde på ridskolan, och hon dyrkade henne.

Anna gick fram till dem. Lisen hade sprungit rakt in i stallet så fort hon klev ur bilen, så henne skulle hon inte se röken av förrän det var dags att åka hem.

"Hur känns det i dag?" sa hon och klappade Tyra på axeln.

"Hemskt", sa Tyra. Ögonen var rödkantade och hon såg inte ut att ha sovit på hela natten.

Lite längre bort på gårdsplanen kom någon gående mot stallet i efter-middagsdunklet, och snart såg Anna att det var Marta Persson.

"Hej", sa hon när Marta kom närmare. "Hur har ni det här?"

Hon hade alltid tyckt att Marta var otroligt vacker, med sina skarp-skurna drag, höga kindknotor och mörka hår, men i dag såg hon trött och sliten ut.

"Det är lite rörigt", svarade Marta sammanbitet. "Var är Dan? Du brukar väl inte komma hit frivilligt."

"Han blev tvungen att jobba över. Det är utvecklingssamtal den här veckan."

Dan var fiskare till själ och hjärta, men eftersom det inte längre gick att försörja sig på det i Fjällbacka, arbetade han sedan många år också som lärare på skolan i Tanumshede. Fisket hade sakta reducerats till en bisyssla, men han kämpade för att åtminstone ha råd att behålla båten.

"Ska inte lektionen börja snart?" sa Anna och tittade på klockan. Den var nästan fem.

"Det blir en kortare lektion i dag. Jonas och jag känner att vi måste informera tjejerna om Victoria. Du kan gärna vara med när du ändå är här. Kan vara skönt för Emma."

Marta började gå, och de följde efter henne till samlingsrummet och slog sig ner tillsammans med de andra flickorna. Lisen satt redan där och kastade en allvarlig blick på Anna.

Marta och Jonas ställde sig bredvid varandra och väntade tills sorlet tystnade.

"Ni har säkert redan hört vad som hänt", sa Marta, och alla nickade.

"Victoria är död", sa Tyra tyst. Stora tårar rann nedför hennes kinder och hon snöt sig i tröjärmen.

Marta tycktes inte riktigt veta hur hon skulle fortsätta men tog sedan ett djupt andetag.

"Ja, det stämmer. Victoria avled på sjukhuset i går. Vi vet att ni alla har oroat er, att ni saknat Victoria, och att det skulle sluta så här, det är … förfärligt."

Anna såg hur Marta tittade på sin man för stöd, och Jonas nickade.

"Ja, det är fruktansvärt svårt att förstå att något sådant här kan hända. Och jag föreslår att vi håller en tyst minut för Victoria, och för hennes familj. De har det värre än någon annan just nu, och jag vill att de ska känna att vi tänker på dem." Han tystnade och böjde på huvudet.

Alla följde hans exempel. Klockan i samlingsrummet tickade och när minuten var över tittade Anna upp. Runtomkring henne satt tjejerna med sammanbitna, oroliga ansikten.

Marta tog till orda igen. "Vi vet inte mer än ni om vad som hänt Victoria. Men polisen kommer säkert hit och pratar med oss igen. Då får vi veta mer, och jag vill att alla ställer upp och svarar på polisens frågor."

"Men vi vet ju inget. Vi har redan pratat med dem flera gånger och ingen vet något", sa Tindra, en lång blond flicka som Anna någon gång pratat med.

"Jag förstår att det kan kännas så, men kanske finns det något som ni själva inte inser kan vara till hjälp. Så svara på polisernas frågor, vad de än vill veta." Jonas spände ögonen i var och en av flickorna.

"Okej", mumlade de.

"Bra, då gör vi så gott vi kan för att hjälpa till", sa Marta. "Och nu är det dags för lektion. Vi är alla i chock, men det kanske kan vara bra att tänka på något annat en stund. Ni vet vad som gäller, så det är bara att sätta fart."

Anna tog Emma och Lisen i handen och gick ut i stallet. Tjejerna verkade förvånansvärt samlade. Med en klump i halsen betraktade Anna hur de gjorde i ordning hästarna, ledde in dem i ridhuset och satt upp. Själv var hon inte lika oberörd. Även om hennes son bara blivit en vecka gammal, visste hon hur förtvivlat ont det gjorde att förlora ett barn.

Hon gick och satte sig på läktaren. Plötsligt hörde hon dämpad gråt bakom sig. När hon vände sig om såg hon att Tyra hade slagit sig ner lite längre upp tillsammans med Tindra.

"Vad tror du har hänt henne?" sa Tyra mellan snyftningarna.

"Jag hörde att hon fått ögonen utstuckna", viskade Tindra.

"Va?" nästan skrek Tyra. "Hur vet du det? Jag pratade med en polis förut, och han sa inget om det."

"Min morbror var en av sjukvårdarna i ambulansen som hämtade henne i går. Båda ögonen var borta, sa han."

"Åh, nej." Tyra lutade sig fram. Det såg ut som om hon behövde kräkas.

"Tror du att det är någon vi känner?" sa Tindra med illa dold upphetsning.

"Är du inte klok?" sa Tyra, och Anna kände att hon måste få slut på samtalet.

"Det räcker nu." Hon gick upp och lade tröstande armen om Tyra. "Det är ingen idé att spekulera. Och du ser väl att Tyra blir ledsen?"

Tindra reste sig. "Ja, jag tror i alla fall att det är samma galning som har mördat de där andra tjejerna."

"Vi vet ju inte ens om de är döda", sa Anna.

"Klart att de är", sa Tindra självsäkert. "Och antagligen har de också fått ögonen utstuckna."

Anna svalde en sur uppstötning och kramade Tyras skakande axlar ännu hårdare.

Patrik steg in i hallens värme. Han var trött ända in i själen. Det hade varit en lång arbetsdag, men tröttheten berodde mest på utredningens tyngd. Ibland önskade han att han hade ett vanligt knegarjobb, på ett kontor eller en fabrik, inte ett där människors öde var beroende av hur väl han utförde sitt arbete. Det var så många han kände ansvar för. Först för de anhöriga, som satte allt sitt hopp till polisen, som behövde få svar för att om möjligt kunna försonas med det som hänt. Sedan var det offren, som liksom bönade om att han skulle finna den som avslutat deras liv i förtid. Men det största ansvaret kände han nu för de försvunna flickorna som kanske fortfarande var vid liv och för dem som ännu inte rövats bort. Så länge gärningsmannen var fri och oidentifierad, kunde fler flickor drabbas. Flickor som levde, andades och skrattade, ovetande om att deras dagar var räknade på grund av en potentiell mördares ondska.

"Pappa!" En liten mänsklig projektil kastade sig mot honom, och strax därefter kom två till, vilket gjorde att de allihop rasade ihop i en hög på golvet. Han kände hur han blev blöt i rumpan av snön på dörrmattan men brydde sig inte om det. Barnens närhet fick allt att kännas bra. För några sekunder var allt perfekt, men sedan började det:

"Aj!" Anton skrek högt. "Noel nyps!"

"Nej!" skrek Noel. Och som för att demonstrera att han inte hade gjort det tidigare, nöp han nu brodern. Anton ylade och slog vilt med armarna.

"Hörni…" Patrik höll isär dem och försökte se sträng ut. Maja ställde sig bredvid och härmade hans min.

"Inte nypas!" sa hon och hötte med fingret. "Bråkar ni får ni en dajmout." Patrik kvävde ett skratt. Hon hade missuppfattat det där med timeout redan som mycket liten och det gick inte att lära henne det rätta uttrycket.

"Tack, hjärtat, jag löser det här", sa han och reste sig, med en tvilling i varje hand.

"Mamma! Tvillingarna bråkar!" Maja sprang ut till Erica i köket, och Patrik följde efter med småkillarna.

"Nähä…", sa Erica med uppspärrade ögon. "Bråkar de? Det kan väl inte vara möjligt?" Hon log och pussade Patrik på kinden. "Maten är klar, så installera bråkstakarna, så får vi se om lite pannkakor kan få dem på bättre humör."

Det fungerade och efter att barnen mätta och belåtna placerats framför Bolibompa kunde Erica och Patrik få en sällsynt stund av lugn och ro vid köksbordet.

"Hur går det?" frågade Erica och läppjade på en kopp te.

"Vi har knappt börjat." Patrik sträckte sig efter sockret och öste ner fem teskedar i teet. Just nu orkade han inte tänka på några dietregler. Erica hade bevakat hans kostintag som en hök ända sedan han fick hjärtproblem i samma veva som tvillingarna föddes. Men i kväll lät hon bli att säga något. Han blundade och njöt när han tog den första klunken av det skållheta, söta teet.

"Halva samhället hjälpte till att söka igenom skogsområdet i dag, men hittade ingenting. Och sedan var det ju presskonferens i eftermiddags. Du kanske har sett tidningarna på nätet redan?"

Erica nickade. Hon tvekade ett ögonblick, sedan reste hon sig och plockade fram de sista av Kristinas bullar ur frysen, lade dem på ett fat och ställde in det i mikron. Bara någon minut senare spreds en ljuvlig doft av smör och kanel i köket.

"Är det inte risk att man förstör spår om halva Fjällbacka trampar runt ute i skogen?"

"Jo, självklart, men vi har ingen aning om hur långt hon har gått eller var hon kom ifrån, och snön hade raderat ut alla fotspår i morse. Så jag tyckte att det var värt risken."

"Hur gick presskonferensen då?" Erica tog ut fatet ur mikron och ställde det på bordet.

"Vi har ju inte så mycket att bidra med, så det var mest journalisterna som ställde frågor och vi som inte kunde svara." Patrik sträckte sig efter en bulle men svor och släppte den snabbt igen.

"Låt dem svalna lite först."

"Tack för tipset." Han blåste på fingrarna.

"Kunde ni inte svara av utredningstekniska skäl?"

"Nja, jag önskar att det var anledningen, men det är snarare så att vi inte vet ett dugg. När hon försvann var det ju som om hon gick upp i rök. Inga spår, ingen som hade sett något, ingen som hade hört något, ingen länk till de andra försvunna flickorna. Och så dök hon plötsligt bara upp igen."

De satt tysta en stund, och Patrik kände på bullen igen och konstaterade att den hade svalnat tillräckligt.

"Jag hörde något om skador", sa Erica försiktigt.

71

Patrik tvekade. Egentligen borde han inte prata med någon utomstående om skadorna, men det hade tydligen redan spritt sig och han behövde onekligen prata av sig. Erica var inte bara hans fru, hon var också hans bästa vän. Dessutom hade hon den skarpaste hjärnan av de två.

"Det stämmer. Eller jag vet ju inte vad du har hört." Han köpte sig lite tid genom att ta en tugga av bullen, men han mådde med ens lite illa och den smakade inte så gott som den borde.

"Att hon inte hade några ögon."

"Ja, ögonen var … borta. Vi vet inte än hur det har gjorts. Pedersen ska obducera henne tidigt i morgon bitti." Han tvekade igen. "Tungan var avskuren också."

"Herregud", sa Erica. Även hon såg ut att ha tappat aptiten och hon lade ner den kvarvarande halvan av sin bulle på tallriken.

"Var det längesedan det hände?"

"Vad menar du?"

"Var skadorna nya eller var de läkta?"

"Bra fråga. Men jag vet inte. Jag hoppas få alla detaljer av Pedersen i morgon."

"Kan det vara något religiöst? Öga för öga, tand för tand. Eller ännu ett vidrigt uttryck för kvinnohat? Hon skulle inte titta på honom, och hon skulle hålla käften."

Erica gestikulerade när hon pratade, och Patrik var som alltid imponerad av sin frus kvicka hjärna. Själv hade han inte kommit så långt när han försökt spekulera kring motivet.

"Öronen då?" fortsatte hon.

"Vadå öronen?" Han lutade sig fram över bordet och fick fullt med smulor på händerna.

"Jo, jag funderar på en sak … Tänk om den som gjorde det här, den som tog ifrån henne syn och tal, också skadade hennes hörsel. Då skulle hon ha varit i en bubbla, utan förmåga att kommunicera. Vilken makt det skulle ge gärningsmannen."

Patrik stirrade på henne. Han försökte föreställa sig det Erica beskrev, och blotta tanken gav honom kalla kårar. Vilket fruktansvärt öde. I så fall hade det kanske varit en välsignelse att Victoria inte överlevt, även om det verkade känslokallt att resonera så.

"Mamma, de bråkar igen." Maja stod uppgiven i dörren till köket. Patrik tittade på köksklockan på väggen.

"Ojdå, men det är ändå läggdags nu." Han reste sig. "Ska vi köra sten, sax, påse?"

Erica skakade på huvudet och gick fram och kysste honom på kinden. "Natta Maja du, så tar jag tvillingarna i kväll."

"Tack", sa han och tog Maja vid handen. De gick uppför trappan till övervåningen medan hon ivrigt pladdrade på om dagens händelser. Men han hörde inte vad hon sa. Hans tankar var hos en flicka i en bubbla.

Jonas stängde ytterdörren med en smäll, och det tog inte många sekunder förrän Marta dök upp inifrån köket. Med armarna i kors lutade hon sig mot dörrposten. Han förstod att hon hade väntat på det här samtalet, och hennes lugn gjorde honom ännu argare.

"Jag har pratat med Molly. Vad i helvete! Sådana här beslut fattar vi väl tillsammans?"

"Ja, det trodde jag också. Men ibland verkar det som om du inte förstår vad som behöver göras."

Han tvingade sig att ta ett djupt andetag. Hon visste att Molly var det enda som kunde få honom att brusa upp.

Han sänkte rösten. "Hon hade sett fram emot tävlingen. Det är ju den första på säsongen."

Marta vände ryggen till och gick in i köket.

"Jag håller på med middagen. Du får komma in om du vill skälla."

Han hängde upp jackan, tog av sig kängorna och svor när han satte ner fötterna på golvet och strumporna genast blev våta av snön som han dragit med sig in. Det bådade aldrig gott att Marta ställt sig vid spisen, vilket lukten i köket bekräftade.

"Jag är ledsen att jag skrek." Han ställde sig bakom henne och lade händerna på hennes axlar. Hon rörde i en gryta och han tittade ner i den. Det var lite oklart vad som puttrade där, men vad det än var såg det inte aptitligt ut.

"Korv Stroganoff", svarade hon på den outtalade frågan.

"Kan du bara förklara varför?" sa han milt och fortsatte att massera hennes axlar. Han kände henne så väl, visste att det inte lönade sig att skrika och bråka. Så han provade en annan taktik. Han hade lovat Molly att åtminstone försöka. Hon hade varit otröstlig när de pratat nyss och hans skjortbröst var fortfarande blött av hennes tårar.

"Det skulle se illa ut om vi åkte på tävling nu. Molly måste lära sig att allt inte kretsar kring henne."

"Jag tror inte att någon skulle ha något att invända ...", protesterade han.

Marta vände sig om och tittade upp på honom. Han hade alltid tilltalats av att hon var så liten bredvid honom. Det fick honom att känna att han var den starka, att han var beskyddaren. Men innerst inne visste han att det inte var så. Hon var starkare än han, hade alltid varit det.

"Men det förstår du väl? Du vet hur folk pratar här. Det är klart att vi inte kan låta Molly tävla efter det som hände i går. Ridskolan går med nöd och näppe runt, och vårt rykte är vår viktigaste tillgång. Vi kan inte riskera det. Sedan får Molly tonårstjura hur mycket hon vill. Och du skulle ha hört hur hon pratade till mig i dag. Det är inte acceptabelt. Du låter henne komma undan för lätt."

Det var sant, vilket han motvilligt måste erkänna. Men det var inte hela sanningen, och det visste hon också. Jonas drog henne intill sig. Kände hennes kropp mot sin, kände laddningen mellan dem, den som alltid funnits där och alltid skulle finnas. Ingenting var starkare än det. Inte ens kärleken till Molly.

"Jag pratar med henne", sa han med munnen mot Martas hår. Han drog in hennes doft, så välbekant men fortfarande så exotisk för honom. Han kände hur han reagerade, och Marta kände det också. Hon förde handen mot hans skrev och började smeka honom utanpå byxorna. Han stönade till och böjde sig ner och kysste henne.

På spisen brändes stroganoffen vid. De lät den göra det.

Uddevalla 1967

Allting hade ordnat sig så bra för dem att Laila knappt kunde tro det. Vladek var inte bara en skicklig lejontämjare, han hade också en talang som var mer användbar i vardagen. Han var duktig på att laga saker. Det hade inte dröjt länge förrän ryktet spritt sig i Fjällbacka och folk hade börjat komma till Vladek för att få hjälp med alltifrån trasiga diskmaskiner till trasiga bilar.

I ärlighetens namn fick han nog en hel del av uppdragen på grund av den nyfikenhet han väckte. Många ville få en anledning att ta sig en titt på något så ovanligt som en alldeles äkta cirkusartist. Men när nyfikenheten hade lagt sig kvarstod respekten för hans hantverksskicklighet, och så snart folk hade vant sig vid honom var det som om han alltid funnits ibland dem.

Hans självförtroende hade vuxit och när han hittade annonsen om att ta över en verkstad i Uddevalla kändes det självklart att de skulle ta chansen och flytta, även om hon tyckt att det var ledsamt att inte längre bo nära Agneta och sin mor. Äntligen skulle Vladek kunna göra verklighet av sin dröm om att starta något eget.

Här i Uddevalla hade de också hittat sitt drömhus. Redan från första ögonblicket hade de blivit förälskade i det. Egentligen var det rätt slitet och oansenligt, men med små medel hade de renoverat och gjort i ordning det, och nu var det deras paradis.

Livet såg gott ut och de räknade dagarna tills de skulle kunna hålla sitt barn i famnen. Snart skulle de vara en riktig familj. Hon, Vladek och barnet.

Mellberg vaknade av att en liten människa hoppade på honom. Det var för övrigt den enda människa som kom undan med att väcka honom. Eller med att hoppa på honom.

"Upp, moffa! Moffa, upp!" tjoade Leo och studsade upp och ner på hans stora mage. Mellberg gjorde som han brukade, tog tag i pojken och kittlade honom så att han skrek.

"Herregud, vilket väsen ni för!" ropade Rita från köket. Också det var som det brukade, men han visste att hon egentligen älskade att höra dem busa på morgnarna.

"Hyssj ..." Mellberg spärrade upp ögonen, och Leo gjorde likadant med sitt knubbiga lilla finger mot munnen. "Det är en elak häxa där ute i köket. Hon äter små barn och hon har nog ätit upp dina mammor också. Men det finns ett sätt vi kan besegra henne på. Vet du vad det är?"

Trots att Leo mycket väl visste svaret skakade han häftigt på huvudet.

"Vi måste smyga ut och kittla ihjäl henne! Men häxor har jättebra hörsel, så vi måste smyga vårt allra bästa för att hon inte ska höra oss, för annars ... annars är det klippt!" Mellberg drog handen sakta över halsen, och Leo härmade honom. Sedan tassade de på tå ut ur sovrummet och in i köket, där Rita väntade på attacken.

"Attaaaack!" vrålade Mellberg medan han och Leo rusade fram och kittlade Rita där de kom åt.

"Iiiii!" skrek Rita och skrattade. "Er har jag fått för mina synders skull!" Både Ernst och Señorita som legat under köksbordet rusade lyckligt fram och började skälla.

"Herregud, vilket liv ni för", sa Paula. "Det är ett under att ni inte har blivit vräkta för längesedan."

Mellberg tystnade, liksom de andra. De hade inte ens hört att ytterdörren öppnats.

"Hej, Leo. Har du sovit gott?" sa Paula. "Jag tänkte att jag skulle komma upp och äta frukost med er innan vi ska till dagis."

"Kommer Johanna också?" sa Rita.

"Nej, hon har redan gått till jobbet."

Med långsamma steg gick Paula fram till köksbordet och satte sig ner. I hennes famn sov Lisa för en gångs skull harmoniskt. Leo sprang fram och gav henne en kram och granskade lite avvaktande sin lillasyster. Sedan Lisa föddes hade Leo ofta sovit hos "mommo och moffa Bertil", inte bara för att han skulle slippa störas av bebisens kolikskrik utan för att han helt enkelt sov så gott då han låg tryggt hopkrupen i Mellbergs armhåla. De två hade varit oskiljaktiga från första början, då Mellberg varit med vid Leos födelse. Och nu när Leo fått ett syskon och hans mammor var upptagna med henne sökte han sig gärna till sin morfar som lägligt nog bodde bara en våning upp i samma hyreshus.

"Finns det kaffe?" sa Paula, och Rita hällde genast upp en stor kopp med en skvätt mjölk i och ställde ner den på bordet framför henne. Hon kysste både Paula och Lisa på hjässan.

"Du ser ju alldeles förstörd ut. Det kan inte vara bra, det här. Varför gör de inget hos doktorn?"

"Det finns inte mycket de kan göra. Det ska gå över av sig självt, hoppas de." Paula drack en rejäl klunk av kaffet.

"Men har du fått sova något alls?"

"Nja, inte så mycket. Det är väl min tur nu, eller vad man ska säga. Johanna kan ju inte vara helt utvakad på jobbet", sa hon med en djup suck och vände sig mot Mellberg. "Hur gick det i går?"

Mellberg hade Leo i knäet och var fullt upptagen med att breda sylt på skivor av Skogaholmslimpa. När Paula såg vad hennes son skulle få till frukost öppnade hon munnen men stängde den snabbt igen.

"Det där kanske inte är så nyttigt", ryckte Rita in, som insåg att Paula inte orkade opponera sig.

"Det är inget fel på Skogaholmslimpa", sa Mellberg och tog trotsigt en stor tugga. "Jag är uppväxt på det. Och sylt – det är ju bär. Och bär är vitaminer. Vitaminer och oxianter, det är fina grejer för en pojke som växer."

"Antioxidanter", sa Paula.

Men Mellberg hade redan slutat lyssna. Dumheter. Komma här och försöka lära honom kosthållning.

"Okej, men hur gick det i går?" upprepade hon när hon tycktes förstå att slaget var förlorat.

"Finemang. Jag höll i presskonferensen med auktoritet och stringens. Så det blir till att köpa tidningarna i dag." Han sträckte sig efter ytterligare en limpskiva. De första tre mackorna var liksom bara för att grunda.

"Ja, du var naturligtvis fullkomligt fantastisk i går, det utgick jag ifrån."

Mellberg tittade misstänksamt på henne för att se om han kunde skönja någon ironi, men hennes min var helt neutral.

"Men utöver det, har ni kommit någon vart? Finns det några spår, vet ni var hon kom ifrån, var hon har hållits fången?"

"Nej, inget."

Lisa började vrida på sig i hennes famn, och Paula såg nu både trött och frustrerad ut. Mellberg visste att hon avskydde att stå utanför utredningen. Det verkade inte riktigt passa henne att vara föräldraledig, och den första tiden hade heller inte inneburit någon rosenskimrande mammalycka. Han lade en hand på hennes ben och kände genom pyjamasens flanelltyg hur tunn hon blivit. Hon hade bott i den där pyjamasen i flera veckor nu.

"Jag lovar att hålla dig uppdaterad. Men just nu vet vi faktiskt inte så mycket…" Han avbröts av ett gallskrik från Lisa. Det var märkvärdigt hur en så liten kropp kunde ge ifrån sig ett sådant genomträngande ljud.

"Tack", sa Paula och reste sig. Sömngångaraktigt började hon vanka av och an i köket medan hon nynnade lugnande i Lisas öra.

"Stackars krake", sa Mellberg och tog en macka till. "Att ha så ont i magen hela tiden. Tur att jag är född med plåtmage."

Patrik stod framför whiteboarden i stationens kök. På väggen bredvid hade han satt upp en Sverigekarta och med nålar markerat ut de platser där flickorna försvunnit. Han fick en hastig flashback från ett fall flera år tidigare, då de på samma sätt satt nålar på en Sverigekarta. Den gången hade de lyckats lösa fallet. Han hoppades att de skulle göra det den här gången också.

Utredningsmaterialet som Annika hade samlat ihop från de andra distrikten låg sorterat i fyra högar på bordet intill honom, en hög för varje flicka.

"Vi kan omöjligt arbeta med Victorias död som ett isolerat fall, utan måste hålla oss à jour med utredningarna av de övriga försvinnandena."

Martin och Gösta nickade. Mellberg hade kommit in till stationen och nästan genast gått ut en sväng för att rasta Ernst, vilket brukade betyda att han hamnade på bageriet en bit bort och var borta i minst en timme. Det var ingen slump att Patrik hade valt att ha genomgången just nu.

"Har du hört något från Pedersen?" frågade Gösta.

"Nej, men han skulle ringa så snart han var klar med obduktionen", sa Patrik. Han lyfte upp den första högen. "Vi har ju gått igenom det här förut, men jag drar uppgifterna om de andra flickorna igen, i tidsordning. Kanske dyker någon ny tanke upp."

Han bläddrade i papperen och vände sig sedan om för att börja skriva punkter på whiteboarden.

"Sandra Andersson. Fjorton år, skulle precis fylla femton när hon försvann för två år sedan. Bodde i Strömsholm med mamma, pappa och lillasyster. Föräldrarna har en klädaffär. Inga problem i familjen som det verkar, och enligt alla utsagor ska Sandra ha varit en ytterst skötsam tonåring, som hade höga betyg och siktade på att så småningom komma in på läkarlinjen."

Patrik höll upp en första bild. Sandra var brunett, söt på ett stillsamt sätt och med en intelligent, allvarlig blick.

"Fritidsintressen?" frågade Martin. Han sippade på sitt kaffe men grinade illa och ställde ner koppen igen.

"Inga särskilda. Hon verkade koncentrera sig helt på studierna."

"Och inget misstänkt från tiden före försvinnandet?" sa Gösta.

"Anonyma samtal? Någon som smög runt i buskarna? Brev?"

"Brev?" sa Patrik. "I Sandras ålder skulle det snarare vara fråga om mejl eller sms. Ungar i den åldern vet väl knappt vad brev och vykort är."

Gösta fnös. "Det fattar väl jag också, jag är inte helt uråldrig. Men vad är det som säger att förövaren är så it-uppdaterad? Den som gjort det här kanske tillhör snigelpostgenerationen. Det tänkte du inte på, va?" Med en triumferande min lade Gösta det ena benet över det andra.

Patrik insåg motvilligt att kollegan hade en poäng.

"Inget sådant har rapporterats", sa han. "Och poliserna i Strömsholm har varit lika grundliga som vi. De har pratat med vänner och klass-kamrater, gått igenom hennes rum i detalj, genomsökt hennes dator, undersökt alla kontakter. Men de har inte funnit något som avviker."

"Bara det är ju skumt, en tonåring som inte har minsta fuffens för sig", muttrade Gösta. "Snudd på osunt, om du frågar mig."

"Jag tycker att det låter som rena drömmen, jag", sa Patrik och tänkte med fasa på vad som kunde vänta honom och Erica när Maja kom i tonåren. Han hade sett för mycket i arbetet för att inte få en stor klump i magen vid tanken på den perioden.

"Är det allt?" Martin tittade bekymrat på de få raderna på white-boarden. "Var försvann hon ifrån?"

"På väg hem från en kompis. Hon dök aldrig upp hemma, och till slut ringde hennes föräldrar polisen."

Patrik behövde inte konsultera papperen. Han hade redan läst igenom dem ett flertal gånger. Han lade Sandras hög åt sidan och tog upp nästa.

"Jennifer Backlin. Femton år. Försvann från Falsterbo för ett och ett halvt år sedan. Hade ordnade familjeförhållanden, precis som Sand-ra. Familjen är något av överklass i Falsterbo. Pappan äger ett invest-mentbolag, mamman är hemmafru, en syster. Jennifers betyg låg runt medel, däremot var hon en lovande idrottstjej, höll på med gymnastik och skulle ha börjat idrottsgymnasium." Han visade upp bilden av en brunhårig flicka med brett leende och stora blå ögon.

"Pojkvän? Den frågan gäller Sandra också", sa Gösta.

"Jennifer hade pojkvän, men han är helt avförd från utredningen. Sand-ra hade det inte." Patrik sträckte sig efter sitt glas och drack lite vatten.

"Och samma visa här: ingen har sett något, ingen har hört något. Inga konflikter i Jennifers familj eller bekantskapskrets, inga iakttagelser av något misstänkt vare sig före eller efter försvinnandet, inget på nätet…"

Patrik skrev på tavlan och anteckningarna var oroväckande lika de om Sandra. Framför allt gällde det bristen på intressanta uppgifter och ledtrådar. Det var märkligt. Folk hörde eller såg alltid något, men de här flickorna var som uppslukade av jorden.

"Kim Nilsson. Lite äldre än de övriga tjejerna, sexton år. Försvann från Västerås för ungefär ett år sedan. Föräldrarna driver en finare restaurang och Kim hjälpte till där ibland tillsammans med sin syster. Ingen pojkvän. Höga betyg, inga särskilda fritidsintressen, förutom skolan som hon i likhet med Sandra verkade lägga stor vikt vid. Föräldrarna sa att hon drömde om att läsa ekonomi på universitet och sedan driva eget, hon också."

Ännu en bild av en söt mörkhårig flicka.

"Kan du pausa lite, jag måste tömma blåsan", sa Gösta. Det knakade i hans led när han reste sig och Patrik insåg med ens hur nära pensionsåldern han var. I sin förvåning kände han hur mycket han skulle

"Jaså", sa Patrik och tittade med rynkad panna på anteckningarna på whiteboarden, skrivna med hans krattiga handstil. "Vi får hoppas att hon vågar det snart, i så fall. Kanske får vi pressa henne lite igen?"

"Klar!" meddelade Gösta och slog sig ner. "Den där jäkla prostatan gör att jag måste springa stup i kvarten numera."

Patrik höll upp handen. "Tack, tack, mer än så behöver vi inte veta."

"Var vi färdiga med Kim?" frågade Martin.

"Ja, det ser ut på samma sätt som med de två föregående. Inga spår, inget misstänkt, ingenting. Men med den fjärde tjejen är det lite annorlunda. Det är ju det enda fallet där en misstänkt faktiskt har iakttagits av ett ögonvittne."

"Minna Wahlberg", sa Martin.

Patrik nickade, skrev upp namnet och plockade fram bilden av en flicka med blå ögon och det bruna håret samlat i en medvetet slarvig tofs. "Ja, Minna Wahlberg. Fjorton år och från Göteborg. Försvann för drygt sju månader sedan. Hon har en annan bakgrund än de andra. Ensamstående mamma, många rapporter om bråk i hemmet under Minnas uppväxt, mammans pojkvänner var de

...er när ha...

aldern kollegan var. Till ...

sakna Gösta den dag han försvann från stationen. I många ar hade han retat sig på att kollegan följde minsta motståndets lag och bara gjorde det som var absolut nödvändigt. Men han hade sett andra sidor också, stunder då Gösta visade vilken bra polis han kunde vara. Dessutom hade han ett stort hjärta under den buttra ytan.

Patrik skakade på huvudet mot Martin. "Okej, i väntan på Gösta kan du väl berätta hur det gick när du pratade med Marta. Gav det något?"

"Nej, inte ett dugg." Martin suckade. "Hon hade varken sett någon bil eller andra människor förrän Victoria dök upp där i skogsbrynet. Och hon såg ingen efteråt. Hon och föraren väntade ensamma på ambulansen tillsammans med Victoria. Inget nytt om själva försvinnandet heller, inga intriger i stallet som hon kommit på sedan sist."

"Och Tyra?"

"Precis som tidigare. Men jag fick ändå en känsla av att det var något hon inte ville berätta, som om hon kanske hade en misstanke som hon inte vågar dela med sig av."

störande elementen.

Sedan be~~~~e Minna dyka upp i socialens register, snatterier, hasch, ja, tyvärr den klassiska historien om en unge på glid. Hög frånvaro i skolan."

"Syskon?" frågade Gösta.

"Nej, hon bodde ensam med mamman."

"Du har inte lagt till hur Jennifer och Kim försvann", påpekade Gösta, och Patrik vände sig om och konstaterade att han hade rätt.

"Jennifer försvann på väg hem hon också, från gymnastikträningen. Kim försvann nära sitt hem. Hon hade gått ut en sväng för att träffa en kompis, men hon kom aldrig fram till henne. I båda fallen fick polisen i ett mycket tidigt skede in en anmälan om försvinnande."

"Till skillnad från i Minnas fall?" sa Martin.

"Precis. Minna hade inte varit i skolan eller hemma på tre dagar när hennes mamma förstod att något inte stod rätt till och hörde av sig till polisen. Hon hade tydligen inte haft särskilt stor koll på sin dotter, och Minna hade kommit och gått lite som hon velat. Bott hos kompisar och

82

olika killar. Så vi vet inte exakt vilken dag som Minna försvann."

"Och vittnet?" Martin tog en ny klunk av kaffet, och Patrik log åt minen han gjorde när han återigen kände den beska smaken av kaffet som hade stått i kannan i flera timmar.

"Vad sjutton, Martin. Sätt på nytt kaffe", sa Gösta. "Jag kan ta en kopp, och säkert Patrik också."

"Det kan du väl göra själv", replikerade Martin.

"Nej, då får det vara. Det är ändå inte nyttigt."

"Jag tror aldrig att jag har träffat någon som är så lat som du", sa Martin. "Det kanske är åldern."

"Äh, ge dig." Gösta kunde själv både skämta och gnälla om sin ålder, men det var värre om någon annan kom med pikar.

Patrik undrade hur en utomstående skulle uppfatta deras tramsande, som avbröt de allvarligaste av samtalsämnen. Men de behövde det. Emellanåt kunde jobbet vara så tungt att de måste få slappna av, driva med varandra och skratta. Det var så de orkade med alla stunder av sorg, död och förtvivlan.

"Ska vi fortsätta? Var var vi någonstans?"

"Vittnet", sa Martin.

"Just det. Ja, det här är det enda fallet där det finns ett vittne, en åttioårig dam. Men uppgifterna är lite oklara. Vittnet hade svårt att i efterhand minnas tidpunkten, men troligtvis var det den första dagen då Minna inte kom hem. Minna ska då ha klivit in i en liten vit bil utanför en Icaaffär på Hisingen."

"Men hon visste inte märket?" sa Gösta.

"Nej, det stämmer. Polisen i Göteborg har förgäves försökt få fram mer detaljer om bilens utseende. Utan närmare beskrivning än 'äldre vit bil' är det ju i princip omöjligt att hitta den."

"Och vittnet såg inte vem som satt i?" frågade Martin fastän han redan visste svaret.

"Nej, hon trodde möjligen att det var en ung man som satt vid ratten, men det var ytterst osäkert."

"Det här är ju helt otroligt", sa Gösta. "Hur fan kan fem tonårstjejer bara försvinna? Någon mer måste ju ha sett något."

"Ingen som har trätt fram i alla fall", sa Patrik. "Och det har ju knappast varit någon brist på medial uppmärksamhet. Efter alla spaltmeter som skrivits om flickornas försvinnanden borde någon ha hört av sig i så fall."

"Antingen är gärningsmannen oerhört skicklig, eller också så irrationell att han därför inte lämnar några tydliga spår efter sig." Martin tänkte högt.

Patrik skakade på huvudet. "Jag tror att det finns ett mönster. Jag kan inte säga exakt varför jag tror det, men det finns där, och när vi väl hittar det…" Han slog ut med händerna. "Hur går det förresten med att hitta någon som kan göra en profil på gärningsmannen åt oss?"

"Ja, det där var tydligen inte helt lätt…", sa Martin. "Det finns inte så många, och de som finns är väldigt upptagna. Men Annika berättade just att hon hittat en expert på gärningsmannaprofiler. En Gerhard Struwer. Han är kriminolog på universitetet i Göteborg och kan ta emot oss där i eftermiddag. Hon har mejlat över all information vi har. Konstigt egentligen att polisen där inte redan har pratat med honom."

"Nja, det är väl bara vi som är så dumma att vi tror på sådant där. Blir väl en spåtant härnäst", muttrade Gösta som delade Mellbergs åsikter i den här frågan.

Patrik ignorerade kommentaren.

"Han kanske inte kan göra en profil, men åtminstone vägleda oss. Kanske borde vi passa på att träffa Minnas mamma också om vi ändå åker till Göteborg? Om det var gärningsmannen som körde bilen kan Minna ha haft en personlig relation till honom, eller henne. Med tanke på att hon verkar ha klivit in i bilen frivilligt."

"Göteborgspolisen måste väl redan ha frågat mamman om det?" invände Martin.

"Jo, men jag skulle vilja prata med henne själv och se om det går att få ur henne något mer om…"

Patrik avbröts av en genomträngande mobilsignal. Han tog upp sin telefon, tittade på displayen och sedan på de andra.

"Det är Pedersen."

Einar drog sig grymtande upp till sittande i sängen. Rullstolen stod bredvid men han nöjde sig med att puffa upp kudden bakom ryggen och sitta kvar där han satt. Det fanns ändå ingenstans att ta sig. Det här rummet var hans värld nu och det räckte, för han kunde leva i sina minnen.

Han hörde Helga stöka på undervåningen och vämjelsen gav honom en metallisk smak i munnen. Det var vidrigt att vara beroende av en så ömklig person som hon, att maktbalansen skiftats så att hon nu var den starka, den som kunde råda över hans liv i stället för tvärtom.

Helga hade varit speciell. Hon hade varit så levnadsglad, haft ett sådant ljus i ögonen att det gett honom en enorm tillfredsställelse att sakta släcka det. Länge hade det varit helt borta, men när kroppen förrådde honom, när han förpassades till det fängelse som var hans egen lekamen, hade något förändrats. Hon var fortfarande en bruten kvinna men på den senaste tiden hade han ibland sett en glimt av motstånd i hennes ögon. Inte mycket, men tillräckligt för att det skulle reta honom.

Han sneglade på bröllopsbilden som Helga hade satt upp på väggen ovanför byrån. På det svartvita porträttet strålade hon mot honom, lyckligt ovetande om vad livet med mannen i fracken bredvid henne skulle innebära. På den tiden var han en stilig man. Lång, blond, med breda axlar och stadig blå blick. Helga hade också varit ljus. Nu var hon grå, men då hade hon haft långt blont hår, uppsatt på huvudet och krönt av en myrtenkrona och slöja. Visst hade hon varit grann, det hade han sett, men på många vis hade han tyckt att hon blivit vackrare sedan, när han hade format henne så som han behagade. En sprucken vas var vackrare än en hel, och sprickorna hade uppstått utan större ansträngning från hans sida.

Han sträckte sig efter fjärrkontrollen. Den stora buken var i vägen, och han fylldes av hat mot sin kropp. Den hade förvandlats till något som inte hade minsta likhet med den han en gång varit. Men om han blundade var han alltid sitt unga jag. Allt var lika tydligt nu som då: kvinnornas lena hud, känslan av blankt, långt hår, andetagen mot hans öra, ljuden som hade fått honom att bli upphetsad och varm. Minnena frigjorde honom från sovrummets fängelse, där tapeterna bleknat och gardinerna varit desamma i flera årtionden. De fyra väggarna som omgärdade hans värdelösa kropp.

Jonas brukade hjälpa honom ut ibland. Lyfta över honom till rullstolen och försiktigt köra den nedför rampen i trappan. Han var stark, Jonas, lika stark som han själv hade varit. Men de korta turerna ute var inte till någon större glädje. Det var som om minnena tunnades ut och löstes upp utomhus, som om solen mot ansiktet fick honom att glömma. Så han stannade hellre här. Där han kunde få hjälp att hålla minnena vid liv.

Ljuset i arbetsrummet var skumt, trots att det var förmiddag, och Erica satt och stirrade framför sig utan att få något gjort. Gårdagen gjorde sig fortfarande påmind: mörkret i källaren, rummet med regeln. Hon kunde heller inte sluta tänka på det som Patrik hade berättat om Victoria. Hon hade följt hans och kollegernas idoga arbete med att försöka hitta den försvunna flickan och nu var hon kluven inför det som hänt. Det skar i hjärtat vid tanken på den förlust som hennes död innebar för familj och vänner, men tänk om hon inte hade återfunnits alls? Hur levde man med det som förälder?

Fyra andra flickor var fortfarande försvunna. Spårlöst borta. Kanske var de döda och skulle aldrig hittas. Deras familjer levde med saknaden dygnet runt, undrade och våndades, hoppades trots att de anade att det inte fanns något hopp kvar. Erica rös. Plötsligt kände hon sig frusen och hon reste sig från kontorsstolen och gick in i sovrummet för att hämta ett par raggsockor. Hon bestämde sig för att ignorera röran där inne. Sängen var obäddad och kläder låg strödda här och där. På nattduksborden stod tomma glas, Patriks bettskena låg och samlade på sig bakterier och på hennes sida trängdes Nezerilflaskorna. Ända sedan hon var gravid med tvillingarna hade hon varit kraftigt beroende av nässprej, och det rätta tillfället att sluta verkade aldrig komma. Hon hade försökt några gånger och visste att det innebar tre dagars helvete då hon knappt kunde andas, och sedan var det alltför lätt att trilla dit igen. Hon förstod verkligen hur svårt det måste vara att sluta röka, eller ännu värre, knarka, när hon inte ens kunde bli fri från något så banalt som ett nässprejsberoende.

Bara för att hon tänkte på det kände hon sig tjock i näsan, så hon gick bort till nattduksbordet, skakade på flera behållare innan hon hittade en som inte var tom och drog girigt i sig två sprejdoser i varje näsborre. Känslan när näsgångarna vidgades var nästan orgiastisk. Patrik brukade skoja och säga att om hon tvingades att välja mellan Nezeril och sex skulle han bli tvungen att skaffa sig en älskarinna.

Hon log. Tanken på Patrik med en älskarinna var som alltid löjeväckande. För det första skulle han aldrig orka. Och för det andra visste hon hur mycket han älskade henne, även om vardagen alltför ofta tog död på romantiken och den brännande lusten från de första åren sedan länge mattats av och ersatts av en mer stillsam glöd. De visste var de hade varandra och hon älskade den tryggheten.

Erica gick tillbaka till sitt lilla arbetsrum. Raggsockorna värmde skönt och hon försökte åter koncentrera sig på det som hon hade framför sig på skärmen. Men i dag verkade vara en sådan där omöjlig dag.

Håglöst skrollade hon igenom dokumentet på datorn. Hon hade svårt att komma vidare och självklart berodde det till stor del på Lailas ovilja att samarbeta. Utan de anhörigas medverkan kunde hon inte skriva sina böcker om verkliga mordfall, inte på det sätt hon ville i alla fall. Att bara beskriva ett fall utifrån rättegångsprotokoll och polisens uppgifter gav inte kött och blod till en berättelse. Hon sökte känslorna, tankarna, allt det outsagda. Och i det här fallet var Laila den enda som kunde berätta vad som hänt. Louise var död, Vladek var död och Peter var försvunnen. Trots envisa försök hade Erica ännu inte lyckats lokalisera honom, och det var tveksamt om han skulle ha så mycket att berätta om den dagen. Han hade ju bara varit fyra år gammal när hans far mördades.

Erica stängde irriterat ner dokumentet. Hennes tankar återvände hela tiden till Patriks fall, till Victoria och de andra flickorna. Kanske var det inte så dumt att fundera på det ändå, hon fick ofta ny energi av att lägga ifrån sig arbetet och syssla med något helt annat en stund. Och att ta tag i tvätten lockade föga.

Hon drog ut skrivbordslådan och tog fram ett block med post-it-lappar. De hade hjälpt henne många gånger när hon behövde få struktur på saker och ting. Efter att ha öppnat webbläsaren började hon söka efter artiklar. Flickornas försvinnanden hade varit förstasidesstoff i flera omgångar och uppgifterna var lätta att hitta. Hon skrev upp deras namn på fem olika lappar, med var sin färg för tydlighetens skull. Sedan tog hon fler lappar och lade till all övrig information: hemort, ålder, föräldrar, syskon, tid och plats för försvinnandet, intressen. Lapparna satte hon upp på väggen, en rad för varje flicka. Det högg till i magen när hon betraktade dem. Bakom varje rad dolde sig en obeskrivlig sorg och saknad. En förälders värsta mardröm.

Hon kände att något saknades, att hon ville lägga till ansikten till den knappa texten på lapparna. Så hon skrev ut ett foto av varje flicka, vilket inte heller var svårt att hitta på kvällstidningarnas sajter. Hon undrade hur många extra tidningar de sålt när de skrivit om flickornas försvinnanden, men slog bort den cyniska tanken. Tidningarna gjorde sitt jobb och hon var knappast rätt person att kritisera dem, hon som levde gott på att skriva om andras tragedier mycket mer ingående och detaljerat än kvällstidningarna någonsin skulle göra.

Slutligen skrev hon ut en Sverigekarta i flera delar som hon tejpade ihop. Hon satte upp den bredvid lapparna och märkte med en röd penna ut orterna där flickorna försvunnit.

Hon tog ett steg tillbaka. Nu hade hon en grundstruktur, ett skelett. Efter all research hon gjort för böckerna hade hon lärt sig att man ofta fann svaren genom att lära känna offren. Vad var det med dessa flickor som gjort att någon hade valt just dem? Slumpen trodde hon inte på. Det var något mer än utseende och ålder som förenade dem, något i deras personlighet eller levnadsförhållanden. Vilken var den gemensamma nämnaren?

Hon tittade på de fem ansiktena på väggen. Så mycket hopp, så mycket nyfikenhet på vad livet hade att erbjuda. Hennes blick fastnade på en bild och hon visste med ens i vilken ände hon skulle börja.

Laila spred ut klippen framför sig och kände hur hjärtat började bulta hårdare. En fysisk reaktion på psykisk ångest. Snabbare och snabbare slog det, och känslan av maktlöshet fick det att rusa tills luften började ta slut.

Hon försökte dra några djupa andetag, drog in så mycket hon kunde av den unkna luften i sitt lilla rum, tvingade hjärtat att sakta ner. Hon hade lärt sig mycket om ångesthantering under åren och visste hur hon skulle hantera attackerna när de kom, utan hjälp vare sig från terapeuterna eller på kemisk väg. I början hade hon tagit alla tabletter de gav henne, svalt allt som kunde få henne att försvinna in i en dimma av glömska, där hon inte längre såg ondskan framför sig. Men när mardrömmarna hade börjat leta sig in i dimman hade hon slutat tvärt. Dem hanterade hon bäst nykter och vaksam. Om hon tappade kontrollen, kunde vadsomhelst hända. Då kunde alla hemligheter slinka ur henne.

De äldsta klippen hade börjat gulna. De var vikta och skrynkliga av att ha legat hoppressade i den lilla asken, som hon lyckats gömma under sängen. När det var städdag gömde hon den innanför kläderna.

Ögonen for över orden. Egentligen behövde hon inte läsa dem. Hon kunde texten utantill. Det var bara de nya artiklarna som hon ännu inte hunnit läsa tillräckligt många gånger för att höra orden i huvudet. Hon strök med handen över huvudets snagg. Det kändes fortfarande märkligt ovant. Hon hade klippt av sitt långa hår redan första året på anstalten. Varför visste hon egentligen inte. Kanske var det ett sätt att markera ett avstånd, en slutpunkt. Ulla skulle säkert ha någon bra teori om det, men Laila hade inte frågat henne. Det fanns ingen anledning att rota i något när det gällde henne själv. Hon visste det mesta om varför saker och ting hade blivit som de blivit. Hon satt ju inne med alla svaren.

Att prata med Erica var att leka med elden. Hon skulle aldrig ha sökt kontakt med någon själv, men Erica hade råkat höra av sig igen precis när ännu ett urklipp lagts till samlingen i asken och hon hade nog varit sårbar den dagen. Hon mindes inte riktigt. Det enda hon kom ihåg var att hon till sin förvåning tackat ja till besök.

Erica hade kommit redan samma dag. Och trots att Laila då, liksom nu, inte visste om hon någonsin skulle kunna svara på Ericas frågor, hade hon träffat henne, pratat med henne och lyssnat på frågorna som hängde obesvarade i besöksrummet. Ibland kom ångesten efter att Erica lämnat henne, insikten om att det började bli bråttom nu, att hon måste berätta för någon om ondskan och att Erica antagligen var rätt person att förvalta hennes historia. Men det var så svårt att öppna en dörr som så länge varit stängd.

Ändå såg hon fram emot besöken. Erica ställde samma frågor som alla andra, men hon ställde dem på ett annat sätt. Inte sensationslystet nyfiket, utan uppriktigt intresserat. Kanske var det därför Laila fortsatte träffa henne. Eller för att det hon bar på måste ut, för att hon börjat bli rädd för vad som skulle hända annars.

I morgon skulle Erica komma igen. Personalen hade meddelat att hon bett om att få göra ännu ett besök och Laila hade bara nickat.

Hon lade tillbaka urklippen i lådan igen. Vek dem på samma sätt som tidigare för att inte orsaka fler veck, och stängde locket. Hjärtat slog lugnt igen.

Patrik gick till skrivaren och plockade med darrande händer upp papperen. Illamåendet kom och gick i vågor och han var tvungen att samla sig ett ögonblick innan han gick genom den smala korridoren bort till Mellbergs rum. Dörren var stängd och han knackade på.

"Vad är det?" hördes Mellbergs irriterade stämma. Han hade nyss kommit in från sin så kallade promenad, och Patrik anade att han redan hade lagt sig till rätta för en tupplur.

"Det är Patrik. Jag har fått Pedersens rapport, och jag tänkte att du också ville ta del av obduktionsresultaten." Han motstod en impuls att rycka upp dörren. En gång hade han gjort det och hittat en snarkande stationschef enbart iklädd urtvättade kalsonger. Det var den sortens misstag som man bara gjorde en gång.

"Kom in", sa Mellberg efter en stund.

När Patrik steg in satt hans chef och flyttade runt papper på skrivbordet för att få det att se ut som om han var fullt sysselsatt. Patrik slog sig ner på stolen mittemot honom, och Ernst kom genast fram från sin plats under skrivbordet och hälsade. Hunden var döpt efter en före detta och numera avliden kollega, och även om det bar Patrik emot att tala illa om de döda tyckte han att hunden var betydligt mer sympatisk än sin namne.

"Hej, gubben", sa han och kliade hunden som gnydde lyckligt.

"Du är vit som ett lakan i ansiktet", sa Mellberg. En ovanligt observant iakttagelse för att vara honom.

"Ja, det här är ingen trevlig läsning." Patrik lade utskriften framför Mellberg. "Vill du läsa först, eller ska jag dra det muntligt?"

"Kör igång", sa Mellberg och lutade sig tillbaka på stolen.

"Jag vet knappt var jag ska börja." Patrik harklade sig. "Ögonen har avlägsnats genom att någon hällt syra i dem. Skadorna hade hunnit läka och med tanke på ärrbildningen bedömer Pedersen att det gjordes kort efter att Victoria fördes bort."

"Fy fan." Mellberg hävde sig fram och stödde armbågarna mot skrivbordet.

"Tungan har kapats med ett vasst verktyg. Pedersen kunde inte säga exakt vilken typ, men han gissade på en stor sekatör, en häcksax eller något åt det hållet. Snarare det än en kniv." Patrik hörde själv hur äcklad han lät, och Mellberg såg ut som om han hade kväljningar.

"Sedan visade det sig att ett vasst föremål har stuckits in i båda öronen och gjort sådan skada att Victoria även förlorat hörseln." Han påminde sig att han måste berätta det här för Erica. Hennes tanke om en flicka i en bubbla hade visat sig stämma.

Mellberg stirrade på honom en lång stund. "Så hon kunde varken se, höra eller tala", sa han sakta.

"Nej", sa Patrik.

De satt tysta en stund. Båda försökte föreställa sig hur det skulle kännas att förlora tre av de viktigaste sinnena, att vara fångad i ett tyst, kompakt mörker utan möjlighet att kommunicera.

"Fy fan", sa Mellberg igen. Tystnaden blev längre, orden räckte inte till. Ernst gläfste till och tittade oroligt på dem. Han kände av den tunga stämningen som infunnit sig, men kunde inte tyda den.

"Även de här skadorna har troligtvis uppkommit direkt efter bortförandet, eller väldigt nära inpå. Dessutom har hon troligtvis hållits bunden. Runt handleder och vrister har hon märken efter rep. Läkta och färska. Hon har också liggsår."

Nu var även Mellberg vit i ansiktet.

"Den kemiska analysen är också färdig", tillade Patrik. "Det fanns rester av ketamin i blodet."

"Keta vad?"

"Ketamin. Det är ett bedövningsmedel. Narkotikaklassat."

"Varför hade hon det i sig?"

"Svårt att säga, enligt Pedersen, eftersom det kan ha olika effekt beroende på dosen. En högre dos gör att man blir okänslig för smärta och medvetslös, en lägre att man blir psykotisk och får hallucinationer. Vem vet vilken effekt som gärningsmannen eftersträvade. Kanske båda."

"Och var får man tag i sådant?"

"Det säljs som annat knark men anses tydligen som rätt exklusivt. Man måste veta hur man ska använda det och i vilken dos. Snubbarna som tar det på nattklubbarna har ju inte lust att somna och sova bort kvällen, vilket blir följden om de tar för mycket. Ofta blandas det med ecstasy. Fast det används mest inom sjukvården. Och som bedövningsmedel för djur. Främst hästar."

"Åh fan", sa Mellberg när han gjorde kopplingen. "Har vi tittat närmare på den här veterinär-Jonas?"

"Ja, självklart. Victoria försvann ju efter att ha varit i deras stall. Han har ett solitt alibi, han var ute på ett akutärende. Ägarna till den sjuka hästen intygade att han kom dit bara en kvart efter att Victoria sist sågs vid stallet och han stannade där i flera timmar. Vi hittade heller ingen koppling mellan honom och de andra flickorna."

"Men det här gör väl ändå att vi borde syna honom ordentligt i sömmarna?"

"Absolut. När jag berättade det här för de andra kom Gösta dessutom på att Jonas hade inbrott på mottagningen för ett tag sedan. Han skulle plocka fram rapporten och se om det stod något om ketamin där. Frågan är bara om Jonas skulle anmäla stölden om det var han själv som använt det. Hursomhelst kommer vi att prata med honom."

Patrik tystnade en stund och tog sedan sats:

"Det var en sak till. Jag tänkte att Martin och jag skulle göra en utflykt i dag."

"Jaha?" sa Mellberg. Det såg ut som om han redan luktade sig till extra utgifter.

"Jag skulle vilja åka till Göteborg och prata med Minna Wahlbergs mamma. Och medan vi ändå är där …"

"Ja?" Nu lät Mellberg ännu mer misstänksam.

"Jo, när vi ändå är där tänkte vi prata med en man som kanske kan hjälpa oss att göra en analys av gärningsmannens beteende."

"En sådan där psykologsnubbe", sa Mellberg och visade med hela sitt minspel vad han ansåg om den yrkeskategorin.

"Det är en chansning, jag vet, men det blir ju ingen extrakostnad i och med att vi ändå åker till Göteborg."

"Ja, ja, bara du inte kommer dragande med någon spåtant också", muttrade Mellberg, vilket påminde Patrik om hur lika han och Gösta var ibland. "Och trampa för fan inte kollegerna i Göteborg på tårna nu. Du vet lika väl som jag hur mycket revirpinkeri det är, så var försiktig."

"Jag tar med mig silkesvantarna", sa Patrik och gick ut och stängde dörren om sin chef. Snart skulle snarkningarna ljuda i korridoren.

Erica var väl medveten om att hon var impulsiv. Ofta lite för impulsiv. Det var vad Patrik brukade tycka i alla fall när hon gång efter annan lade sig i sådant som hon egentligen inte hade med att göra. Men samtidigt hade hon flera gånger hjälpt honom i hans utredningar, så han borde inte klaga alltför mycket.

Det här var exakt ett sådant tillfälle då han skulle tycka att hon lade näsan i blöt. Just därför tänkte hon inte säga något i förväg utan vänta och se om hennes utflykt gav resultat. Om den inte gjorde det kunde hon använda samma ursäkt som till svärmor Kristina, som blixtinkallats för att hämta barnen: att hon skulle träffa sin agent i Göteborg angående ett kontraktsförslag från ett tyskt förlag.

Hon tog på sig jackan och grimaserade lite när hon tittade sig omkring. Det såg ut som om en bomb hade briserat hemma hos dem. Kristina skulle ha åtskilligt att säga om det och Erica skulle säkert få en lång föreläsning om vikten av att hålla ett hem snyggt och prydligt. Märkligt nog höll Kristina aldrig den föreläsningen för sin son, utan tycktes anse att han såsom man i hushållet stod över sådana sysslor. Och det verkade inte Patrik ha något emot.

Nej, nu var hon orättvis. Patrik var på många sätt fantastisk. Utan att gnälla gjorde han sin del av hushållsarbetet och tog självklart lika mycket ansvar för barnen som hon. Men hon kunde ändå inte påstå att de var hundra procent jämställda. Det var hon som fick agera projektledare, som kom ihåg när barnen växt ur sina kläder och behövde nya, som visste när de skulle ha matsäck till dagis eller när det var dags för dem att få vaccinationssprutor på BVC. Och tusen andra saker. Hon såg när tvättmedlet var på väg att ta slut, när fler blöjor behövde inhandlas, hon visste vilken salva som fungerade när de fick blöjeksem, och hon visste alltid var Maja hade förlagt sitt senaste favoritgosedjur. Allt detta satt i ryggmärgen men verkade helt omöjligt för Patrik att hålla koll på. Om han ens ville hålla koll på det. Den misstanken låg alltid och grodde i bakhuvudet, men hon hade valt att inte fundera så mycket på det utan i stället axlat projektledarrollen och varit tacksam för att hon ändå hade en partner som villigt utförde de uppgifter han tilldelades. Många av hennes väninnor hade inte ens det.

När hon öppnade ytterdörren fick kylan henne nästan att backa. Vilken vargavinter det var. Hon hoppades att det inte skulle vara alltför halt ute på vägarna. Hon var ingen entusiastisk bilförare och körde bara när hon var absolut tvungen.

Noggrant låste hon dörren. Kristina hade på gott och ont en egen nyckel eftersom hon brukade ställa upp och hämta barnen när det körde ihop sig. Erica rynkade pannan medan hon gick bort till bilen. Kristina hade frågat om det gick för sig att hon tog med sig en vän, nu när Erica ringde med så kort varsel och bad om hjälp. Svärmodern hade ett rikt socialt liv med många väninnor och det hände att de följde med när hon skulle ta hand om barnen, så det var egentligen inget konstigt med det. Men sättet hon sa "vän" på hade fått Erica att ana ugglor i mossen. Kunde det vara så att Kristina för första gången sedan skilsmässan från Patriks pappa hade träffat en ny man?

Tanken roade Erica och hon log för sig själv när hon startade motorn. Patrik skulle få spader. Han hade inga problem att förlika sig med att hans pappa sedan många år hade ny fru, men när det gällde hans mamma var det av någon anledning annorlunda. Varje gång Erica hade retat honom och sagt att hon skulle anmäla Kristina till någon nätdejtingsajt hade Patrik sett plågad ut. Men nu var det dags för honom att acceptera att hans mamma hade ett eget liv. Erica fnissade för sig själv och började köra mot Göteborg.

Jonas städade veterinärmottagningen med ryckiga rörelser. Det irriterade honom fortfarande att Marta hade ställt in tävlingen. Molly borde ha fått chansen. Han visste hur viktigt det var för henne, och hennes besvikelse skar i honom.

När hon var liten hade det varit en enorm fördel att ha mottagningen i deras hus. Han hade inte litat på att Marta tog hand om henne ordentligt, och när han var på mottagningen kunde han titta in mellan så gott som varje besök för att försäkra sig om att dottern hade det bra.

Till skillnad från Marta hade han önskat sig ett barn, någon som kunde föra hans arv vidare. Han ville se sig själv i barnet och hade nog alltid föreställt sig att han skulle få en pojke. I stället hade Molly kommit, och redan vid förlossningen hade han överraskats av känslor som han inte visste fanns.

Marta hade däremot lagt barnet i hans famn med uttryckslös min. Svartsjukan som synts i hennes blick hade försvunnit lika snabbt. Han hade förväntat sig att hon skulle känna så, och det var som det skulle. Marta var hans, och han var hennes, men tids nog skulle hon förstå att barnet inte förändrade något utan snarare förstärkte deras gemenskap.

Redan första gången han såg Marta hade han vetat att hon skulle passa honom perfekt. Hans tvilling, hans själsfrände. Det var slitna ord, klyschor, men i deras fall var de sanna. Det enda de såg olika på var Molly. Ändå hade Marta för hans skull gjort så gott hon kunnat. Hon hade fostrat deras dotter på det sätt som han hade velat, och hon hade låtit honom och Molly ha sin relation i fred och i stället lagt all sin energi på deras egen.

Han hoppades att Marta förstod hur mycket han älskade henne, hur viktig hon var för honom. Han försökte visa det, han var tolerant och lät henne dela allt. Endast vid ett tillfälle hade han tvivlat. För ett ögonblick hade han känt en avgrund mellan dem, ett hot mot den symbios som de levt i så länge. Men det tvivlet var borta nu.

Jonas log och rättade till lådan med plasthandskar. Han hade så mycket att vara tacksam för och han visste om det.

Mellberg satte på Ernst kopplet och hunden blev genast ivrig och rusade mot polisstationens entré. Annika tittade upp från sin plats i receptionen, och Mellberg förklarade att han skulle äta lunch hemma och steg lättad ut i friska luften. Så snart dörren slagit igen tog han ett djupt andetag. Efter det som Hedström berättat hade rummet plötsligt känts kvavt och trångt.

Affärsvägen låg öde. Under vintern var det inte mycket liv i samhället, vilket brukade innebära att han hade gott om tid att ta sig en lur då och då. På somrarna däremot var det var ingen hejd på vad folk kunde hitta på, av ren dumhet eller på grund av för högt alkoholintag. Turister var ett otyg och helst skulle Mellberg vilja att Tanumshede och orterna där omkring var lika öde året runt. När augusti väl var till ända, brukade han vara så gott som utsliten av allt jobb. Det var ett jäkla yrke han valt, men han hade ju en medfödd talang för polisarbete, vilket var hans förbannelse. Mycket avundsjuka väckte det också. Han kunde se de blickar av illa dold avund som Patrik, Martin och Gösta ibland kastade på honom. Paula verkade däremot inte lika imponerad, men det var kanske inte så konstigt. Hon var inte dum, det skulle han aldrig påstå, och det hände att hon blixtrade till och bidrog med något. Men den manliga logiken fattades henne, och därmed saknade hon förmågan att till fullo uppskatta hans skarpa hjärna.

När han kom fram till lägenheten kände han sig lite bättre till mods. Den friska luften hade fått honom att tänka klart igen. Även om det här med flickebarnet var en förfärlig tragedi och skapade en massa arbete under en i övrigt lugn säsong, tyckte han ändå att det var lite spännande. Det gav honom också en ypperlig möjlighet att visa framfötterna.

"Hallå?" ropade han när han klev in. Han såg att Paulas skor stod i hallen, vilket tydde på att hon och Lisa var på besök.

"Vi är i köket!" svarade Rita, och Mellberg släppte loss Ernst så att han kunde springa in och hälsa på Señorita. Mellberg stampade av sig snön på hallmattan, hängde av sig jackan och följde efter hunden in.

Inne i köket höll Rita på att duka, och Paula stod och rotade i ett skåp med dottern i en bärsele på magen.

"Kaffet var slut nere hos oss", förklarade hon.

"Längst in till höger står det", sa Rita och pekade. "Jag dukar till dig med, så kan du få i dig lite mat när du ändå är här."

"Tack, vad snällt. Och vad händer på jobbet då?" sa Paula och vände sig mot Mellberg med kaffepaketet i handen. Det hade mycket riktigt stått precis där Rita hade sagt. I hennes kök rådde militärisk ordning.

Mellberg övervägde om han verkligen skulle berätta om obduktionsresultatet för en uttröttad och ammande kvinna. Men han visste att Paula skulle bli tokig om det senare kom fram att han undanhållit henne information, så han redogjorde i korta drag för vad Patrik nyss hade berättat på stationen. Borta vid diskbänken stelnade Rita till, men sedan fortsatte hon att plocka fram bestick.

"Fy, vad fruktansvärt", sa Paula och satte sig vid köksbordet. Hon strök frånvarande Lisa över ryggen. "Sa du att tungan var avskuren?"

Mellberg spetsade öronen. Trots allt hade Paula emellanåt visat viss fallenhet för polisarbete, och hon hade ett fenomenalt minne.

"Vad tänker du på?" Han slog sig ner på stolen bredvid och tittade ivrigt på henne.

Paula skakade på huvudet.

"Jag vet inte, men det påminner mig om något… Åh, den här jäkla amningshjärnan, jag blir galen!"

"Det går över", sa Rita borta vid köksbänken, där hon höll på att göra en stor sallad.

"Ja, fast just nu är det väldigt irriterande", sa Paula. "Det är något som låter bekant med den där tungan…"

"Man brukar komma på vad det är om man inte tänker på det", sa Rita tröstande.

"Mmm", svarade Paula, och Mellberg såg hur hon letade i minnet. "Jag undrar om det kan vara något jag har läst i en gammal polisrapport. Är det okej om jag kommer in en sväng till stationen sedan?"

"Ska du verkligen gå dit med Lisa när det är så kallt ute? Och dessutom arbeta. Du som är så trött", protesterade Rita.

"Jag kan lika gärna vara trött där som här", sa Paula. "Och kanske kan Lisa få stanna här hos dig? Jag ska inte vara borta länge, bara kolla lite snabbt i arkivet."

Rita muttrade något ohörbart till svar, men Mellberg visste att hon inte skulle ha det minsta emot att passa Lisa, även om det fanns risk för att den lilla skulle få ett skrikutbrott. Han tyckte faktiskt att Paula såg aningen piggare ut bara vid tanken på att komma in till stationen.

"Jag skulle i så fall vilja få tillgång till obduktionsrapporten när jag kommer in", sa hon. "Hoppas att det går för sig fastän jag formellt är föräldraledig?"

Mellberg fnös. Det spelade väl ingen roll om hon var föräldraledig eller inte. Han hade ingen aning om vad som gällde, men om han skulle följa alla regler och föreskrifter för arbetsplatser i allmänhet och polisyrket i synnerhet, skulle han inte få mycket gjort.

"Annika har den bland utredningsmaterialet. Det är bara att be henne när du kommer dit."

"Bra, då ska jag för allas trevnad se till att fräscha till mig lite, så kommer jag sedan."

"Men först ska du äta", sa Rita.

"Jadå, mamma."

Från spisen spreds dofter som fick Mellbergs mage att knorra högljutt. Ritas matlagning slog det mesta. Det enda felet var att hon var snål med efterrätter. För sitt inre såg han sockerbullarna på hembageriet. Han hade ju redan varit där en gång i dag, men kanske skulle han smyga in igen på vägen tillbaka till stationen. Ingen måltid var ju komplett utan något sött att avrunda med.

Gösta begärde inte så mycket av livet längre. Kan man bara hålla sig varm om föttera och huvet, så får man va nöjd, hade hans morfar brukat säga. Nu började Gösta förstå vad morfadern menat: det gällde att inte ha alltför höga anspråk. Och sedan Ebba kommit in i hans liv igen, efter de märkliga händelserna i somras, var han väldigt nöjd med tillvaron. Hon hade flyttat tillbaka till Göteborg, och ett tag hade han varit orolig att hon skulle försvinna igen, att hon inte skulle bry sig om att hålla kontakten med en gubbstrutt som hon bara känt ett kort tag som mycket liten. Men hon hörde av sig då och då, och när hon hälsade på sin mamma i Fjällbacka passade hon alltid på att besöka även honom. Naturligtvis var hon skör efter det hon upplevt, men för varje gång de sågs verkade hon allt starkare. Han önskade innerligt att hennes sår skulle läka och att hon en dag skulle få tillbaka tron på kärleken. Kanske skulle hon i framtiden hitta en ny man och bli mor på nytt? Och kanske, med lite tur, skulle han få rycka in som extramorfar och skämma bort en liten unge igen. Det var hans högsta dröm: att få gå bland hallonbuskarna hemma i trädgården och ha ett litet barn vid sin sida, ett barn som med stapplande steg och ett finger fast förankrat i hans hand hjälpte honom att plocka de söta bären.

Men nu fick det vara nog med dagdrömmar. Han var tvungen att koncentrera sig på utredningen. Han rös vid tanken på det som Patrik hade berättat om Victorias skador men tvingade sig att skjuta undan obehagskänslorna. Han fick inte fastna i dem. Elände hade han sett mycket av under åren som polis, och även om det här överträffade allt annat han varit med om var principen densamma: det var bara att göra jobbet.

Han skummade rapporten som han plockat fram och funderade en stund. Sedan reste han sig och gick in till Patriks arbetsrum som låg vägg i vägg.

"Jonas gjorde anmälan om inbrottet bara några dagar innan Victoria försvann. Och ketamin är en av de saker som ska ha stulits. Jag skulle kunna åka till Fjällbacka och prata med honom medan du och Martin åker till Göteborg."

Han såg Patriks blick, och även om det sårade honom en aning kunde han förstå förvåningen i den. Han hade inte alltid varit stationens mest arbetsvilliga medarbetare och i ärlighetens namn var han det väl inte nu heller. Men han hade kapaciteten, och på senaste tiden hade en ny känsla infunnit sig. Han ville göra Ebba stolt. Dessutom kände han med familjen Hallberg vars våndor han följt under flera månader.

"Det låter onekligen som om det kan finnas ett samband. Bra att du kom på det där", sa Patrik. "Men vill du åka ensam? Annars kan vi göra det tillsammans i morgon."

Gösta viftade avfärdande med handen. "Nä, jag tar det själv. Det är ingen stor grej, och det var ju jag som tog emot anmälan från början. Lycka till i Göteborg." Han nickade kort mot Patrik och gick ut till bilen.

Det tog bara fem minuter att köra till gården utanför Fjällbacka, och snart svängde han in på gårdsplanen och parkerade utanför Martas och Jonas hus.

"Knack, knack", sa han när han öppnade dörren på baksidan av huset. Mottagningen var inte stor. Ett minimalt väntrum, inte mycket större än en hall, ett pentry och ett litet behandlingsrum.

"Inga boaormar, spindlar eller andra obehagliga djur här, hoppas jag", skojade han när han fick syn på Jonas.

"Hej, Gösta. Nej, det är ingen fara. Det finns inte så många sådana djur här i Fjällbacka, tack och lov."

"Får jag komma in en stund?" Gösta klev in och torkade av skorna på dörrmattan.

"Visst, jag har inte nästa besök förrän om en timme. Det verkar bli en lugn dag i dag. Häng av dig. Vill du ha kaffe?"

"Ja tack, gärna. Om det inte är något extra besvär?"

Jonas skakade på huvudet och gick mot pentryt där det stod en kaffemaskin med olika sorters kapslar bredvid.

"Jag har investerat i en sådan här, för min egen överlevnads skull. Starkt eller svagt? Mjölk? Socker?"

"Starkt, och både mjölk och socker, tack." Gösta hängde av sig jackan och slog sig ner i en av de två besöksstolarna.

"Så där ja." Jonas räckte Gösta en kopp och slog sig ner mittemot honom. "Det gäller Victoria, antar jag."

"Nja, jag skulle vilja fråga dig om inbrottet du hade här."

Jonas höjde på ögonbrynen. "Jaha, jag trodde att ni hade avskrivit det ärendet. Jag måste erkänna att jag har varit lite besviken över att ni inte har kommit någon vart med den utredningen, även om jag förstår att ni blev tvungna att prioritera Victorias fall. Jag antar att du inte kan berätta varför ni plötsligt intresserar er för det här igen?"

"Nej, tyvärr inte", sa Gösta. "Hur upptäckte du att det hade varit inbrott? Jag vet att vi har pratat om det förut, men det vore fint om du kunde dra det igen." Han gjorde en urskuldande gest och höll på att välta kaffekoppen. Han fångade upp den precis när den höll på att tippa och höll den sedan för säkerhets skull i handen.

"Ja, som jag redan har berättat var dörren uppbruten när jag kom på morgonen. Det var väl vid nio. Jag brukar börja då, folk vill sällan ta sig hit tidigare än så. Hursomhelst förstod jag direkt att det hade varit inbrott."

"Och hur såg det ut här inne?"

"Inte så farligt faktiskt. En del saker hade rivits ut ur skåpen och låg på golvet, men inte värre än så. Det värsta var ju att skåpet där jag förvarar de narkotikaklassade preparaten var uppbrutet, det som jag alltid är så noga med att hålla låst. Brottsligheten i Fjällbacka är väl inte särskilt alarmerande, men de få missbrukare som finns har säkert koll på att jag har grejer här. Fast det har aldrig varit några problem tidigare."

"Jag förstår vilka du menar, och vi tog ju ett snack med dem direkt efter inbrottet. Vi fick inte ur dem något, men jag tror inte att de skulle ha kunnat hålla käften om det var någon av dem som lyckats ta sig in här. Och det fanns inga fingeravtryck som matchade deras."

"Nej, du har säkert rätt. Det måste ha varit någon annan."

"Vad var det som fattades? Jag vet, det står i din anmälan, men ta det gärna en gång till."

Jonas rynkade pannan. "Jag minns inte exakt längre. Men de narkotikaklassade preparaten var i alla fall etylmorfin, ketamin och kodein. I övrigt saknades en del sjukvårdsmateriel, gasbindor, antiseptiskt medel och ... plasthandskar, var det nog. Vanliga, billiga grejer man kan köpa på vilket apotek som helst."

"Om man nu inte vill undvika att väcka uppmärksamhet för att man köper en massa sjukvårdsartiklar", tänkte Gösta högt.

"Ja, det är sant." Jonas tog en klunk av kaffet. Det var det sista i koppen och han reste sig för att göra mer. "Vill du ha påfyllning?"

"Nej tack, jag har fortfarande kvar", sa Gösta och insåg att han hade glömt att dricka av kaffet. "Berätta mer om de narkotikaklassade preparaten. Är det något av dem som skulle vara av extra intresse för narkomaner?"

"Det skulle väl vara ketamin i så fall. Jag har hört att det börjar bli populärt i missbrukarkretsar. Det kallas tydligen Special K som party-drog."

"Hur använder du det som veterinär?"

"Både vi och vanliga läkare använder det som ett bedövningsmedel vid kirurgiska ingrepp. Om man använder vanlig narkos finns det en risk att hjärtslag och andning saktar ner, den bieffekten har inte ketamin."

"Och vilka djur behandlas med det?"

"Mest hundar och hästar. För att de ska kunna sövas säkert och effek-tivt."

Gösta sträckte försiktigt på benen. Det knakade mer och mer i hans leder och han blev allt stelare för varje vinter. "Hur mycket ketamin var det som försvann?"

"Om jag minns rätt var det fyra flaskor à hundra milliliter som stals."

"Är det mycket? Hur mycket ger man en häst till exempel?"

"Det beror på hästens vikt", sa Jonas. "Men drygt två milliliter per hundra kilo brukar man beräkna."

"Och för människor?"

"Det vet jag faktiskt inte. Du får höra med någon kirurg eller narkos-sköterska. De kan säkert ge dig exakta uppgifter. Jag tog några kurser i allmänmedicin men det är många år sedan. Jag kan djur, inte människor. Men varför är du så intresserad av just ketamin?"

Gösta tvekade. Han visste inte om han borde berätta det och därmed avslöja sitt egentliga ärende. Samtidigt var han nyfiken på att se hur Jonas reagerade. Om det mot förmodan var han själv som använt ketaminet och anmält stölden för att styra bort misstankarna, skulle det kanske märkas i hans minspel.

"Vi har fått resultatet från obduktionen", sa han till slut. "Victoria hade rester av ketamin i blodet."

Jonas ryckte till och såg på honom med ett både förvånat och förfärat ansiktsuttryck. "Menar du att ni tror att ketaminet från min mottagning kan ha använts av den som förde bort henne?"

"Det kan vi inte säga något om, men med tanke på att det stals alldeles innan hon försvann, i närheten av där hon sist sågs, är det ju inte helt otroligt."

Jonas skakade på huvudet. "Det är ju fruktansvärt."

"Du har inga misstankar alls om vem som kan ha brutit sig in? Du såg ingenting misstänkt dagarna före eller efter?"

"Nej, jag har faktiskt ingen aning. Det är som sagt första gången på alla år som det har hänt. Jag har alltid varit otroligt noga med att låsa in allt."

"Och du tror inte att någon av tjejerna…?" Gösta nickade i riktning mot stallet.

"Nej, verkligen inte. De har möjligtvis testat hembränt i smyg någon gång, och säkert tagit en och annan cigg. Men ingen av dem är på långa vägar tillräckligt världsvan för att veta att veterinärer har narkotika-klassade läkemedel som kan användas som partydrog. Prata med dem om du vill, men jag kan lova att ingen av dem ens har hört talas om det."

"Det stämmer säkert", mumlade Gösta. Han kom inte på så mycket mer att fråga och Jonas verkade se hans tvekan.

"Är det något mer du undrar över?" Jonas log snett. "I så fall kanske vi kan ta det någon annan gång. Snart måste jag nämligen ta hand om nästa patient. Dansmusen Nelly har ätit något olämpligt."

"Usch, jag förstår inte att folk vill ha sådana som husdjur." Gösta rynkade på näsan.

"Du skulle bara ana…", sa Jonas och gav honom ett fast handslag som avsked.

Uddevalla 1968

Redan från början hade hon förstått att allt inte stod rätt till. Det var som om det saknades något som borde ha funnits där. Laila kunde inte sätta fingret på vad, och det verkade som om hon var den enda som märkte det. Gång på gång försökte hon prata om det och föreslå att de skulle låta undersöka flickan. Men Vladek lyssnade inte. Dottern var ju så söt och lugn. Inte var det något fel på henne.

Sedan hade tecknen blivit allt tydligare. I flickans ansikte syntes bara allvar, och Laila väntade och väntade på ett första leende som aldrig kom. Nu började även Vladek inse att allt inte var som det skulle, men ingen tog det på allvar. På barnavårdscentralen fick hon höra att det kunde vara olika, att det inte fanns någon mall, att det var sådant som kunde komma senare. Men hon var säker. Det skulle för alltid saknas något hos dottern.

Flickan skrek heller aldrig. Ibland fick Laila lägga band på sig för att inte nypa henne, skaka henne, göra vadsomhelst för att framkalla någon sorts reaktion. När flickan var vaken låg hon tyst och iakttog världen med en blick som var så fylld av mörker att Laila ibland ryggade tillbaka. Det var ett uråldrigt mörker, som inte bara fanns i blicken utan som strålade ut från hela hennes kropp.

Att bli mor hade inte alls blivit som hon tänkt sig. Den bild hon målat upp, de känslor hon trott att hon skulle känna när barnet låg i hennes famn – inget av det stämde överens med verkligheten. Hon anade att det berodde på barnet, men hon var flickans mor. Och en mors uppgift var att skydda sitt barn vad som än hände.

Att åka bil med Patrik var lika fasansfullt som vanligt. Martin höll sig hårt i handtaget i passagerardörren och bad upprepade böner trots att han inte var det minsta religiös.

"Fint väglag i dag", sa Patrik.

De passerade Kville kyrka och han saktade ner en aning när de körde genom det lilla samhället. Men snart ökade han farten igen och i den snäva högerkurvan ett par kilometer längre fram trycktes Martin så hårt mot dörren att kinden pressades mot det kalla fönsterglaset.

"Du måste sluta gasa ur kurvorna, Patrik! Det spelar ingen roll vad din gamla körlärare lärde dig en gång i tiden, det är inte rätt körteknik."

"Jag kör utmärkt", muttrade Patrik men lättade lite på gasen. De hade haft den här diskussionen förut och skulle säkert ha den många gånger till.

"Hur mår Tuva?" frågade han sedan, och Martin såg i ögonvrån att Patrik försiktigt sneglade på honom. Han önskade att folk inte skulle vara så förbannat ängsliga. Det gjorde inget att de frågade, tvärtom. Det visade ju att de brydde sig om honom och Tuva. Frågorna gjorde inget värre, det värsta hade ju redan hänt. Frågorna rev inte heller upp några nya sår, det var samma sår som revs upp varje kväll när han nattade sin dotter och hon frågade om sin mamma. Eller när han sedan lade sig i sängen, på sin sida, bredvid Pias tomma. Eller varje gång han lyfte luren för att ringa hem och fråga om han skulle handla med sig något och insåg att hon aldrig mer skulle svara.

"Bra, känns det som. Hon frågar efter Pia såklart, men mest för att jag ska berätta saker om henne. Hon verkar ha accepterat att hon är borta. Barn är klokare än vi på det viset, tror jag." Han tystnade.

"Jag kan inte ens tänka mig vad jag skulle göra om Erica hade dött", sa Patrik stilla.

Martin förstod att han tänkte på det som hände ett par år tidigare, när inte bara Erica utan även de ofödda tvillingarna varit nära att dö i en bilolycka.

"Jag vet inte om jag hade kunnat leva vidare då." Patriks röst darrade vid minnet av den där dagen då han nästan förlorat henne.

"Det hade du", sa Martin och tittade ut på snölandskapet som de passerade. "Man gör det. Och det finns alltid någon att leva för. Du skulle ju ha haft Maja. Tuva är mitt allt nu, och Pia lever kvar i henne."

"Tror du att du någonsin kommer att träffa någon ny?"

Martin märkte att Patrik drog sig för att fråga, som om det kändes lite förbjudet att undra.

"Just nu känns det otänkbart, men det känns nästan lika otänkbart att leva ensam resten av livet. Det kommer när det kommer. Jag har fullt upp med att hitta en balans i tillvaron för mig och Tuva. Vi håller på att lära oss att fylla hålen efter Pia så gott det går. Och det är ju inte bara jag som ska vara redo. Tuva måste också vara beredd att släppa in någon annan i familjen."

"Låter klokt", sa Patrik. Sedan flinade han. "Dessutom finns det väl inte så många tjejer kvar i Tanum. Du hann ju avverka de flesta innan du träffade Pia. Så du får nog utvidga sökområdet om du inte ska köra en repris."

"Ha ha, jättekul." Martin kände att han rodnade. Patrik överdrev, men han hade en poäng. Martin hade aldrig varit någon traditionell hunk, men kombinationen av hans pojkaktiga charm, röda hår och fräknar hade alltid fått tjejer att falla för honom. När han träffade Pia hade det dock varit slut med flirtandet för hans del. Han hade aldrig ens tittat åt någon annan tjej så länge han var tillsammans med henne. Han hade älskat henne så fruktansvärt mycket och hon fattades honom varje sekund.

Plötsligt orkade han inte prata mer om henne. Smärtan slog till hårt och skoningslöst, och han bytte samtalsämne. Patrik förstod vinken och resten av vägen till Göteborg diskuterades enbart sport i bilen.

Erica tvekade en aning innan hon ringde på dörren. Det var alltid en svår avvägning hur man skulle lägga upp samtalet med en anhörig, men Minnas mamma hade låtit lugn och trevlig på telefon. Ingen skarp, skeptisk ton, vilket var vanligt när hon kontaktade anhöriga med anledning av sina böcker. Och nu rörde det sig inte ens om ett sedan länge avslutat fall utan om ett pågående.

Hon tryckte på ringklockan. Snart hördes steg innanför dörren och sedan öppnades den på glänt.

"Hej?" sa Erica prövande. "Anette?"

"Nettan", sa kvinnan och steg åt sidan för att släppa in henne.

Sorgligt, var Ericas första tanke när hon klev in i hallen. Både kvinnan och lägenheten kändes sorgliga, vilket nog inte enbart hade med Minnas försvinnande att göra. Kvinnan framför henne tycktes ha gett upp hoppet för längesedan, stukad av de besvikelser som livet fört med sig.

"Kom in", sa Nettan och gick före henne in i vardagsrummet.

Överallt låg saker som bara råkat hamna där och blivit kvar. Nettan såg nervöst på en hög med kläder på soffan och föste helt enkelt ner den på golvet.

"Jag hade tänkt städa…", sa hon men lät meningen försvinna ut i luften.

Erica betraktade Minnas mamma i smyg och slog sig ner på kanten av soffan. Nettan var nästan tio år yngre än hon själv, men hon såg ut att vara minst lika gammal. Hennes hy var grå, troligtvis av för många cigaretter, och håret glanslöst och risigt.

"Jag undrar bara…" Nettan drog den noppiga koftan tätare om sig och verkade samla mod för att fråga något. "Förlåt, jag är lite nervös. Det är inte ofta jag har någon känd person här. Eller aldrig, om jag tänker efter."

Hon skrattade torrt, och i ett kort ögonblick såg Erica hur hon måste ha sett ut när hon var yngre. När livslusten fortfarande fanns kvar.

"Usch, det låter så konstigt när du säger det så där", sa hon och gjorde en grimas. Hon avskydde verkligen när folk beskrev henne som känd. Det var inget som hon över huvud taget kunde identifiera sig med.

"Ja, men du är ju det. Jag har sett dig på tv. Men då har du haft lite mer smink." Hon kikade under lugg på Ericas i högsta grad osminkade ansikte.

"Ja, de smetar på en hel del när man ska vara med i tv. Men det behövs, de där lamporna får en att se förfärlig ut. Annars sminkar jag mig nästan aldrig." Hon log och såg hur Nettan började slappna av.

"Nej, inte jag heller", sa Nettan, och det var något rörande i att hon påpekade det uppenbara. "Det jag ville fråga var… varför ville du komma hit? Polisen har pratat med mig flera gånger redan."

Erica funderade. Hon hade ärligt talat ingen bra förklaring. Nyfikenhet var väl det mest sanningsenliga svaret, men det kunde hon knappast säga.

"Jag har samarbetat med den lokala polisen ett antal gånger tidigare. Så nu anlitar de mig när deras egna resurser inte räcker till. Och efter det som hänt med flickan som försvann från Fjällbacka, behöver de lite extra hjälp."

"Jaha, vad konstigt för…" Nettan lät åter meningen sväva bort, och Erica lät det bero. Hon ville börja ställa sina frågor om Minna.

"Berätta om när din dotter försvann."

Nettan drog hårdare i koftan. Hon tittade ner i knäet, och när hon började prata gjorde hon det så tyst att Erica nästan hade svårt att höra vad hon sa.

"Jag förstod inte att hon var borta först. Inte på riktigt, alltså. Hon kom och gick lite som hon ville. Jag har aldrig kunnat styra Minna. Hon har alltid haft en stark vilja, och jag har väl inte…" Nettan lyfte blicken och såg ut genom fönstret. "Hon kunde bo hos kompisar ett par dagar ibland. Eller hos någon kille."

"Någon speciell kille? Hade hon någon pojkvän?" insköt Erica.

Nettan skakade på huvudet.

"Inte som jag kände till i alla fall. Det fanns väl några olika, men nej, jag tror inte att hon hade någon särskild. Hon hade i och för sig verkat lite gladare på sista tiden, så jag funderade lite. Men jag har frågat några av hennes kompisar och ingen hade hört talas om någon pojkvän, och de var ett gäng som hängde ihop, så de skulle säkert ha vetat det i så fall."

"Varför tror du att hon var gladare då?"

Nettan ryckte på axlarna.

"Jag vet inte. Men man minns ju hur det var att vara tonåring. Humöret svänger snabbt. Det kan ju ha varit för att Johan flyttade också."

"Johan?"

"Ja, min pojkvän. Han bodde här ett tag. Men han och Minna kom aldrig överens."

"När flyttade han?"

"Jag vet inte. Något halvår innan Mina försvann."

"Pratade polisen med honom?"

Nettan ryckte på axlarna igen.

"Jag tror att de pratade med flera av mina gamla pojkvänner. Det har ju varit lite stökigt ibland."

"Hade någon av dem någonsin varit hotfull och eller våldsam mot Minna?" Erica svalde ilskan som började bubbla inom henne. Hon hade en hel del kunskap om hur misshandelsoffer kunde reagera. Och efter det som Lucas hade utsatt Anna för, visste hon hur den egna viljan bröts ner av rädslan. Men hur kunde man låta någon utsätta ens barn för något sådant? Hur kunde modersinstinkten försvagas så att man lät någon skada ens barn, psykiskt eller fysiskt? Hon förstod det inte. För ett ögonblick gick hennes tankar till Louise, ensam och fastkedjad i källaren till familjen Kowalskis hus. Det var samma sak, bara ännu mycket värre.

"Ja, jo, det hände ju. Men Johan slog henne inte, de bara skrek och gapade på varandra hela tiden. Så jag tror att hon var lättad över att han flyttade. Han bara packade sina grejer och stack en dag. Sedan hörde vi aldrig av honom mer."

"När förstod du att hon inte bara var hos en kompis?"

"Hon hade aldrig varit borta mer än någon dag eller två. Så när hon fortfarande inte kommit hem efter det, och när hon inte svarade på mobilen, så ringde jag runt till alla hennes kompisar. Ingen hade hört av henne på tre dagar, så då …"

Erica bet ihop käkarna. Hur kunde man låta en fjortonåring vara borta i tre dagar innan man reagerade? Hon tänkte se till att ha järnkoll på ungarna när de kom i tonåren. Aldrig att hon skulle släppa iväg dem utan att veta vart de skulle och med vem.

"Polisen tog mig inte på allvar först", fortsatte Nettan. "De kände till Minna sedan tidigare, hon hade haft lite ... problem, så de ville inte ens ta emot min anmälan."

"När förstod de att något måste ha hänt?"

"Efter ytterligare något dygn. Sedan hittade de den där damen som hade sett Minna kliva in i en bil. Med tanke på de andra tjejerna som försvunnit borde de ju ha fattat. Min bror tycker att jag ska stämma dem. Han säger att om det hade varit en rik flicka, som någon av de andra tjejerna, hade de slagit larm direkt. Men sådana som oss lyssnar man inte på. Det är inte rätt." Nettan slog ner blicken och började plocka med nopporna på koftan.

Erica svalde sina tidigare åsikter. Det var intressant att notera att Nettan kallade de andra flickorna rika. Egentligen var de väl snarare medelklass, men klasskillnader var ibland något relativt. Själv hade hon kommit hit med en mängd förutfattade meningar, som ytterligare spätts på så fort hon klev in i lägenheten. Hade hon över huvud taget rätt att klandra Nettan? Hon hade ingen aning om vilka omständigheter som format hennes liv.

"De borde ha lyssnat", sa Erica och lade impulsivt sin hand över hennes.

Nettan ryckte till som om hon bränt sig, men lät sin hand ligga kvar under Ericas. Tårarna började rinna nedför hennes kinder.

"Jag har gjort så mycket dumt. Jag ... jag ... och nu är det kanske för sent." Rösten hackade och tårarna rann i en allt stridare ström.

Det var som om en kran öppnats, och Erica anade att Nettan hade hållit tillbaka sina tårar alldeles för länge. Nu grät hon, inte bara över sin dotter som var försvunnen och med största sannolikhet aldrig skulle komma tillbaka, utan också över alla de felaktiga beslut hon tagit och som gett Minna ett helt annat liv än det som Nettan säkert drömt om att dottern skulle få.

"Jag ville så gärna att vi skulle vara en hel familj. Att jag och Minna skulle ha någon som tog hand om oss. Ingen har någonsin tagit hand om oss." Nettan skakade av gråt, och Erica flyttade sig närmare, lade armarna om henne och lät henne gråta ut mot sin axel. Hon strök Nettan över håret och hyssjade tyst, precis som hon brukade göra med Maja eller tvillingarna när de behövde tröstas. Hon undrade om någon tröstat Nettan på det sättet förut. Kanske hade Nettan aldrig tröstat Minna så. En olycklig kedja av besvikelser över ett liv som inte blev som man hade hoppats.

"Vill du se bilder?" sa Nettan plötsligt och drog sig ur omfamningen. Hon torkade ögonen med ärmen på koftan och tittade förväntansfullt på Erica.

"Klart att jag vill."

Nettan reste sig och hämtade några fotoalbum som stod i en ranglig Billybokhylla.

Första albumet var från när Minna var liten. På bilderna syntes en ung och leende Nettan med Minna i famnen.

"Vad glad du ser ut", sa Erica innan hon hann hejda sig.

"Ja, det var en fin tid. Den bästa tiden. Jag var bara sjutton år när jag fick henne, men jag var så lycklig." Nettan strök med fingret över ett av fotona. "Fast herregud så man såg ut…" Hon skrattade till och Erica höll leende med. Åttiotalsmodet hade varit förfärligt, men nittiotalet hade inte varit något vidare det heller.

De bläddrade vidare och åren passerade under deras fingrar. Minna hade varit ett mycket sött barn, men ju äldre hon blev, desto mer slutet blev hennes ansikte, och ögonen slocknade alltmer. Erica såg att även Nettan lade märke till det.

"Jag trodde att jag gjorde så gott jag kunde", sa hon tyst. "Men det gjorde jag inte. Jag borde inte ha…" Hon fäste blicken på en av de män som förekom i albumen. De var rätt många, hade Erica konstaterat för sig själv. Män som kommit in i deras liv, orsakat ännu en besvikelse och sedan försvunnit igen.

"Här är Johan förresten. Vår sista sommar ihop." Hon pekade på ett annat foto med stämning av högsommarvärme. En lång ljushårig man stod med armen om henne i en berså. Bakom den låg ett rött hus med vita knutar, omgivet av grönska. Det enda som störde idyllen var en uppenbart sur Minna som satt intill och blängde på dem.

Nettan stängde igen albumet med en smäll.

"Jag vill bara att hon ska komma hem. Jag skulle göra allt annorlunda. Allt."

Erica teg. De satt tysta en stund utan att veta vad de skulle säga. Men tystnaden var inte obehaglig, utan rogivande och trygg. Plötsligt ringde det på dörren och de ryckte båda till. Nettan reste sig för att gå och öppna.

När Erica såg vem som kom in i hallen ställde hon sig häpet upp.

"Hej, Patrik", sa hon och log fåraktigt.

Paula steg in i stationens kök och precis som hon anat satt Gösta där. Han lyste upp när han fick se henne.

"Men hej, Paula."

Hon log stort tillbaka. Även Annika hade blivit överlycklig över besöket och rusat ut ur receptionen, gett henne en bamsekram och ställt hundra frågor om hur det var med lilla söta Lisa.

Nu kom Gösta fram och kramade henne, något försiktigare än Annika, och höll henne sedan på armlängds avstånd. Han såg forskande på henne.

"Du är vit som ett lakan i ansiktet och ser ut som om du inte har sovit på flera veckor."

"Tack, Gösta, du vet verkligen hur man ger komplimanger", skämtade hon, men så såg hon hans allvarliga blick. "Det har varit några tuffa månader. Det är inte bara härligt att bli mamma", lade hon till.

"Ja, jag har hört att den lilla kör hårt med dig. Så jag hoppas att det här bara är en artighetsvisit, att du inte tröttar ut dig med tankar på jobbet också."

Han förde henne med milt våld fram till köksstolen intill fönstret.

"Sitt. Kaffe." Han hällde upp en kopp och ställde den på bordet, serverade sig själv och slog sig ner mittemot henne.

"Nja, det är väl både och, kanske man kan säga", sa hon och smuttade på kaffet. Det kändes märkligt att vara ute på egen hand, men också skönt att för en stund känna sig som sitt gamla jag igen.

Gösta fick en rynka mellan ögonbrynen. "Vi håller ställningarna."

"Det vet jag att ni gör. Men Bertil sa en sak förut som fick mig att minnas något. Eller snarare känna att det var något jag borde minnas."

"Hur menar du?"

"Jo, han berättade om resultaten från obduktionen. Och det där med tungan kändes på något sätt bekant. Jag vet inte var jag kan ha stött på det, så jag tänkte luska lite i arkiven och se om jag kan få igång minnet. Hjärnan är ju inte riktigt vad den har varit tyvärr. Det där med att man får gröt i hjärnan när man ammar är tydligen ingen myt. Jag klarar knappt av att hantera fjärrkontrollen längre."

"Ja, jösses, jag vet hur det kan vara med hormonerna. Jag minns när Maj-Britt…" Han vände bort blicken och såg ut genom fönstret. Paula förstod att han tänkte på barnet som han och hans fru fått men förlorat, och att han visste att hon visste. Så hon lät honom sitta i tystnad en stund och minnas.

"Du har ingen aning om vad det kan handla om?" sa han till slut och såg på henne igen.

"Tyvärr inte", suckade hon. "Det vore lite enklare om jag åtminstone visste i vilken ände jag skulle börja leta. Arkivet är ju inte litet direkt."

"Nej, det låter som ett digert arbete att planlöst gå igenom det", sa Gösta.

Hon grimaserade. "Jag vet. Så det är lika bra att sätta igång."

"Är det säkert att du inte borde vara hemma och vila och ta hand om dig och Lisa i stället?" Han hade fortfarande en bekymmersrynka mellan ögonbrynen.

"Tro det eller inte, det är faktiskt mer vilsamt här än hemma. Och det är skönt att komma ur pyjamasbyxorna för en gångs skull. Tack för kaffet!"

Paula reste sig. Nu för tiden arkiverades det mesta digitalt, men allt äldre utredningsmaterial fanns fortfarande sparat i pappersform. Om de hade haft resurser till det skulle allt säkert ha kunnat scannas in och fått plats på en enda hårddisk i stället för att fylla ett helt rum i källaren. Men de resurserna fanns inte och frågan var om de någonsin skulle göra det.

Hon gick nedför trappan, öppnade dörren och blev ett ögonblick stående på tröskeln. Herregud, vad mycket papper. Det var ännu mera än hon mindes. Utredningarna var arkiverade efter årtal, och för att ha något slags strategi i letandet bestämde hon sig för att börja med de äldsta först. Bestämt lyfte hon ner den första lådan och satte sig med den på golvet.

En timme senare hade hon bara hunnit halvvägs igenom lådan och hon insåg att projektet skulle kunna visa sig lika tidsödande som fruktlöst. Inte nog med att hon var osäker på exakt vad hon letade efter, hon visste inte ens om det fanns i det här rummet. Men sedan hon började jobba på stationen hade hon ägnat en hel del tid åt att läsa gammalt arkivmaterial. Dels av eget intresse, dels för att vara påläst om brottshistoriken i området. Så det mest logiska var att det hon försökte minnas fanns här inne.

En knackning på dörren avbröt henne. Mellberg kikade in.

"Hur går det för dig? Rita ringde just och ville att jag skulle titta till dig och hälsa att allt är bra med Lisa."

"Vad fint, och jag har det alldeles utmärkt här. Men jag antar att det egentligen inte var det du ville veta?"

"Nja, jo …"

"Tyvärr har jag inte kommit så långt, och jag har inte kommit på vad jag ska leta efter. Jag börjar nästan fundera på om det ens är något. Kanske är det bara min övertrötta hjärna som spelar mig ett spratt?" Frustrerad drog hon ihop sitt mörka hår i en slarvig hästsvans med en hårsnodd som hon haft om handleden.

"Nej, nej, börja inte tvivla nu", sa Mellberg. "Du har fin intuition, och den där första magkänslan ska man lita på."

Paula tittade förvånat på honom. Stöd och positiva tillrop från Bertil. Det var visst dags att köpa en trisslott i dag.

"Ja, du har nog rätt", sa hon och ordnade papperen i mappen framför sig i en snygg hög. "Någonting är det, och jag ska försöka ett tag till."

"Vi behöver alla uppslag vi kan få. Just nu har vi ingenting. Patrik och Martin är i Göteborg och pratar med någon typ som ska sia om vem gärningsmannen är genom att titta i något slags mental kristallkula." Mellberg anlade en viktig min och fortsatte med tillgjord röst: "Jag hävdar att mördaren är mellan tjugo och sjuttio år gammal, antingen en man eller kvinna, som bor i lägenhet eller möjligtvis i villa. Personen har varit på en eller flera utlandsresor i sitt liv, handlar oftast på Ica eller Konsum, äter tacos på fredagar och kollar alltid på Let's dance. Samt Allsång på Skansen på sommaren."

Paula kunde inte låta bli att skratta åt hans harang. "Du är verkligen föredömligt fördomsfri, Bertil. Jag håller inte med dig. Jag tror visst att det kan ge någonting, särskilt när omständigheterna är så speciella som i det här fallet."

"Ja, ja, vi får väl se vem som har rätt. Leta på nu. Men trötta inte ut dig. Då slår Rita ihjäl mig."

"Jag lovar", sa Paula och log. Sedan började hon bläddra och läsa igen.

Patrik var så arg att han kokade. Förvåningen då han fått se sin fru i vardagsrummet hemma hos Minnas mamma hade snabbt förbytts i ilska. Erica hade en besvärande tendens att blanda sig i sådant hon inte hade med att göra, och vid några tillfällen hade det varit nära att gå riktigt illa. Men han kunde inte visa någonting inför Nettan. I stället hade han fått hålla god min under hela deras samtal medan Erica satt bredvid och lyssnade med stora ögon och ett Mona Lisa-leende på läpparna.

Så fort de kom ut ur hyreshuset, och utom hörhåll för Nettan, exploderade han.

"Vad fan håller du på med?" Det var ytterst sällan han förlorade humöret och han kände hur han fick huvudvärk redan vid första stavelsen.

"Jag tänkte …", sa Erica och försökte hålla jämna steg med Patrik och Martin bort mot parkeringsplatsen. Martin teg och såg ut som om han helst skulle ha befunnit sig någon annanstans.

"Nej, det gjorde du inte alls! Jag kan omöjligt tro att du tänkte." Patrik hostade till. Hans utbrott hade fått honom att alldeles för hastigt dra in den vinterkalla luften i lungorna.

"Ni hinner ju inte allt, med era bristande resurser, så jag tänkte att …", försökte Erica igen.

"Kunde du inte åtminstone ha kollat med mig först? Jag skulle visserligen aldrig ha tillåtit att du åkte och pratade med anhöriga i en utredning, och jag misstänker att det var just därför som du inte frågade."

Erica nickade. "Jo, det kan nog stämma. Jag behövde en liten paus från boken också. Jag har kört fast och tänkte att om jag koncentrerade mig på något annat ett slag så kanske ..."

"Som om det här fallet var något slags arbetsterapi!" Patrik skrek så högt att några fåglar som satt på en telefontråd lite längre bort förskräckta flög sin väg. "Om du har skrivkramp får du väl hitta något bättre sätt att lösa det på än att lägga dig i en pågående utredning. Är du från vettet, människa?"

"Oj då, fyrtiotalet ringde och vill ha sitt uttryck tillbaka", sa Erica i ett försök att vara rolig, men det fick honom bara att bli än mer förbannad.

"Det här är ju löjligt. Som en dålig engelsk deckare, där någon nyfiken gammal tant springer omkring och förhör allt och alla."

"Jo, men när jag skriver böckerna gör jag ju lite samma sak som ni gör. Pratar med folk, tar reda på fakta, fyller i luckor i utredningar, kollar vittnesmål ..."

"Visst, och du är jättebra på det som författare. Men det här är en polisutredning och det hörs på ordet vilka det är som ska utföra den."

De hade stannat framför sin bil. Martin stod rådvill vid passagerarsidan och verkade inte riktigt veta hur han skulle bete sig där han hamnat mitt i skottlinjen.

"Men jag har varit till hjälp tidigare, det måste du hålla med om", sa Erica.

"Det har du", sa Patrik motvilligt. Hon hade faktiskt inte bara varit till hjälp, hon hade aktivt bidragit till att lösa flera av stationens mordfall, men det var inget han tänkte erkänna.

"Ska ni åka hem nu? Det känns som en ganska lång väg att åka bara för att prata med Nettan en stund."

"Du åkte ju hela vägen hit bara för att prata med henne", kontrade Patrik.

"Touché." Erica log, och Patrik kände hur ilskan började lägga sig. Han kunde aldrig vara arg på sin fru särskilt länge och det visste hon tyvärr om.

"Men jag behöver ju inte snåla med några polisresurser", fortsatte hon. "Vad har ni mer för ärende här?"

Patrik svor inombords. Hon var lite för smart för sitt eget bästa ibland, och han tittade på Martin för att få stöd. Men Martin skakade bara på huvudet. Jäkla fegis, tänkte Patrik.

"Vi ska prata med någon."

"Någon? Vem någon?" sa Erica, och han bet ihop käkarna. Han var väl medveten om hur envis hon var, och hur nyfiken. Och den kombinationen kunde vara omåttligt irriterande.

"Vi ska prata med en expert", sa han. "Vem hämtar barnen förresten? Mamma?" frågade han för att försöka leda in samtalet på ett annat spår.

"Ja, Kristina och hennes nya kille", sa Erica och såg ut som en katt som svalt en kanariefågel.

"Mamma och hennes vad?" Det kändes som om han höll på att få migrän. Den här dagen blev bara värre och värre.

"Han är säkert trevlig. Nå, vad är det för expert ni ska träffa?"

Patrik lutade sig matt mot bilen. Han gav upp.

"Vi ska träffa en expert på gärningsmannaprofiler."

"En profilerare?" Ericas ögon lyste.

Patrik suckade.

"Nja, det kan man inte kalla honom."

"Okej, jag följer efter er", sa Erica och gick mot sin bil.

"Nej, alltså...", ropade Patrik i riktning mot hennes rygg, men Martin avbröt honom.

"Det är lika bra att du lägger ner, du är helt chanslös. Och låt henne sitta med. Hon har ju som sagt varit till hjälp förut, och nu är vi med och kan hålla koll. Tre par öron är säkert bättre än två."

"Jo, men ändå", muttrade Patrik.

Han klev in och satte sig bakom ratten. "Och inte fick vi reda på något användbart hos Minnas mamma heller."

"Nej, men om vi har tur så kanske Erica fick det", sa Martin.

Patrik blängde på honom. Sedan startade han bilen och körde iväg med en rivstart.

"Vad ska vi begrava henne i?" Mammas fråga skar som en kniv i Ricky. Han trodde inte att smärtan skulle kunna bli värre, men tanken på att

Victoria skulle sänkas ner i ett evigt mörker gjorde så ont att han ville skrika rakt ut.

"Ja, finns det något fint vi kan välja?" sa Markus. "Kanske den där röda klänningen som hon tyckte så mycket om."

"Hon var tio år när hon hade den röda klänningen", sa Ricky. Trots sorgen kunde han inte låta bli att le åt hur otroligt dålig koll hans pappa hade.

"Jaså, var det så längesedan?" Markus reste sig och började plocka med disken, men stannade mitt i en rörelse och gick tillbaka och satte sig igen. Det var så det var för dem allihop. De försökte göra vardagliga saker, på ren rutin, men insåg snart att energin saknades. De orkade ingenting. Och nu skulle de behöva fatta en massa beslut om minnesstunden och begravningen fast de knappt kunde bestämma vad de skulle äta till frukost.

"Ta den svarta. Från Filippa K", sa Ricky.

"Vilken då?" sa Helena.

"Den som du och pappa alltid tyckte var för kort för att gå ut i. Victoria älskade den. Och hon såg inte alls slampig ut i den, hon var fin. Jättefin."

"Tycker du verkligen det?" sa Markus. "Svart… Det är ju så deprimerande."

"Ta den", sa Ricky. "Hon kände sig så snygg i den. Kommer ni inte ihåg det? Hon sparade i ett halvår för att ha råd med den."

"Du har rätt. Det är klart hon ska ha den svarta klänningen." Helena tittade vädjande på honom. "Musik då? Vad ska vi ha för musik? Jag vet inte ens vad hon tyckte om…" Hon brast i gråt och Markus strök henne tafatt över armen.

"Vi ska ha 'Some die young' med Laleh och så 'Beneath your beautiful' med Labrinth. Det var två av hennes favoritlåtar. Och de passar."

Det tärde på krafterna att behöva fatta alla beslut, och gråten stockade sig i halsen på honom. Den förbannade gråten som hela tiden fanns där.

"Och vad ska vi bjuda vi på?" Ännu en vilsen fråga. Mammas händer rörde sig oroligt över köksbordet. Fingrarna var bleka och tunna.

"Smörgåstårta. Hon hade ju smak som en pensionär. Minns ni inte att det var hennes älsklingsrätt?"

Hans röst bröts, och han visste att han var orättvis. Såklart att de mindes. De mindes så oändligt mycket mer än vad han gjorde, och deras minnen sträckte sig längre tillbaka än hans egna. De hade säkert så många att de just nu inte kunde sortera bland dem. Han fick helt enkelt se till att hjälpa dem med det.

"Och julmust. Hon kunde ju hinka i sig litervis. Det borde finnas julmust i affären fortfarande. Visst borde det finnas kvar?" Han försökte tänka efter om han sett det på hyllorna nyligen, och greps nästan av panik när han inte fick upp någon bild på näthinnan. Plötsligt kändes det som den viktigaste saken i världen: att de fick tag i julmust så att de kunde servera det på begravningen.

"Jag är helt säker på att det fortfarande finns." Pappa lade lugnande sin hand på hans. "Det är en jättebra idé. Allt du har sagt är jättebra. Vi tar den svarta klänningen. Mamma vet nog var den hänger, och hon kan stryka den. Och så ber vi moster Anneli att göra några smörgåstårtor. Hon gör så fina och Victoria tyckte så mycket om dem. Vi hade ju tänkt ha dem på hennes skolavslutning till sommaren …" Han tycktes tappa tråden i ett ögonblick. "Som sagt, jag vet att det finns julmust kvar att köpa. Vi tar det, det blir jättebra. Allt blir jättebra."

Nej, allt blir inte bra, ville Ricky vråla. De satt och talade om att hans syster skulle läggas i en kista och grävas ner i jorden. Inget skulle någonsin bli bra igen.

Inne i sitt skrymsle skavde hemligheten alltmer. Det kändes som om det borde synas på honom att han dolde något, men hans föräldrar tycktes inte märka det. De satt bara med tom blick i det lilla köket med de klassiska lingongardinerna som hans mamma tyckte var så fina och som Victoria och han försökt få henne att byta ut.

Skulle allt ändras när de vaknade ur sin dvala, skulle de då se och förstå? Ricky insåg att han förr eller senare var tvungen att prata med polisen. Men skulle mamma och pappa orka med sanningen?

Ibland kände Marta sig som den hemska barnhemsföreståndaren i *Annie*. Flickor, flickor, överallt bara flickor.

"Liv har haft Blackie tre gånger på raken!" Ida kom emot henne på gårdsplanen med blossande röda kinder. "Det borde vara min tur nu."

Marta suckade. Ständigt dessa dispyter. Hierarkin var hård i stallet, och hon såg, hörde och förstod betydligt mer av tjejernas strider än de anade. Oftast välkomnade hon maktspelet flickorna emellan och fann det intressant, men i dag orkade hon inte med det.

"Det där får ni lösa själva. Kom inte till mig med sådana där jäkla struntsaker!"

Hon såg hur Ida förskräckt ryggade tillbaka. Tjejerna var vana vid att hon var sträng, men hon brukade inte fara ut på det här sättet.

"Förlåt", sa hon snabbt utan att egentligen mena det. Ida var gnällig och bortskämd och borde lära sig veta hut lite oftare, men hon var tvungen att tänka praktiskt. De var beroende av inkomsterna från ridskolan, de skulle aldrig kunna leva enbart på det som Jonas drog in som veterinär, och flickorna – eller i förlängningen deras föräldrar – var hennes kunder. Så hon var tvungen att stryka dem medhårs.

"Förlåt, Ida", upprepade hon. "Jag är lite uppriven på grund av Victoria, jag hoppas att du förstår det." Hon bet ihop och log mot flickan som genast slappnade av.

"Såklart att jag fattar. Det är så hemskt. Att hon är död och allt."

"Okej, då tycker jag att vi går och pratar med Liv, och att du får rida Blackie i dag. Om du inte hellre vill rida Scirocco?"

Idas ögon lyste av lycka. "Får jag det? Ska inte Molly rida honom då?"

"Inte i dag", sa Marta och gjorde en bister min vid tanken på dottern som låg hemma på rummet och tjurade över den uteblivna tävlingen.

"Då rider jag hellre Scirocco, så kan Liv ta Blackie i dag också", sa Ida storsint.

"Toppen, då löste vi ju det." Marta lade armen om Ida och de gick in i stallet. Lukten av häst slog emot henne. Det här var ett av få ställen i världen där hon kände sig hemma, där hon kände sig som en riktig människa. Den enda som hade älskat den lukten lika mycket som hon var Victoria. Varje gång hon klev in i stallet hade hon fått samma saliga uttryck i ögonen som Marta visste fanns i hennes egna. Saknaden efter flickan förvånade henne. Den drabbade henne med en kraft som var oväntad och omtumlande. Hon blev stående i stallgången och hörde bara avlägset hur Ida triumferande ropade till Liv som stod och ryktade Blackie i hans spilta.

"Du kan rida honom i dag. Marta har sagt att jag ska få rida Scirocco." Skadeglädjen i hennes röst var uppenbar.

Marta blundade och såg Victoria framför sig. Det mörka håret som flög runt ansiktet när hon rusade över stallplanen. Hur hon med en mild bestämdhet fick alla hästar att lyda hennes minsta vink. Även Marta hade denna svårförklarliga makt över hästarna, men det fanns en stor skillnad. Hästar lydde Marta för att de respekterade henne men också för att de fruktade henne. Victoria hade de lytt på grund av hennes mjuka handlag och starka vilja. Kontrasterna i detta hade fascinerat Marta.

"Varför får hon rida Scirocco och inte jag?"

Marta såg på Liv som plötsligt stod framför henne med armarna i kors.

"Därför att du inte verkar vara särskilt villig att dela med dig av Blackie. Så då får du rida honom i dag också. Precis som du ville. Alla nöjda!" Hon kände att hon började tappa humöret igen. Hennes jobb hade varit mycket enklare om hon bara hade haft hästarna att bekymra sig om.

Dessutom hade hon sin egen snorunge att handskas med. Jonas avskydde när hon kallade Molly det även om hon låtsades att det var på skoj. Hon förstod inte hur han kunde vara så blind. Molly började bli odräglig, men Jonas vägrade lyssna på det örat och hon kunde inte göra något åt det.

Ända sedan deras första möte hade hon vetat att han var den pusselbit som saknats i hennes liv. De hade utbytt en enda blick och förstått att de hörde ihop. De hade sett sig själva i den andre, och de speglade sig fortfarande i varandra och skulle alltid göra det. Det enda som nu skavde mellan dem var Molly.

Jonas hade hotat att lämna henne om hon inte gick med på att skaffa barn, så hon hade gett med sig. Egentligen hade hon inte trott att han menade allvar. Han visste lika väl som hon att om de skildes åt skulle de aldrig finna någon annan som förstod dem på samma sätt. Men hon vågade inte chansa. Hon hade funnit sin andra hälft, och för första gången i livet gav hon efter för någon annans vilja.

När Molly föddes hade det blivit precis som hon fruktat. Hon hade fått dela med sig av Jonas till någon annan. En stor bit stals från henne, av någon som till en början inte ens hade någon egen vilja eller identitet. Hon förstod det inte.

Jonas hade älskat Molly från första stund, så självklart och villkorslöst att hon knappt hade känt igenom honom. Och från det ögonblicket hade det slagits in en kil mellan dem.

Hon gick för att hjälpa Ida med Scirocco. Hon visste på förhand att Molly skulle bli galen av ilska över att hon låtit någon annan rida honom, men efter dotterns tjurande kände Marta en viss tillfredsställelse vid tanken. Hon skulle säkert få bannor av Jonas också, men hon visste hur hon skulle få honom på andra tankar. Nästa tävling var redan om en vecka, och då var han som vax i hennes händer.

Det var ingen lätt sak som Paula hade gett sig i kast med. Och Gösta kunde inte låta bli att vara orolig för henne. Hon hade sett så blek ut.

Han plockade planlöst med papperen på skrivbordet. Det var frustrerande att inte riktigt veta hur de skulle gå vidare med utredningen. Allt arbete som de lagt ner sedan Victoria försvann hade varit resultatlöst, och nu hade de inte så många uppslag kvar. Förhöret med Jonas hade inte heller gett något. Gösta hade med flit bett honom redogöra för allt en gång till för att se om han skulle säga något som inte stämde med hans anmälan. Men Jonas hade återgett samma händelseförlopp som tidigare, utan avvikelser. Och hans reaktion när han fick veta att ketaminet kanske hade använts på Victoria kändes naturlig och fullt rimlig. Gösta suckade. Han kunde lika gärna ägna en stund åt de övriga anmälningar som låg och samlade damm på hans skrivbord.

Det var mest petitesser: cykelstölder, snatterier, grannfejder med allmänt dumt tjafs och påhittade anklagelser. Men vissa anmälningar hade trots allt blivit liggande väl länge, och han skämdes en aning för det.

Han tog upp den anmälan som låg underst i högen och med andra ord var äldst. Ett misstänkt inbrott. Eller var det ens något inbrott? En kvinna vid namn Katarina Mattsson hade hittat mystiska fotspår i sin trädgård, läste han, och en kväll hade hon sett någon stå inne på tomten och stirra i mörkret. Det var Annika som hade tagit emot anmälan, och vad han visste hade kvinnan inte hört av sig igen, så troligen hade det hela upphört. Men det borde nog ändå följas upp, och han bestämde sig för att slå henne en signal lite senare.

Precis när han skulle lägga ner papperet på skrivbordet igen hejdade han sig. Han tittade på adressen på anmälan och tankarna började snurra. Det kunde naturligtvis vara ett rent sammanträffande, eller så var det inte det. Han tänkte intensivt i någon minut medan han läste igenom anmälan igen. Sedan bestämde han sig.

En kort stund senare satt han i bilen och körde i riktning mot Fjäll-backa. Adressen han skulle till låg i ett bostadsområde som av någon för honom okänd anledning kallades Sumpan. Han svängde in på den lugna villagatan, där tomterna var små och husen stod tätt. Han hade bara chansat på att hon skulle vara hemma, men när han hittade fram till rätt hus såg han att det lyste i fönstren. Spänd av förväntan tryckte han in ringklockan. Om han hade rätt kunde han ha upptäckt något avgörande. Gösta sneglade på huset till vänster. Ingen i familjen syntes till, och han hoppades att de inte skulle titta ut just nu.

Han hörde steg som närmade sig och dörren öppnades av en kvinna som såg på honom med förvånad blick. Snabbt presenterade han sig och förklarade sitt ärende.

"Jaha, det var så längesedan jag ringde att jag nästan hade glömt bort det. Kliv på."

Hon steg åt sidan för att släppa in honom. Två barn i femårsåldern tittade ut från ett rum på nedervåningen och Katarina nickade åt dem.

"Min son Adam och hans kompis Julius."

Båda pojkarna lyste upp när de såg honom stå där i sin uniform. Gösta vinkade tafatt, och de rusade fram och började syna honom uppifrån och ner.

"Är du en riktig polis? Har du en pistol? Har du skjutit någon? Har du handbojor med dig? Har du en radio som du pratar med andra poliser i?"

Gösta skrattade och höll avvärjande upp händerna.

"Lugn i stormen, killar! Ja, jag är en riktig polis. Ja, jag har en pistol men inte på mig just nu, och jag har aldrig skjutit någon med den. Och vad frågade ni mer? Jo, jag har en radio så att jag kan kalla på förstärkning om ni skulle bli alldeles för busiga. Och handbojorna har jag här. Ni kan få se dem sedan, om ni vill. Bara jag får prata ostört med Adams mamma en stund."

"Får vi? Jaaa!" Killarna dansade runt av glädje och Katarina skakade på huvudet.

"Dagen är räddad. Eller hela året, skulle jag tro. Men hörni, ni hörde vad Gösta sa. Ni får bara titta på handbojorna och radion om vi får prata lite först, så fortsätt titta på filmen så ropar vi när vi är klara."

"Okej ...", sa båda pojkarna och lommade iväg med en sista beundrande blick på Gösta.

"Jag ber om ursäkt för grillningen", sa Katarina och gick före mot köket.

"Det är bara trevligt", sa Gösta och följde efter. "Man får passa på att njuta av det så länge det varar. Om tio år kanske de står och skriker snutjävel efter mig i stället."

"Fy, säg inte så där. Jag gruvar mig redan för vilka ljuvligheter tonåren kan föra med sig."

"Det kommer nog att gå bra. Du och din man har säkert pli på honom. Har ni fler barn?" Gösta slog sig ner vid bordet. Köket var lite slitet, men ljust och trivsamt.

"Nej, vi har bara Adam. Men vi är ... ja, vi skilde oss när Adam var ett år, och hans pappa är inte särskilt intresserad av att ta del i hans liv. Han har en ny fru och nya barn och kärleken räcker tydligen inte till fler. De få gånger som Adam får komma dit känner han sig mest i vägen."

Hon hade stått med ryggen till och skopat upp kaffe ur en burk, men nu vände hon sig om och ryckte beklagande på axlarna.

"Förlåt att jag bara hävde ur mig det så där. Bitterheten rinner över ibland. Men vi klarar oss fint, Adam och jag, och om hans pappa inte ser att Adam är en fantastisk liten kille så är det hans förlust."

"Du behöver inte be om ursäkt", sa Gösta. "Det låter som om du har all anledning att vara besviken."

Vilka jäkla nötter det finns, tänkte han. Hur kunde man slänga ett barn åt sidan och bara ägna sig åt en ny kull? Han betraktade Katarina när hon dukade fram koppar åt dem. Hon utstrålade ett slags behagligt lugn och han bedömde att hon var ungefär trettiofem år gammal. Han mindes från anmälan att hon var lågstadielärare, och han fick en känsla av att hon var duktig och omtyckt.

"Jag trodde inte att jag skulle höra av er", sa hon och satte sig efter att ha serverat kaffe och ställt fram en burk med kakor. "Och det var inte menat som ett klagomål. När Victoria försvann förstod jag att ni självklart måste koncentrera er på det."

Hon höll frågande fram burken och han tog tre stycken. Havreflarn. Näst efter Ballerinakex var det hans absoluta favoritkakor.

"Jo, det är klart att det har tagit vår mesta tid. Men jag borde ändå ha tittat närmare på din anmälan tidigare, så jag ber om ursäkt för att du fått vänta."

"Du är här nu", sa hon och tog en kaka hon också.

Gösta log tacksamt mot henne. "Kan du berätta det du minns, om det som hände och varför du bestämde dig för att anmäla det?"

"Ja…" Hon drog på orden och rynkade pannan. "Det första jag lade märke till var några fotspår i trädgården. Min gräsmatta förvandlas till en lervälling om det är blött väder och det regnade ju väldigt mycket där i början på hösten. Flera morgnar såg jag de där skoavtrycken i leran. De var stora, så jag gissade att de tillhörde en man."

"Och sedan såg du en person stå där ute?"

Katarina rynkade pannan igen.

"Ja, jag tror att det var ett par veckor efter att jag hade sett fotspåren första gången. Ett tag funderade jag på om det kunde vara Mathias, Adams pappa, men det känns inte särskilt troligt. Varför skulle han smyga på oss när han knappt ens vill ha någon kontakt? Dessutom rökte personen, och det gör inte Mathias. Jag vet inte om jag sa det, men jag hittade fimpar också."

"Du sparade händelsevis inte några av de där fimparna?" sa Gösta, även om han insåg att det vore rätt otroligt.

Katarina gjorde en grimas.

"Jag tror att jag lyckades rensa bort de flesta. Jag ville inte att Adam skulle få tag i dem. Självklart kan jag ha missat någon, men…" Hon pekade ut mot trädgården och Gösta förstod vad hon menade. Snön låg som ett tjockt täcke över tomten.

Gösta suckade lätt. "Kunde du se hur den här personen såg ut?"

"Nej, tyvärr inte. Egentligen såg jag mest glöden från cigaretten. Vi hade redan gått och lagt oss, men Adam vaknade till och var törstig, så jag gick ner till köket i mörkret för att hämta ett glas vatten till honom. Och då såg jag glöden av en cigarett ute i trädgården. Någon stod där och rökte, men jag såg inte personen mer än som en silhuett."

"Du tror ändå att det var en man?"

"Ja, om det var samma person som gjorde fotavtrycken. Och när jag tänker efter såg det ut att vara en rätt lång person."

"Gjorde du något? Visade du på något sätt att du såg honom, till exempel?"

"Nej, det enda jag gjorde var att ringa och anmäla det. Det var ju lite obehagligt, även om jag inte direkt kände mig hotad. Men sedan försvann Victoria, och det var svårt att tänka på något annat. Och jag såg faktiskt inget mer sedan."

"Mmm...", sa Gösta. Han förbannade sig själv för att han inte tagit tag i anmälan och gjort kopplingen tidigare. Men det var inte lönt att gråta över spilld mjölk. Han fick försöka ta igen det nu. Han reste sig.

"Du har inte en snöskyffel? Så ska jag gå ut och se om jag kan hitta någon fimp, trots allt."

"Visst, den står i garaget, det är bara att skotta på. Du får gärna ta uppfarten också när du ändå är igång."

Gösta tog på sig skor och ytterkläder och gick ut till garaget. Det var fint och välstädat och snöskyffeln stod lutad mot väggen alldeles innanför dörren.

Ute på tomten stannade han upp och funderade ett ögonblick. Det var dumt att svettas i onödan, så det gällde att välja rätt ställe att börja på. Katarina hade öppnat altandörren ut mot trädgården och han frågade:

"Var plockade du de flesta fimparna?"

"Där borta till vänster, nära husväggen."

Han nickade och pulsade genom snön bort till den plats som hon pekade på. Snön var tung, och han kände hur det högg i ryggen redan vid första spadtaget.

"Är det säkert att jag inte ska göra det där?" sa Katarina bekymrat.

"Jadå, det är bara nyttigt för den här gamla kroppen att få jobba lite."

Han såg hur pojkarna nyfiket tittade på honom genom fönstret och han vinkade till dem innan han fortsatte skotta. Mellan varven vilade han, och efter en stund hade han frilagt ungefär en kvadratmeter mark. Han satte sig ner på huk och synade den noggrant, men det enda han såg var frusen lera med lite gräs i. Sedan smalnade hans ögon. Det stack fram något gult precis i kanten av den ruta han grävt. Försiktigt petade han bort snön ovanför det gula. En cigarettfimp. Han lösgjorde den varsamt och ställde sig upp med ömmande rygg. Han tittade på fimpen. Sedan höjde han blicken och såg det som han var övertygad om att den som stått här och rökt också sett. För stod man precis här, i Katarinas trädgård, hade man fri sikt över Victorias hus. Och över hennes fönster på övervåningen.

Uddevalla 1971

När hon hade upptäckt att hon var gravid igen hade det varit med blandade känslor. Kanske var hon inte lämpad att vara mor, kanske var hon oförmögen att känna den kärlek till ett barn som förväntades av henne.

Men hon hade oroat sig i onödan. Allt var så annorlunda med Peter. Så underbart och annorlunda. Hon kunde inte se sig mätt på sonen, kunde inte sluta dra in hans doft, stryka hans mjuka hud med fingertopparna. När hon som nu höll honom i famnen tittade han upp på henne med sådan förtröstan att hon blev alldeles varm om hjärtat. Det var alltså så här det var att älska sitt barn. Hon hade aldrig kunnat föreställa sig att det gick att känna så starkt för en annan människa. Till och med kärleken till Vladek bleknade i jämförelse med det hon kände när hon betraktade sin nyfödde son.

Så fort hon tittade på dottern knöt det sig däremot i magen. Hon såg hennes blickar, såg det mörka som rörde sig i hennes tankar. Svartsjukan mot brodern tog sig uttryck i ständiga nyp och slag, och rädslan höll Laila vaken om nätterna. Det hände att hon satt bredvid Peters vagga och höll vakt utan att våga släppa hans fridfulla ansikte med blicken.

Vladek försvann allt längre bort från henne. Och hon från honom. De slets isär av krafter som de aldrig hade kunnat förutse. I drömmen sprang hon ibland efter honom, snabbare och snabbare, men ju fortare hon sprang, desto större blev avståndet. Till slut skymtade hon bara hans ryggtavla någonstans långt där framme.

Orden var också borta. Samtalen på kvällarna vid matbordet, de små kärleksbetygelserna som lyst upp deras vardag. Allt hade uppslukats av en tystnad som bara avbröts av barnskrik.

Hon fortsatte att se på Peter och fylldes av en beskyddarinstinkt som trängde undan allt annat. Vladek kunde inte längre vara hennes allt. Inte nu när Peter fanns.

Den stora ladan var tyst och kall. Lite snö hade blåst in genom väggarnas springor och blandat sig med smutsen och dammet. Höloftet var sedan länge tomt, och stegen upp dit hade varit trasig så länge Molly kunde minnas. Förutom deras hästtransport fanns det bara gamla bortglömda fordon här. En rostig skördetröska, en obrukbar Grålletraktor men framför allt mängder av bilar.

Avlägset hörde Molly ljudet av röster från stallbacken som låg en bit bort, men i dag ville hon inte rida. Det kändes helt meningslöst när hon inte skulle få tävla i morgon. Någon av de andra tjejerna skulle säkert bli överlycklig över att få rida Scirocco.

Sakta gick hon runt bland de gamla bilarna. Resterna av farfars gamla firma. Under hela sin uppväxt hade hon hört honom tjata om den. Jämt skulle han skryta om alla fynd han gjort runtom i landet, bilar som i princip varit skrot, som han köpt för en spottstyver och sedan renoverat och sålt betydligt dyrare. Men sedan han blev sjuk hade ladan förvandlats till en bilkyrkogård. Här stod halvfärdiga renoveringsobjekt som ingen orkat göra sig av med.

Hon strök med handen över en gammal Volkswagenbubbla som stod och rostade i ett hörn. Det var ju inte så långt kvar tills hon fick börja övningsköra. Kanske kunde hon övertala Jonas att göra i ordning den här åt henne.

Hon drog prövande i handtaget och bildörren gick upp. Det krävdes en hel del jobb inuti också. Där fanns rost, smuts och trasig stoppning, men hon kunde se att bilen hade potential att bli hur fin som helst. Hon satte sig på förarsätet och lade försiktigt händerna på ratten. Jo, det skulle klä henne att köra den lilla bubblan. De andra tjejerna skulle bli gröna av avund.

Hon såg framför sig hur hon körde runt i Fjällbacka, hur hon nådigt lät kompisarna åka med. Än var det några år tills hon fick köra på egen hand, men hon bestämde sig för att prata med Jonas redan nu. Han skulle göra i ordning den här till henne vare sig han ville eller inte. Hon visste att han kunde det. Farfar hade berättat om hur Jonas hjälpt honom renovera bilarna, att han hade varit riktigt duktig. Det var enda gången hon hört honom säga något snällt om Jonas. Annars klagade han mest.

"Är det här du gömmer dig?"

Hon ryckte till vid ljudet av Jonas röst utanför bilfönstret.

"Gillar du den?" Han smålog när hon förläget öppnade bildörren. Det kändes lite pinsamt att bli påkommen med att sitta och låtsasköra.

"Den är fin", sa hon. "Och jag tänkte att jag kunde få köra den, när jag har fått körkort."

"Den är knappast i körbart skick."

"Nej, men…"

"Men du tänkte att jag kunde göra i ordning den åt dig? Tja, varför inte, vi har ju lite tid på oss. Det borde jag hinna om jag kan jobba på den lite då och då."

"Säkert?" sa hon glädjestrålande och kastade sig om halsen på honom.

"Säkert", sa han och kramade henne hårt tillbaka. Så sköt han henne ifrån sig och höll kvar händerna på hennes axlar. "Men då får det vara slut på tjurandet. Jag vet att tävlingen var viktig, vi har redan pratat om det, men det är ju inte långt kvar till nästa."

"Nej, det är sant."

Molly kände hur hon började bli på bättre humör. Hon gick runt bland bilarna. Det fanns några andra som också skulle kunna bli coola, men hon gillade bubblan bäst ändå.

"Varför gör du inte i ordning de här? Eller skrotar dem?" Hon stannade vid en stor svart bil som det stod Buick på.

"Farfar vill inte det. Så de får stå här tills de faller ihop, eller tills farfar försvinner."

"Jag tycker i alla fall att det är synd." Hon gick bort till en grön buss som såg ut som mysteriebilen i Scooby-Doo. Jonas drog henne åt sidan.

"Kom nu. Jag tycker inte riktigt om att du är här inne. Det är fullt med glas och gammal rost. Jag såg råttor för ett tag sedan också."

"Råttor!" sa Molly och tog ett snabbt steg bakåt och tittade sig omkring.

Jonas skrattade. "Kom så går vi in och fikar. Det är kallt. Och inne hos oss är det ju garanterat råttfritt."

Han lade armen om henne och de gick mot dörren. Molly rös till. Han hade rätt. Det var svinkallt här ute, och hon skulle ha dött om det kom en råtta springande. Men glädjen över bilen värmde. Hon längtade verkligen tills hon fick berätta det för tjejerna i stallet.

Tyra var i hemlighet nöjd över att Liv satts på plats i dag. Hon var om möjligt ännu mer bortskämd än Molly, och hennes min när Ida fick rida Scirocco var obetalbar. Resten av lektionen hade hon tjurat, vilket Blackie hade känt av. Han hade varit allmänt bångstyrig och det hade gjort Liv ännu surare.

Tyra svettades under de varma kläderna. Det var så tungt att gå genom all snö att det sved i benen. Hon längtade till våren när hon kunde cykla till och från stallet. Livet blev så mycket enklare då.

Pulkabacken Sjuguppen var full av barn. Hon hade själv åkt där många gånger, och hon mindes den hisnade känslan när hon for nedför den rätt så branta backen. Visserligen verkade den inte längre lika lång och brant som när hon var liten, men den var i alla fall häftigare än Doktorns backe, som låg precis vid Apoteket. Den åkte man bara i som riktigt liten. Hon mindes att hon till och med hade åkt längdskidor utför Doktorns backe, vilket hade ställt till det på hennes första och enda fjällsemester. För en häpen skidlärare hade hon förklarat att hon redan kunde åka skidor, det hade hon lärt sig i Doktorns backe. Sedan hade hon satt fart nedför den minst sagt längre och brantare pisten. Men det hade gått bra, och mamma berättade alltid den historien med stolthet i rösten, förundrad över hur kaxig hennes lilla tjej hade varit.

Vart den kaxigheten hade tagit vägen visste Tyra inte riktigt. Jo, den fanns där i samspelet med hästarna, men i övrigt kände hon sig oftast som en hare. Ända sedan trafikolyckan då pappa dött hade hon tänkt att katastrofen lurade bakom hörnet. Hon hade ju sett att allt kunde vara som vanligt, för att i nästa ögonblick förändras för all framtid.

Tillsammans med Victoria hade hon också känt sig modig. Det var som om hon blev någon annan, någon bättre, när de var tillsammans. De hade alltid varit hemma hos Victoria, aldrig hos henne. Hon hade skyllt på att det var för stökigt med småbrorsorna, men sanningen var att hon skämdes för Lasse, först för hans fyllor, sedan för hans religiösa dravel. Även för morsan skämdes hon, för att hon lät sig kuvas och smög runt hemma som en förskrämd mus. Inte som Victorias gulliga föräldrar, som var alldeles, alldeles vanliga.

Tyra sparkade i snön. Svetten rann nedför korsryggen nu. Det var en bit att gå, men hon hade bestämt sig redan tidigare på dagen och hon tänkte inte vända om nu. Det fanns saker hon borde ha frågat Victoria om, svar som hon skulle ha krävt att få. Tanken på att aldrig få veta vad som hänt gjorde ont i henne. Hon hade gjort allt för Victoria och det ville hon fortfarande göra.

Korridoren på institutionen för sociologi vid Göteborgs universitet var anonym och nästan öde. De hade frågat sig fram och fått reda på var kriminologerna satt, och nu stod de utanför en stängd dörr med Gerhard Struwers namn på. Patrik knackade försiktigt.

"Kom in!" hördes en röst på andra sidan och de klev på.

Patrik visste inte riktigt vad han hade väntat sig, men i alla fall inte en man som såg ut som om han klivit ut ur en Dressmannreklam.

"Välkomna." Gerhard reste sig och skakade hand med dem i tur och ordning. Sist hälsade han på Erica, som hållit sig lite i bakgrunden. "Nej, men vilken ära att få träffa Erica Falck."

Gerhard lät lite väl förtjust för att Patrik skulle känna sig helt tillfreds. Men som den här dagen utvecklat sig förvånade det honom inte att Struwer var en kvinnotjusare. Tur att hans fru inte var mottaglig för sådana typer.

"Äran är helt på min sida. Jag har ju sett dina skarpa analyser på tv", sa Erica.

Patrik stirrade på henne. Vad var det där för kuttrande tonfall?

"Gerhard har ett stående inslag i Efterlyst", förtydligade Erica och log mot mannen. "Jag tyckte särskilt mycket om ditt porträtt av Juha Valjakkala. Du satte fingret på något som ingen annan gjort förut, och jag tycker att..."

Patrik harklade sig. Det här gick inte alls som han hade tänkt sig. Han synade Gerhard och noterade att han inte bara hade en helt perfekt tandrad utan också exakt rätt grå nyans vid tinningarna. Och nyputsade skor. Vem sjutton hade nyputsade skor mitt i vintern? Patrik kastade en dyster blick på sina egna vinterkängor som såg ut att behöva köras genom en biltvätt för att någonsin bli rena igen.

"Vi har några frågor vi skulle vilja ställa", sa han och satte sig på en av besöksstolarna. Han ansträngde sig för att hålla ansiktet neutralt. Erica skulle inte få tillfredsställelsen att misstänka att han var svartsjuk. För det var han inte. Han tyckte bara att det var onödigt att ödsla värdefull tid på en massa småprat om sådant som inte hade det minsta med deras ärende att göra.

"Ja, jag har ju noggrant läst igenom materialet ni skickade." Gerhard slog sig ner vid sitt skrivbord. "Både vad gäller Victoria och de andra försvinnandena. Jag kan såklart inte göra en ordentlig analys så här snabbt och med så pass lite underlag, men det är några saker som slår mig..." Han korsade ena benet över det andra och förde samman fingertopparna, en gest som Patrik fann oerhört irriterande.

"Ska vi anteckna?" sa Martin och puffade till Patrik i sidan. Han ryckte till, och nickade.

"Ja, gör det", sa han, och Martin plockade fram block och penna och väntade på att Gerhard skulle fortsätta.

"Jag skulle tro att det rör sig om en välorganiserad och rationell person. Han eller hon – låt oss för enkelhetens skull säga han – har lyckats för bra med att inte lämna efter sig några spår för att till exempel vara psykotisk eller förvirrad."

"Hur kan det någonsin vara rationellt att föra bort någon? Eller utsätta någon för det som Victoria fick genomlida?" Patrik hörde själv att han lät aningen vass.

"När jag säger rationell menar jag att det rör sig om en person som är kapabel att planera i förväg, att förutse konsekvenser av sitt handlande och agera därefter. En person som snabbt kan ändra sina planer om förutsättningarna blir annorlunda."

"Jag tycker att det är glasklart", sa Erica.

Patrik bet ihop och lät Struwer fortsätta sin utläggning.

"Antagligen är gärningsmannen också relativt mogen. En tonåring eller någon i tjugoårsåldern skulle knappast ha den här sortens självbehärskning och planeringsförmåga. Men med tanke på den fysiska styrkan som krävs för att kontrollera offren, borde det ändå vara någon som fortfarande är hyfsat stark och i god form."

"Eller också kan det röra sig om flera gärningsmän", insköt Martin.

Gerhard nickade. "Ja, det går ju inte att utesluta att det rör sig om flera personer. Det finns till och med fall där en grupp människor har begått brott tillsammans. Ofta har det då funnits något slags religiöst motiv, som för Charles Manson och hans sekt."

"Vad tror du om tidsintervallen? De tre första flickorna försvann ju med rätt jämna mellanrum, ungefär ett halvår. Men sedan gick det bara fem månader innan Minna försvann. Och ungefär tre månader efter det fördes Victoria bort", sa Erica, och Patrik tvingades erkänna att hon bidragit med en bra fråga.

"Om man tittar på kända seriemördare i USA, som Ted Bundy, John Wayne Gacy, Jeffrey Dahmer – ni har säkert hört de namnen otaliga gånger – har de ofta ett behov som byggs upp, ett slags inre tryck. Förövarna börjar med att fantisera kring brottet, sedan förföljer de det offer som de fastnar för, iakttar det under en period, innan de slår till. Eller så handlar det om tillfälligheter. Att mördaren fantiserar om en viss typ av offer och sedan springer på någon som passar in på fantasin."

"Det kanske är en dum fråga, men finns det kvinnliga seriemördare?" sa Martin. "Jag har nog bara hört talas om manliga."

"Det är vanligare med manliga seriemördare. Men det finns även kvinnliga. Aileen Wuornos är ett exempel, och det finns fler."

Struwer förde återigen fingertopparna mot varandra.

"Men för att återgå till frågan om tidsaspekten, kan det också handla om att förövaren håller offret fånget under en längre tid. När offret så att säga har fyllt sin funktion, eller helt enkelt har dött av skador och utmattning, behövs det förr eller senare ett nytt offer som kan tillfredsställa behovet. Trycket ökar och ökar tills gärningsmannen måste få utlopp för det. Och då agerar han. Många seriemördare har i intervjuer beskrivit det som att det inte längre handlar om en fri vilja, utan om ett tvång."

"Tror du att det är ett sådant beteende vi har att göra med här?" frågade Patrik. Mot sin vilja blev han alltmer fascinerad av det Struwer berättade.

"Tidslinjen talar för något liknande. Och kanske har behovet blivit alltmer trängande. Gärningsmannen kan inte längre vänta lika länge innan han söker upp ett nytt offer. Om det nu är en seriemördare ni är på spåren, vill säga. Vad jag förstår har det inte hittats några kroppar, och Victoria Hallberg var ju vid liv när hon återfanns."

"Det stämmer. Fast det troliga är väl ändå att gärningsmannen inte tänkte låta henne leva, att hon på något sätt lyckades rymma?"

"Jo, det verkar onekligen så. Men även om det bara handlar om kidnappningen kan det följa samma beteendemönster. Det kan också vara en ren lustmördare, en psykopatisk gärningsman som mördar för sitt höga nöjes skull. Och för den sexuella tillfredsställelsen. Obduktionen av Victoria visade att hon inte blivit utsatt för sexuella övergrepp, men den här sortens fall har ofta sexuella motiv. Än så länge vet vi för lite för att kunna avgöra om det är så i det här fallet, och på vilket sätt."

"Vet ni att det finns forskning som visar att en halv procent av befolkningen kan definieras som psykopater?" sa Erica ivrigt.

"Ja", sa Martin. "Jag har för mig att jag läste om det där i Café. Något om chefer."

"Nu vet jag ju inte om man ska förlita sig på de vetenskapliga rönen i en tidning som Café. Men i princip har du rätt, Erica." Gerhard log mot henne så att den vita tandraden blänkte. "En viss procentandel av normalbefolkningen stämmer in på kriterierna på psykopati. Och även om man oftast associerar ordet psykopat med mördare, eller åtminstone brottsling, är det långt ifrån sanningen. De flesta lever utåt sett fungerande liv. De lär sig hur man ska uppföra sig för att passa in i samhället och kan till och med vara högpresterande. Men inuti kan de aldrig bli som andra människor. De saknar förmågan att känna empati och förstå andras känslor. Hela deras värld och tankeverksamhet kretsar kring dem själva, och hur väl de kan interagera med omgivningen beror på hur väl de lär sig imitera de känslor som de förväntas visa i olika sammanhang. Men de lyckas ändå aldrig helt. Det är något som skorrar falskt hos dem och de har svårt att skapa varaktiga och nära relationer med andra människor. Inte sällan utnyttjar de personer i sin omgivning för sina egna syften, och när de inte längre kommer undan med det går de vidare till nästa offer, utan att känna ånger, dåligt samvete eller skuld. Och för att svara på din fråga, Martin: det finns forskning som säger att andelen psykopater är högre i näringslivets toppskikt än bland normalbefolkningen. Många av de egenskaper jag nyss radade upp kan vara till fördel i vissa maktpositioner där hänsynslöshet och empatilöshet fyller en funktion."

"Man behöver alltså inte märka att någon är psykopat?" frågade Martin.

"Nej, inte genast. Psykopater kan tvärtom vara väldigt charmerande. Men den som har en längre relation med dem märker förr eller senare att allt inte är som det ska."

Patrik skruvade sig på stolen. Den var inte särskilt bekväm och han kände redan hur det började ömma i korsryggen. Han kastade en blick på Martin som antecknade febrilt. Sedan vände han sig mot Struwer.

"Varför har just de här tjejerna valts ut, tror du?"

"Det är troligtvis en fråga om förövarens sexuella preferens. Unga, oförstörda flickor som ännu inte blivit sexuellt erfarna. En ung flicka är också lättare att kontrollera och skrämma än en vuxen. Jag skulle tro att det är en blandning av de två faktorerna."

"Kan det ha betydelse att de har liknande utseende? De har, eller hade, alla brunt hår och blå ögon. Är det något gärningsmannen söker?"

"Det kan det vara. Eller det är snarare mycket troligt att det har betydelse. Offren kan påminna förövaren om någon, och gärningen handlar då om den personen. Ted Bundy är ett exempel på det här. De flesta av hans offer liknade också varandra och påminde om en före detta flickvän som hade avvisat honom. Han hämnades på henne genom offren."

Martin hade hela tiden lyssnat uppmärksamt och nu lutade han sig fram på stolen. "Du pratade om att offret ska fylla en funktion. Vad kan syftet vara med de skador som Victoria hade? Varför gör gärningsmannen en sådan sak?"

"Som jag sa är det troligt att offren liknar en för gärningsmannen betydelsefull person. Och med tanke på skadorna skulle jag tro att syftet är att ge honom en känsla av kontroll. Genom att ta ifrån offret dessa sinnen, kontrollerar han henne helt."

"Hade det inte räckt med att hålla henne fången i så fall?" frågade Martin.

"För de flesta gärningsmän som vill kontrollera sina offer brukar det göra det. Men i det här fallet har han tagit det ett steg längre. Tänk efter: Victoria fråntogs syn, hörsel och smak, hon var som instängd i ett mörkt, tyst rum utan möjlighet att kommunicera. I princip skapade gärningsmannen en levande docka."

Patrik rös. Det som mannen framför honom sa var så bisarrt och vidrigt att det kändes som hämtat ur en skräckfilm, men det var verklighet. Han funderade en stund. Även om allihop var intressant var det svårt att se hur det konkret skulle leda utredningen framåt.

"Om man utgår från det som vi pratat om", sa han. "Har du någon idé om hur vi kan gå vidare för att hitta en sådan här person?"

Struwer satt tyst ett kort ögonblick och såg ut att överväga hur han skulle formulera det han tänkte säga.

"Jag sticker kanske ut hakan lite, men jag skulle säga att offret från Göteborg, Minna Wahlberg, är särskilt intressant. Hon har en lite annan bakgrund än de andra flickorna, och hon är också den enda som förövaren varit oförsiktig nog att bli sedd med."

"Vi vet inte säkert att det var gärningsmannen i den vita bilen", påpekade Patrik.

"Nej, det är sant. Men om vi tänker oss det, är det intressant att hon frivilligt klev in i bilen. Nu vet vi ju inte hur de andra flickorna fångades, men att Minna kliver in i bilen tyder på att föraren antingen var någon som gav ett ofarligt intryck, eller att hon kände igen honom och inte var rädd för honom."

"Menar du att Minna kan ha känt förövaren? Att han har någon koppling till henne eller orten?"

Det Struwer sa stämde med de tankar som Patrik själv hade haft. Minna var annorlunda än de andra.

"Han behöver inte nödvändigtvis ha känt henne, men hon kan ha känt till honom. Att han blev sedd när han plockade upp henne, men inte vid något av de andra tillfällena, kan bero på att han var på hemmaplan och kände sig lite för trygg."

"Borde han inte ha varit ännu mer försiktig då? Risken var ju större att bli igenkänd", invände Erica, och Patrik tittade uppskattande på henne.

"Jo, rent logiskt skulle det kunna vara så", sa Struwer. "Men vi människor är oftast inte fullt så logiska, och mönster och vanor sitter djupt. Han skulle säkert känna sig mer avslappnad i sin egen miljö, och då är risken för misstag större. Och han gjorde ju ett misstag."

"Jag känner också att Minna sticker ut på något sätt", sa Patrik. "Vi pratade nyss med hennes mamma, men vi fick inte fram något nytt." I ögonvrån såg han att Erica nickade instämmande.

"Jaså, men om jag var ni skulle jag ändå fortsätta på det spåret. Fokusera på olikheterna, det är ett allmänt råd när man gör gärningsmannaprofiler. Varför är mönstret brutet? Vad gör ett visst offer så speciellt att gärningsmannen ändrar sitt beteende?"

"Vi ska titta på avvikelserna alltså, inte på de gemensamma nämnarna?" Patrik insåg att han hade rätt.

"Ja, det skulle jag rekommendera. Även om ni i första hand utreder Victorias försvinnande kan Minnas fall vara till hjälp." Gerhard pausade. "Har ni förresten samlat ihop er?"

"Hur menar du?" sa Patrik.

"Alla distrikten. Har ni satt er tillsammans och gått igenom de uppgifter ni har?"

"Vi håller kontakt och delar allt material."

"Det är bra, men jag tror att ni skulle vinna på att ses allihop. Ibland kan det vara en känsla som leder vidare, något som inte finns på papper, något som står mellan raderna i utredningsmaterialet. Du har säkert själv erfarenhet av att magkänslan lett dig vidare. I många utredningar är det just det där obestämbara som till slut har gjort att gärningsmannen åkt fast. Och det är inget konstigt med det. Vårt undermedvetna spelar större roll än många tror. Det sägs ibland att vi bara utnyttjar några futtiga procent av hjärnans kapacitet, och det kan nog stämma. Se till att ni träffas, och lyssna på varandra."

Patrik nickade. "Jag håller med, vi borde ha gjort det. Men vi har inte lyckats få ihop det."

"Jag skulle säga att det är värt besväret", sa Gerhard.

Det blev tyst. Ingen kom på fler frågor att ställa, och de satt alla och begrundade det Struwer hade sagt. Patrik tvivlade lite på att det skulle kunna leda dem vidare, men han var beredd att överväga allt. Hellre det än att i efterhand inse att Struwer hade haft rätt och att de inte tagit det på allvar.

"Tack för att du tog dig tid", sa Patrik och reste sig.

"Nöjet var helt på min sida." Gerhard fäste sin blå blick på Erica, och Patrik tog ett djupt andetag. Han hade god lust att göra en profil på Struwer. Det skulle nog inte vara så svårt. Sådana där typer fanns det alltför många av.

Terese tyckte alltid att det kändes lite konstigt att komma till stallet. Gården var ju så välbekant. I två år hade Jonas och hon varit ihop. De hade varit väldigt unga, det var i alla fall så det kändes nu, och mycket hade hänt sedan dess. Men en aning märkligt var det ändå, inte minst eftersom Marta var orsak till att det tog slut mellan dem.

En dag hade Jonas helt sonika talat om att han träffat någon annan och att hon var hans själsfrände. Han hade uttryckt sig precis så, och Terese hade tyckt att det var ett allvarligt och lite udda ordval. Senare, då hon träffade sin egen själsfrände, hade hon förstått vad han menade. För det var exakt så hon hade känt när Henrik, Tyras pappa, klev fram och bjöd upp henne på bryggdansen nere vid Ingrid Bergmans torg. Det hade varit så självklart att det skulle bli de två, men sedan hade allt ändrats på ett ögonblick. Alla planer, alla drömmar. En vattenplaning en mörk kväll, och Tyra och hon hade lämnats ensamma kvar.

Med Lasse hade det aldrig varit samma sak. Deras förhållande hade bara varit ett sätt att komma ur ensamheten, att få dela vardagen med någon igen. Och det hade blivit elände av alltihop. Nu visste hon inte vilket som varit värst. Alla åren då han drack och de ständigt oroat sig för vad han skulle ta sig till. Eller den nya nykterheten som hon välkomnat men som hade fört med sig nya problem.

Hon trodde inte ett ögonblick på Lasses nya helighet, men hon förstod alltför väl vad det var som lockat med församlingen. Den hade gett honom en chans att lämna alla dåliga beslut och gamla skulder bakom sig utan att behöva ta ansvar för dem. Så snart han gått med i församlingen och orimligt snabbt, i hennes tycke, fått förlåtelse av Gud, hade han delat upp sig själv i två jag. Allt som hon och barnen fått utstå tillskrev han den gamla Lasse, som levde syndigt och egoistiskt. Den nya Lasse var däremot en ren och fin människa och kunde inte på något sätt lastas för sådant som den gamla Lasse gjort. Om hon någon gång berörde alla de tillfällen då han sårat dem, reagerade han med återhållen ilska över hennes "ältande" och talade om hur besviken han var över att hon fokuserade på det negativa i stället för att liksom han ta emot Gud och bli en människa som spred "ljus och kärlek".

Terese fnös för sig själv. Lasse hade ingen aning om vad ljus och kärlek var. Han hade aldrig ens bett om ursäkt för hur han hade behandlat familjen. Enligt hans logik var hon en liten människa, eftersom hon inte var lika förlåtande som Gud och fortfarande vände ryggen till honom varje kväll i sängen.

Frustrerad greppade hon hårt om ratten när hon svängde in vid stallet. Situationen började bli ohållbar. Hon stod knappt ut med att se honom, stod inte ut med att höra hans bibelmumlande som låg som en ljudkuliss i lägenheten. Men hon var tvungen att lösa det praktiska först. De hade två barn tillsammans, och hon var så slutkörd att hon inte visste om hon skulle orka med att skilja sig just nu.

"Hörni, kan ni sitta kvar här och hålla sams medan jag går in och hämtar Tyra?" Hon vände sig om och tittade strängt på småkillarna i baksätet. De fnissade, och hon visste att det troligen skulle bryta ut ett krig så fort hon steg ur bilen. "Jag är snart tillbaka", sa hon varnande. Mer fniss, och hon suckade men kunde inte låta bli att le när hon stängde bildörren.

Huttrande klev hon in i stallet. Det hade inte funnits på den tiden då hon hängde på gården, utan Marta och Jonas hade byggt upp det tillsammans.

"Hallå?" Hon tittade sig runt efter Tyra, men såg bara några av de andra tjejerna.

"Är Tyra här?"

Marta kom ut ur en av boxarna.

"Nej, hon gick härifrån för någon timme sedan."

"Jaha." Terese rynkade ögonbrynen. Hon hade ju lovat att för en gångs skull komma och hämta Tyra i dag. Dottern hade blivit glad över att slippa traska hem i snön, så hon borde inte ha glömt det.

"Tyra är en duktig ryttare", sa Marta och kom fram till henne.

Som så många gånger förr slog det Terese hur vacker Marta var. Redan när hon såg henne första gången, förstod hon att hon aldrig skulle kunna konkurrera med henne. Liten och nätt hade hon alltid varit också, och Terese kände sig med ens stor och klumpig.

"Vad roligt", sa hon och tittade ner i golvet.

"Hon har ett naturligt handlag med hästar. Hon borde tävla. Jag tror att hon skulle göra bra ifrån sig. Har ni funderat på det?"

"Ja, jo…" Terese drog på orden och kände sig ännu mer tillintetgjord. De hade ju inte råd, men hur skulle hon förklara det? "Vi har haft lite mycket annat bara, med pojkarna och allt. Och Lasse är ju arbetssökande… Men jag ska ha det i åtanke. Det är roligt att du tycker att hon är duktig. Hon är … ja, jag är stolt över henne."

"Det ska du vara", sa Marta och betraktade henne ett ögonblick. "Hon är väldigt ledsen över Victoria, har jag förstått. Det är vi alla."

"Ja, det är svårt för henne. Det kommer nog att ta lite tid innan det läker."

Terese försökte komma på ett sätt att avsluta samtalet. Hon hade ingen lust att stå här och småprata. Oron började krypa i henne. Vart kunde Tyra ha tagit vägen?

"Killarna sitter och väntar i bilen, så det är nog bäst jag går ut till dem innan de slår ihjäl varandra."

"Gör du det. Och oroa dig inte över Tyra. Hon glömde nog bara bort att du skulle hämta henne. Du vet hur tonåringar är."

Marta gick in i boxen igen, och Terese skyndade ut och över gårdsplanen mot bilen. Hon ville hem. Förhoppningsvis var Tyra redan där.

Anna satt vid köksbordet och talade till Dans rygg. Hon kunde se genom t-shirten hur hans ryggmuskler spändes, men han sa inget utan fortsatte bara diska.

"Vad ska vi göra? Vi kan inte fortsätta så här." Trots att blotta tanken på en separation gjorde henne panikslagen var de tvungna att prata om framtiden. Redan innan det som hände i somras hade livet varit tungt. Hon hade levt upp en kort stund, men av fel orsaker, och nu var deras liv ett enda kaos, fyllt av brustna förhoppningar. Och allt var hennes fel. Hon kunde inte på något sätt dela skulden med Dan eller lämpa över ansvaret på honom.

"Du vet hur mycket jag ångrar det som hände, och jag önskar innerligt att jag kunde göra det ogjort, men det kan jag inte. Så om du vill att jag ska flytta, gör jag det. Emma och Adrian och jag kan hitta en lägenhet, det finns säkert något ledigt i hyreshusen här bredvid som vi kan få med kort varsel. För vi kan inte leva så här, det går inte. Vi går sönder. Båda två, och barnen också. Ser du inte det? De vågar inte ens bråka, de vågar knappt prata, för att de är så rädda att säga något fel och göra situationen värre än den redan är. Jag står inte ut med det, jag flyttar hellre. Snälla, säg något!" Snyftningarna bröt av de sista orden, och det var som att höra någon annan prata, som om det var någon annan som grät. Hon liksom svävade ovanför sig själv, betraktade spillrorna av det som varit hennes liv, betraktade mannen som var hennes stora kärlek och som hon sårat så.

Sakta vände sig Dan om. Han lutade sig mot diskbänken och tittade ner på sina fötter. Det högg till i hjärtat på henne när hon såg fårorna i hans ansikte, den grå hopplösheten. Hon hade förändrat honom i grunden, och det hade hon allra svårast att förlåta sig själv. Han som hade trott alla om gott, eftersom han utgick från att alla var lika ärliga som han själv. Hon hade motbevisat honom, rubbat hans tilltro till henne och världen.

"Jag vet inte, Anna. Jag vet inte vad jag vill. Månaderna går och vi bara sköter det praktiska, rör oss i cirklar runt varandra."

"Men vi måste försöka lösa problemet. Eller bryta upp. Jag står inte ut med att leva i ett sådant här limbo längre. Och barnen förtjänar också att vi bestämmer oss."

Hon kände hur gråtsnoret började rinna och strök av det mot tröjärmen. Hon orkade inte resa sig och hämta ett papper. Dessutom stod hushållsrullen bakom Dans rygg och hon behövde ett säkerhetsavstånd på ett par meter för att klara av det här samtalet. Att känna hans doft på nära håll, känna värmen från hans kropp, skulle kunna få allt att brista. De hade inte ens sovit i samma rum sedan i somras. Han sov på en madrass inne i arbetsrummet och hon sov i deras stora dubbelsäng. Hon hade erbjudit honom att byta, känt att det var hon som borde sova på den tunna, obekväma madrassen och vakna med ryggont. Men han hade bara skakat på huvudet och varje kväll gått och lagt sig på madrassen.

"Jag vill försöka." Hon viskade nu. "Men bara om du vill och tror att det finns minsta möjlighet. Annars är det lika bra att vi flyttar. Jag kan ringa Tanums bostäder redan i eftermiddag och se vad de har. Vi behöver inget stort till att börja med, jag och barnen. Vi har bott litet förr, vi klarar oss."

Dan gjorde en grimas. Han satte händerna för ansiktet och hans axlar skakade. Ända sedan i somras hade han burit en mask av sammanbiten besvikelse och ilska, men nu rann tårarna och de droppade nedför hakan och blötte ner hans grå t-shirt. Anna kunde inte hejda sig. Hon gick fram och omfamnade honom. Han stelnade till men drog sig inte undan. Hon kände hans värme men också hur hans kropp vibrerade av en gråt som stegrades alltmer, och hon kramade honom hårdare och hårdare, som om hon försökte hindra honom från att gå i bitar.

När gråten till slut stillnade stod de kvar, och han lade armarna om henne.

Lasse kände ilskan pyra inombords när han svängde vänster efter kvarnen, i riktning mot Kville. Att Terese inte kunde följa med en enda gång. Var det för mycket begärt att de skulle dela varandras tillvaro, att hon visade intresse för det som fullkomligt förändrat hans liv och gjort honom till en ny människa? Han och församlingen hade så mycket att lära henne, men hon valde att leva i mörkret i stället för att låta Guds kärlek lysa över henne, precis som den lyste över honom.

Han trampade hårdare på gasen. Han hade ödslat så mycket tid på att vädja till henne att han nu skulle bli sen till ledarskapsmötet. Dessutom hade han varit tvungen att förklara för henne varför han inte ville att hon skulle vara i det där stallet, nära Jonas. Hon hade syndat med Jonas, haft sex med honom utan att vara gift, och det spelade ingen roll att det var många år sedan. Gud ville att människan skulle leva rent och sant, utan att själen tyngdes av smutsiga gärningar i det förflutna. Själv hade han bekänt och rensat ut allt sådant, renat sig själv.

Det hade inte alltid varit lätt. Synden fanns överallt omkring honom. Skamlösa kvinnor som bjöd ut sig och inte respekterade Guds vilja och påbud, som försökte förleda alla män. Sådana synderskor förtjänade att straffas och han var övertygad om att det var hans uppgift. Gud hade talat till honom, och ingen borde tvivla på att han hade blivit en ny människa.

I församlingen såg de och förstod det. De överöste honom med kärlek, intygade att Gud förlåtit honom och att han nu var ett oskrivet blad. Han tänkte på hur nära det var att han fallit tillbaka i det gamla mönstret. Men på ett mirakulöst sätt hade Gud räddat honom från köttets svaghet och gjort honom till en stark och modig lärjunge. Men Terese vägrade ändå att se hur han förändrats.

Irritationen höll i sig ända tills han var framme, men som alltid fylldes han av frid när han klev in genom dörrarna till den moderna församlingsbyggnaden, finansierad av frikostiga medlemmar. För att ligga så avsides var församlingen stor, mycket tack vare ledaren, Jan-Fred, som efter en intern strid hade tagit över den tio år tidigare. Då hade den hetat Kville pingstförsamling, men han hade genast döpt om den till Christian faith, eller Faith som de kallade den till vardags.

"Hej, Lasse, vad underbart att du är här." Jan-Freds fru Leonora kom emot honom. Hon var en tjusig blondin i fyrtioårsåldern som tillsammans med sin man styrde ledningsgruppen.

"Ja, det är alltid lika härligt att komma hit", sa han och kysste henne på kinden. Han kände doften av hennes schampo och med den en fläkt av synd. Men det varade bara i ett kort ögonblick, och han visste att han med Guds hjälp så småningom helt skulle lyckas mota bort de gamla demonerna. Svagheten för spriten hade han lyckats besegra, men svagheten för kvinnor hade visat sig vara en större prövning.

"Jan-Fred och jag pratade om dig i morse." Leonora tog honom under armen och gick med honom mot ett av konferensrummen, där ledarskapskursen hölls.

"Jaså", sa han och väntade ivrigt på vad hon skulle säga härnäst.

"Vi talade om vilket fantastiskt arbete du har gjort. Vi är så stolta över dig. Du är en sann och värdig lärjunge, och vi ser stor potential i dig."

"Jag gör bara det som Gud ålagt mig. Allt är hans förtjänst. Det var han som gav mig styrkan och modet att se mina synder och rena mig från dem."

Hon klappade honom på armen. "Ja, Gud är god mot oss svaga och syndfulla människor. Hans tålamod och kärlek är oändlig."

De hade kommit fram till rummet och han såg att de andra som gick utbildningen redan var på plats.

"Och familjen? De kunde inte komma i dag heller?" Leonora tittade beklagande på honom. Lasse bet ihop käkarna och skakade på huvudet.

"Familjen är viktig för Gud. Det Gud har sammanfogat får människan inte åtskilja. Och en hustru bör dela sin mans tillvaro, och hans liv med Gud. Men du ska se att hon förr eller senare kommer att upptäcka vilken vacker själ Gud har funnit i dig. Att han gjort dig hel."

"Det kommer hon säkert att göra, hon behöver bara lite tid", mumlade han. Han kände en metallisk smak av ilska i munnen, men tvingade sig att skjuta undan de negativa tankarna. I stället upprepade han tyst sitt mantra: ljus och kärlek. Det var det han var: ljus och kärlek. Han måste bara få Terese att förstå det.

"Måste vi?" Marta drog på sig rena kläder efter att ha duschat av sig stallukten. "Kan vi inte bara vara hemma och göra vad det nu är folk gör på fredagskvällarna. Äter tacos?"

"Vi har inget val och det vet du."

"Men varför ska vi alltid äta middag hos dem just på fredagar? Har du tänkt på det? Varför kan vi inte ha söndagsmiddagar som andra människor har med sina svärföräldrar och föräldrar?" Hon knäppte blusen och kammade håret framför helfigurspegeln i sovrummet.

"Hur många gånger har vi inte pratat om det här? Vi är ju så ofta borta på tävlingar på helgerna att fredagskvällarna är de enda som fungerar. Varför frågar du saker som du redan vet?"

Marta hörde hur Jonas röst gick upp i falsett, som alltid när han började bli irriterad. Det var klart att hon redan visste svaret på frågan. Hon förstod bara inte varför de alltid skulle rätta sig efter Helga och Einar.

"Men ingen av oss tycker ju att det är trevligt. Jag tror att alla skulle bli lättade om vi slapp de här middagarna. Det är bara det att ingen vågar säga något", sa hon och satte på sig ett par extra strumpbyxor. Det var alltid så kallt hos Jonas föräldrar. Einar var snål och ville spara el. Hon fick ta en kofta ovanpå blusen också. Annars skulle hon frysa ihjäl före efterrätten.

"Molly vill ju inte heller. Hur länge tror du att vi kan tvinga henne innan hon gör uppror?"

"Inga tonåringar gillar väl familjemiddagar. Men hon får helt enkelt följa med, det är väl inte för mycket begärt?"

Marta stannade upp och betraktade honom i spegeln. Han såg ännu bättre ut nu än när de träffades. Då hade han varit blyg och gänglig, med röda akneutslag på kinderna. Men hon hade sett att det fanns något annat under det osäkra skalet, något som hon kände igen. Och med tiden och hennes hjälp hade osäkerheten försvunnit. Nu var han rakryggad, stark och muskulös, och efter alla dessa år fick han fortfarande hennes kropp att skälva.

Allt de delade höll lusten levande, och nu kände hon hur den vaknade som så många gånger förr. Raskt tog hon av sig strumpbyxorna och trosorna men behöll blusen på. Hon gick fram till honom och knäppte upp jeansen han precis hade tagit på sig. Utan ett ord lät han henne dra ner dem, och hon såg att han redan hade reagerat. Bestämt tryckte hon ner honom på sängen och red honom snabbt tills han kom, hårt och med ryggen böjd i en båge. Hon torkade några svettdroppar ur hans panna och gled av honom. Deras blickar möttes i spegeln när hon med ryggen vänd mot honom tog på sig trosorna och strumpbyxorna igen.

En kvart senare klev de på hos Helga och Einar. Molly muttrade bakom dem. Mycket riktigt hade hon protesterat högljutt mot att tillbringa ännu en fredagskväll hos farmor och farfar. Hennes kompisar hade tydligen tusen roliga saker för sig en kväll som denna, och hennes liv skulle bli förstört om hon inte fick vara med. Men Jonas hade varit obeveklig, och Marta hade låtit honom sköta det.

"Välkomna", sa Helga. Det luktade gott från spisen, och Marta kände hur magen kurrade. Det var det enda förmildrande med fredagsmiddagen hos svärföräldrarna: Helgas mat.

"Det blir helstekt fläskfilé." Helga sträckte sig på tå för att kyssa sin son på kinden. Marta gav henne en valhänt kram.

"Hämtar du pappa?" sa Helga och nickade med huvudet mot övervåningen.

"Visst", sa Jonas och gick uppför trappan.

Marta kunde höra mumlande röster och sedan ljudet av något tungt som baxades mot trappan. De hade fått ekonomiskt stöd för att bygga en rullstolsramp, men det krävdes ändå en viss styrka för att få ner Einar. Lätet av rullstolen som gled nedför skenorna i trappan var välbekant vid det här laget. Marta mindes knappt hur Einar hade sett ut innan benen amputerades. Tidigare hade hon alltid tänkt på honom som en stor, ilsken tjur. Nu såg han mer ut som en fet padda som kom glidande nedför trappan.

"Finfrämmande som vanligt", sa han och plirade med ögonen. "Kom hit och ge farfar en puss."

Molly gick motvilligt fram och gav honom en puss på kinden.

"Sätt fart nu, annars blir maten kall", sa Helga och vinkade åt dem att komma in i köket där allt stod framdukat.

Jonas hjälpte sin far fram till bordet, och de satte sig under tystnad.

"Det blir alltså ingen tävling i morgon?" sa Einar efter en stund.

Marta såg en elak glimt i hans blick och visste att han tog upp det bara för att jäklas. Molly lät höra en djup suck och Jonas gav sin pappa en varnande blick.

"Efter allt som hänt tyckte vi inte att det var ett bra tillfälle att åka", sa han och sträckte sig efter skålen med pressad potatis.

"Nej, jag kan tänka mig det." Einar tittade uppfordrande på sin son, som lade för honom av potatisen innan han tog själv.

"Hur går det då? Har polisen kommit någonvart?" sa Helga. Hon serverade skivor av fläskfilé från ett stort fat innan hon satte sig.

"Gösta var hos mig i dag och frågade om inbrottet", sa Jonas.

Marta stirrade på honom. "Varför har du inte sagt något?"

Jonas ryckte på axlarna. "Det var inget särskilt. De har hittat rester av ketamin när de obducerade Victoria, och Gösta undrade vad det var för saker som stals från mottagningen."

"Tur att du anmälde det." Marta sänkte blicken. Hon avskydde att inte ha full kontroll över allt som hände, och att Jonas inte berättat för henne om Göstas besök fyllde henne med ett tyst raseri. De fick tala om det sedan när de var ensamma.

"Synd på flickan", sa Einar och tryckte in en stor tugga i munnen. Lite brun sås rann från mungipan. "Hon var grann, det lilla jag fick se av henne. Ni håller mig ju fången där uppe, så jag har inget att vila ögonen på. Den här käringen är det enda jag får titta på numera." Han skrattade och pekade på Helga.

"Måste vi prata om Victoria?" Molly petade i maten och Marta funderade på när hon sett henne äta ordentligt senast. Men det var väl ett utslag av tonårstjejers vanliga viktnoja. Det skulle gå över så småningom.

"Molly har upptäckt den gamla Volkswagenbubblan ute i ladan och skulle vilja ha den. Så jag tänkte göra i ordning den så att den är klar tills hon tar körkort", sa Jonas och bytte samtalsämne. Han blinkade åt Molly, som föste runt sina haricots verts på tallriken.

"Ska hon verkligen vara där ute? Hon kan göra illa sig", sa Einar och lassade in en tugga till. Spåret av den rinnande såsen syntes fortfarande på hakan.

"Ja, ni borde rensa lite där." Helga reste sig för att gå och fylla på fatet. "Få bort allt gammalt skrot och elände."

"Jag vill ha det som det är", sa Einar. "Det är mina minnen. Fina minnen. Och du hör ju, Helga. Nu skapar Jonas nya."

"Vad ska Molly med en gammal bubbla till?" Helga ställde det påfyllda fatet mitt på bordet och satte sig igen.

"Den kommer att bli jättefin. Och cool! Ingen annan kommer att ha en sådan." Mollys ögon lyste.

"Den kan bli fin", sa Jonas och lade för sig en tredje portion. Marta visste att han älskade sin mors mat, och kanske var det den främsta anledningen till att de skulle släpa sig hit varje fredag.

"Minns du hur man gör då?" sa Einar.

Marta kunde nästan se hur hans minnen tumlade runt i huvudet på honom. Minnen från en tid när han hade varit en tjur och inte en padda.

"Det sitter i fingrarna, tror jag. Jag gjorde i ordning tillräckligt många bilar med dig för att jag ska komma ihåg hur man gör." Jonas bytte en blick med sin far.

"Ja, det är något visst med att lämna kunskap och intressen i arv från far till son." Einar höjde vinglaset. "Skål för far och son Persson, och skål för gemensamma intressen. Och grattis lilla fröken till en ny bil."

Molly höjde sitt glas med Cola och skålade med honom. Lyckan över bilen fortsatte att lysa i ögonen på henne.

"Var försiktiga bara", sa Helga. "Olyckor händer så lätt. Man ska vara glad för den tur man har haft och inte utmana ödet."

"Att du jämt ska vara en sådan olyckskorp." Einar hade börjat bli röd om kinderna av vinet och han vände sig mot de övriga. "Så har det alltid varit. Jag har stått för idéerna, för visionerna, och min kära hustru har ständigt kraxat och bara sett problem. Jag tror inte att du har vågat leva livet fullt ut ett enda ögonblick. Eller vad säger du, Helga, har du det? Har du verkligen levt? Eller har du varit så jäkla rädd att du bara har härdat ut och försökt få oss andra att dras ner i rädslan tillsammans med dig?"

Han sluddrade lätt och Marta misstänkte att det slunkit ner en och annan sup redan innan de kom. Även det var som det brukade på fredagsmiddagarna hos svärföräldrarna.

"Jag har gjort så gott jag har kunnat. Och det har inte varit lätt", sa Helga. Hon reste sig och började duka av. Marta såg att hennes händer darrade. Helga hade alltid haft så känsliga nerver.

"Du som hade sådan tur. Du fick en betydligt bättre man än du förtjänade. Och jag borde få medalj som har stått ut i alla år. Jag vet inte vad jag tänkte egentligen, jag hade ju mängder av jäntor som sprang efter mig, men jag tänkte väl att du hade breda och fina höfter för barnafödande. Men det var knappt att du klarade av det ens en gång. Skål på er!" Einar höjde glaset igen.

Marta studerade sina nagelband. Hon blev inte ens illa berörd. Hon hade betraktat det här skådespelet för många gånger. Inte heller Helga brukade bry sig om Einars fylleriader, men i kväll var något annorlunda. Plötsligt tog hon en kastrull och slängde den med all kraft i diskhon så att vattnet skvätte. Sedan vände hon sig sakta om. Rösten var låg, knappt hörbar. Men i deras chockade tystnad hördes orden ändå.

"Jag. Orkar. Inte. Mer."

"Hallå?" Patrik klev in i hallen. Han var fortfarande på dåligt humör efter resan till Göteborg och ingenting under hemfärden hade fått honom på andra tankar. Att Erica dessutom trodde att hans mor hade tagit med sig en man hit gjorde inte saken bättre.

"Hallå!" kvittrade Kristina från köket och Patrik tittade sig misstänksamt omkring. För ett ögonblick undrade han om han hade gått in i fel hus. Allt var så städat och välordnat.

"Oj", sa Erica storögt när även hon kom in genom dörren. Hon lät inte odelat positiv till förändringen.

"Har det varit någon städfirma här?" Han visste knappt att golvet i hallen kunde vara så här rent och grusfritt. Det blänkte, och alla skor stod i prydliga rader på skohyllan, en möbel som annars sällan kom till användning eftersom skorna för det mesta låg i en stor hög på golvet.

"Bara firman Hedström och Zetterlund", sa hans mor med samma kvittrande stämma när hon kom ut från köket.

"Zetterlund?" sa Patrik, även om han redan anade svaret.

"Hej! Gunnar heter jag." En man kom emot honom från vardagsrumshållet med utsträckt hand. Patrik synade mannen, och i ögonvrån såg han hur Erica roat iakttog honom. Han fattade den utsträckta handen som aningen för entusiastiskt började pumpa upp och ner.

"Vilket trevligt hus ni har, och fantastiska ungar! Ja, den där lilla damen, henne lurar man inte i första taget, hon har huvudet på skaft minsann. Och de små illbattingarna har ni fullt upp med, förstår jag, men de är så charmiga att de väl kommer undan med allt?" Han fortsatte att skaka Patriks hand och Patrik tvingade fram ett leende.

"Ja, de är fina", sa han och gjorde en ansats att dra åt sig handen. Efter ett par sekunder släppte Gunnar äntligen greppet.

"Jag utgick från att ni var hungriga, så jag har lagat middag", sa Kristina och gick in i köket igen. "Jag har kört ett par tvättar också, och jag bad Gunnar att ta med sig verktygslådan när vi skulle hit, så han har fixat några saker som du inte har hunnit, Patrik."

Först nu noterade Patrik att toadörren, den som hängt på sniskan ett tag, eller kanske ett par år, satt ordentligt ditskruvad. Han undrade vilka fler saker i hans hem som Byggare Bob hade fixat, och mot sin vilja blev han lite irriterad. Han hade tänkt fixa den där dörren. Det stod på att göra-listan. Det hade bara kommit några saker emellan.

"Det var då rakt inget besvär. Jag hade byggfirma i många år, så det här gick på ett nafs. Tricket är att man ska ta tag i saker direkt, då läggs de inte på hög", sa Gunnar.

Patrik log stelt igen. "Mmm, tack. Det … det uppskattas verkligen."

"Ja, det är ju inte lätt för er ungdomar att hinna med allt. Ungar, jobb, hushåll och så ska man sköta huset också. Och det är alltid mycket att göra med sådana här gamla hus. Men det är ett fint hus, rejält. De visste hur man byggde på den tiden, inte som nu när husen smälls upp på ett par veckor, och sedan står folk där och undrar varför de får fuktskador och mögel. Gammalt hantverk är bortglömt numera…" Gunnar skakade på huvudet och Patrik passade på att retirera till köket, där Kristina nu stod vid spisen och pratade intensivt med Erica. Aningen skadeglatt noterade Patrik att även hans älskade hustru hade ett ansträngt leende på läpparna.

"Ja, jag vet att ni har mycket att tänka på, du och Patrik. Det är inte lätt att kombinera det här med barn och karriär, och i er generation har ni lyckats intala er själva att ni kan göra allt samtidigt, men det viktigaste för en kvinna, och du får inte ta illa upp, Erica, jag säger det i all välmening, är att prioritera barnen och hemmet, och man kan skratta åt oss som var hemmafruar, men det var mycket tillfredsställande att kunna låta barnen vara hemma, att inte behöva skjutsa iväg dem till en sådan där institution, och dessutom fick de växa upp i ordning och reda, det där med att lite smuts i hörnen är nyttigt tror jag inte ett dugg på, det är säkert därför barn i dag har så många konstiga allergier och åkommor, för att folk inte kan städa sina hem längre, och sedan kan man inte nog understryka vikten av att barnen får hemlagad och näringsrik mat, och när maken kommer hem, ja, Patrik har ju ett ansvarsfullt arbete, är det inte mer än rätt att han får komma hem till ett städat och fridfullt hus där det serveras vettig mat, inte sådana där hemska halvfabrikat med en massa konstiga tillsatser som ni har frysen full av, och jag måste säga att…"

Patrik lyssnade fascinerat och undrade om hans mor ens hade andats under den långa svadan. Han såg hur Erica bet ihop käkarna, och skadeglädjen övergick i ett visst medlidande.

"Vi gör saker lite annorlunda, mamma", avbröt han. "Vilket inte betyder att det är sämre. Du gjorde ett fantastiskt jobb med vår familj, men Erica och jag har valt att dela på ansvaret för barnen och hemmet, och hennes karriär är precis lika viktig som min. Sedan kan jag erkänna att jag ibland blir bekväm och låter henne dra ett större lass, men jag försöker bättra mig. Så om det är någon du ska kritisera är det snarare mig, för Erica sliter som ett djur för att få allt att gå ihop. Och vi har det fantastiskt bra tillsammans. Det kanske är lite skitigt i hörnen och tvättkorgen svämmar över ibland, och ja, det serveras både fiskpinnar, blodpudding och mamma Scans köttbullar, men ingen verkar ha dött av det så här långt." Han gick fram och kysste Erica på kinden. "Däremot är vi otroligt tacksamma för dina insatser och för att vi får njuta av din goda hemlagade mat emellanåt. Efter fiskpinnar och mamma Scan uppskattar vi den desto mer."

Han kysste även sin mor på kinden. Det sista han ville var att göra henne ledsen. De skulle inte klara sig utan hennes hjälp, och han älskade sin mor. Men det här var deras hem, hans och Ericas, och det var viktigt att Kristina förstod det.

"Ja, det var ju inte min mening att kritisera. Jag ville bara ge några råd som ni kan ha nytta av", sa hon och verkade inte alltför stött.

"Berätta om din pojkvän nu", sa Patrik och såg nöjt hur hans mor rodnade. Samtidigt tyckte han att det kändes lite märkligt, eller för att vara ärlig, mycket märkligt.

"Jo, förstår du", sa Kristina, och Patrik tog ett djupt andetag och stålsatte sig. Morsan hade pojkvän. Hans blick mötte Ericas och hon mimade en puss.

Terese kunde knappt sitta still. Pojkarna stojade så högljutt att hon var nära att ställa sig upp och skrika åt dem, men hon lade band på sig. Det var inte deras fel att hon höll på att förgås av oro.

Var fan kunde hon vara? Som så ofta förbyttes oron i ilska, och rädslan skar i bröstet på henne. Hur kunde Tyra göra så här efter det som hänt med Victoria? Varje förälder i Fjällbacka hade nerverna utanpå kroppen efter Victorias försvinnande. Tänk om förövaren fanns kvar i trakten, om deras barn var i fara?

Oron och ilskan förstärktes av skuldkänslorna. Kanske var det inte så konstigt att Tyra glömt att hon skulle bli hämtad. Oftast fick hon ta sig hem på egen hand, och flera gånger tidigare när Terese lovat att hämta henne hade det kört ihop sig så att löftet sveks.

Kanske borde hon snart ringa polisen? När hon kom hem och Tyra inte var där, hade hon försökt intala sig att dottern säkert var på hemväg, att hon kanske fastnat med någon kompis. Hon hade till och med stålsatt sig mot de sura kommentarer som Tyra skulle kunna fälla när hon kall och svettig efter promenaden klev in i hallen. Hon hade sett framför sig hur hon skulle pyssla om henne lite extra, med varm O'boy och mackor med goudaost och mycket smör.

Men ingen Tyra hade dykt upp. Ingen hade öppnat ytterdörren, stampat snön av kängorna och muttrande kastat av sig jackan. Där Terese satt vid köksbordet anade hon hur Victorias föräldrar måste ha känt det den dagen då hon inte kom hem. Hon hade bara träffat dem vid några få tillfällen, vilket egentligen var märkligt. Flickorna hade varit oskiljaktiga sedan de var små, men när hon tänkte efter hade hon inte träffat Victoria så ofta heller. De hade alltid varit hemma hos Victoria. För första gången undrade hon varför, men hon visste redan det smärtsamma svaret. Hon hade inte kunnat skapa det hem åt sina barn som hon drömt om, den trygga plats som de behövde. Tårarna brände bakom ögonlocken. Om bara Tyra kom hem skulle hon göra allt som stod i hennes makt för att ändra på det.

Hon tittade på sin mobiltelefon som om ett meddelande från Tyra på något magiskt vis skulle dyka upp på displayen. Terese hade ringt henne redan utanför stallet, men när hon försökte igen efter att de kommit hem hade en signal ljudit inifrån Tyras rum. Som så många gånger förut hade hon glömt telefonen hemma. Slarviga unge.

Plötsligt hördes ett ljud från hallen. Hon ryckte till. Kanske var det bara önsketänkande, det var ju nästan omöjligt att höra något genom pojkarnas skrik och skrän. Men jo, en nyckel i låset. Hon reste sig och rusade ut i hallen, vred om låset och sköt upp dörren. Ögonblicket efter höll hon dottern i famnen, och hon släppte fram tårarna som hon hållit tillbaka de senaste timmarna.

”Älskade, älskade unge”, viskade hon mot dotterns hår. Frågorna fick hon ta senare. Just nu var det enda viktiga att Tyra var här hos henne.

Uddevalla 1972

Flickan följde henne med blicken var hon än gick, och det kändes som om Laila var fången i sitt eget hem. Vladek stod lika handfallen som hon, men till skillnad från henne vände han sin frustration utåt.

Fingret värkte. Det hade börjat läka, men det kliade i benet när det växte ihop. Hon hade varit på läkarmottagningen rätt många gånger det senaste halvåret. Sist hade de börjat bli misstänksamma och ställt frågor. Inombords hade hon skrikit av längtan efter att luta pannan mot läkarens skrivbord, släppa fram gråten och berätta allt. Men tanken på Vladek fick henne att hejda sig. Problem skulle lösas inom familjen, det var vad han ansåg. Och han skulle aldrig förlåta henne om hon inte höll tyst.

Sin egen familj hade hon dragit sig undan. Hon visste att hennes syster undrade, liksom hennes mamma. Den första tiden hade de kommit på besök till Uddevalla, men de hade slutat med det. Nu ringde de bara ibland och frågade försynt hur det stod till. De hade gett upp och hon önskade att hon också kunde göra det. Men det gick inte, så hon höll dem på armlängds avstånd, svarade kortfattat på deras frågor och försökte hålla tonen lättsam och orden vardagliga. Hon kunde inte berätta något.

Vladeks familj hörde av sig ännu mer sällan, men så hade det varit från början. De reste runt och hade ingen fast adress, så hur skulle de kunna hålla kontakt? Och det var lika bra. Det skulle ha varit lika omöjligt att förklara alltihop för dem som för hennes familj. Hon och Vladek kunde ju inte ens förklara det för sig själva.

Det här var en börda de måste bära ensamma.

Lasse visslade för sig själv när han promenerade bortåt vägen. Tillfredsställelsen efter mötet i församlingen i går satt fortfarande i. Samhörigheten var som ett nyktert rus, och det var så befriande att slippa alla gråskalor och inse att svaret på alla frågor fanns mellan Bibelns pärmar.

Det var också därför han visste att det han gjorde var rätt. Varför hade annars Gud gett honom möjligheten, placerat honom på rätt plats vid rätt tillfälle, precis när en syndare måste straffas. Samma dag som det hände hade han bett till Gud om hjälp för att ta sig ur sin allt svårare situation. Han hade nog trott att svaret på hans böner skulle komma i form av ett jobb, men i stället hade en annan utväg uppenbarat sig. Och den som drabbades var en syndare av värsta sorten, en syndare som förtjänade biblisk rättvisa.

Terese hade börjat fråga om deras ekonomi. Det var han som såg till att räkningarna betalades, men hon hade undrat hur det kom sig att hennes lön från arbetet på Konsum räckte till allt, nu när han inte hade något jobb. Han hade mumlat något om a-kassan, men han såg på henne att hon var skeptisk. Nåja, det skulle lösa sig. Svaren skulle säkert komma.

Nu var han på väg till badplatsen i Sälvik. Han hade valt mötesplatsen eftersom den skulle vara öde den här tiden på året. På sommaren kryllade det av folk på stranden, som låg i närheten av campingen i Fjällbacka, men nu var den tom och närmaste boningshus fanns en bit bort. Det var ett perfekt ställe att ses på och han hade föreslagit det varje gång.

Det var halt och han gick långsamt nedför vägen mot stranden. Snön låg tjock och han såg att isen sträckte sig långt ut. Vid änden av bryggan, runt badstegen, hade en isvak tagits upp för de galningar som insisterade på att hoppa i vattnet vintertid. Själv hävdade han bestämt att det svenska klimatet inte lämpade sig för badande över huvud taget, inte ens på sommaren.

Han var först på plats. Kylan letade sig innanför kläderna och han ångrade att han inte hade tagit på sig en extra tröja. Men han hade sagt till Terese att han skulle åka på ett möte i församlingen igen och han hade inte velat göra henne misstänksam genom att bylta på sig för mycket kläder.

Otåligt gick han ut på bryggan. Den var stum under hans fötter, hårt fastfrusen i den tjocka isen. Han såg på klockan och rynkade irriterat på ögonbrynen. Sedan gick han längst ut, lutade sig mot räcket till badstegen och tittade ner. De galna vinterbadarna måste ha varit i ganska nyligen, för än hade ingen is börjat bildas över vattnet i hålet. Han rös. Det kunde inte vara många grader i det där vattnet.

När han hörde steg på bryggan vände han sig om.

"Du är sen." Han pekade demonstrativt på klockan. "Ge mig pengarna så att vi kan komma härifrån. Jag vill inte bli sedd här och jag fryser snart ihjäl."

Han sträckte ut handen och kände förväntan fylla kroppen. Gud var god som hade hittat den här lösningen åt honom. Och han föraktade syndaren framför sig med en hetta som fick hans kinder att rodna.

Men snart ändrades känslan, från förakt till förvåning. Till rädsla.

Tankarna på boken gav henne ingen ro. När Patrik förklarade att han måste arbeta hade Erica först blivit irriterad eftersom hon hade planerat in ännu ett besök på anstalten. Men sedan hade hon tagit sitt förnuft till fånga. Självklart var han tvungen att åka in till stationen även om det var lördag. Utredningen av Victorias försvinnande hade gått in i en ny intensiv fas och hon visste att Patrik inte skulle ge sig förrän fallet var löst.

Tack och lov hade Anna kunnat ställa upp som barnvakt och nu satt Erica återigen i besöksrummet på anstalten. Hon hade inte vetat hur hon skulle inleda samtalet men tystnaden verkade inte störa Laila som tankfullt tittade ut genom fönstret.

"Jag var i huset häromdagen", sa Erica till sist. Hon iakttog Laila för att se vilken reaktion hennes ord skulle få, men de isblå ögonen röjde ingenting. "Jag borde nog ha gått dit tidigare, men jag har kanske undermedvetet dragit mig för det."

"Det är bara ett hus." Laila ryckte på axlarna. Hela hon utstrålade likgiltighet och Erica ville böja sig fram och skaka om henne. Hon som levt i det där huset och låtit sitt barn låsas in eller kedjas fast som ett djur i en mörk källare. Hur kunde hon vara likgiltig inför den grymheten, vilka fasor Vladek än hade utsatt henne för och hur mycket han än brutit ner henne?

"Hur ofta misshandlade han dig?" frågade Erica och försökte behålla lugnet.

Laila rynkade pannan. "Vem?"

"Vladek", sa Erica och undrade om Laila spelade dum. Hon hade sett läkarjournalerna från Uddevalla, läst om skadorna.

"Det är lätt att döma", sa Laila och tittade ner i bordet. "Men Vladek var inte en ond man."

"Hur kan du säga så efter det som han gjorde mot Louise och dig?"

Trots det hon visste om offrets psykologi förstod inte Erica hur Laila fortfarande kunde försvara Vladek. Hon hade ju till och med dödat honom, i försvar eller som hämnd för våldet hon och barnen utsatts för.

"Hjälpte du honom att kedja Louise? Tvingade han dig? Är det därför du tiger, för att du känner dig skyldig?" Erica pressade Laila på ett sätt som hon inte gjort tidigare. Kanske var det gårdagens möte med Nettan, hennes förtvivlan över sin försvunna dotter, som gjorde henne så arg nu. Det var inte normalt att vara så likgiltig inför sitt barns ofattbara lidande.

Utan att kunna behärska sig öppnade hon väskan som hon alltid hade med sig och tog fram mappen med fotografierna

"Titta! Har du glömt hur det såg ut när polisen kom hem till er? Ja, men titta då!" Erica sköt fram en bild över bordet mot Laila, som efter en stund motvilligt fäste blicken på den. Erica sköt fram en till. "Och här. Här är källaren som den såg ut den dagen. Ser du kedjan och matskålarna med mat och vatten? Som till ett djur! Det var ett litet barn som hölls där, din dotter, som du lät Vladek fängsla i en mörk källare. Jag förstår att du dödade honom, det skulle jag också ha gjort om någon behandlade mitt barn på det viset. Så varför skyddar du honom?"

Hon hejdade sig och hämtade andan. Hjärtat slog hårt i bröstkorgen, och hon insåg att vakten utanför tittade på henne genom dörrens glasfönster. Hon sänkte rösten.

"Förlåt, Laila. Jag … jag menade inget illa. Det var något med huset som påverkade mig."

"Det kallas Skräckens hus har jag hört", sa Laila och sköt tillbaka fotografierna över bordet. "Det är ett passande namn. Det var ett skräckens hus. Men inte som alla tror." Hon reste sig och knackade på dörren för att få bli utsläppt.

Erica förbannade sig själv där hon satt ensam kvar vid bordet. Nu skulle säkert Laila inte vilja tala med henne något mer och hon skulle aldrig kunna slutföra boken.

Och vad menade Laila med det sista hon sa? Vad var inte som alla trodde? Muttrande samlade hon ihop bilderna och lade tillbaka dem i mappen.

En hand på hennes axel avbröt de ilskna tankarna.

"Kom, det är något jag vill visa dig." Det var vakten som stått utanför dörren.

"Vad?" frågade Erica och reste sig.

"Du ska få se. Det är i Lailas rum."

"Gick inte hon dit nu?"

"Nej, hon gick ut på gården. Hon brukar promenera där när hon blir upprörd. Hon kommer säkert att vara ute en stund, men skynda dig ifall jag skulle ha fel."

Erica smygläste på skylten på vaktens skjorta. Tina. Hon följde efter henne och insåg att det var första gången hon skulle få se det rum där Laila tillbringade största delen av sin tid.

Längst bort i korridoren öppnade Tina en dörr och Erica steg in. Hon hade ingen aning om hur internernas rum såg ut, och hon hade antagligen sett för många amerikanska tv-serier eftersom hon förväntat sig något som liknade en madrasserad cell. I stället var rummet trevligt och så ombonat som det var möjligt. En prydligt bäddad säng, ett nattduksbord med väckarklocka och en liten rosa porslinselefant som sussade sött, ett bord med en tv på. I det lilla fönstret, som satt högt upp men ändå släppte in en hel del ljus, satt gula gardiner.

"Laila tror inte att vi känner till det här." Tina gick fram till sängen och lade sig ner på knä.

"Får du göra så här?" sa Erica och tittade mot dörren. Hon visste inte om hon var mest nervös för att Laila skulle dyka upp, eller för att någon chef skulle komma och ha synpunkter på att hennes rättigheter kränktes.

"Vi har rätt till allt som är i deras rum", sa Tina och sträckte in armen under sängen.

"Ja, men jag räknas ju inte till personalen", invände Erica och försökte bemästra sin nyfikenhet.

Tina drog fram en liten ask, reste sig och sträckte fram den till henne. "Vill du titta eller inte."

"Klart att jag vill."

"Då håller jag utkik. Jag vet redan vad som finns i den." Tina gick till dörren, öppnade den på glänt och spanade ut i korridoren.

Efter att ha kastat en orolig blick på Tina satte sig Erica på sängen med asken i knäet. Om Laila kom nu skulle det lilla förtroende som hon möjligen hade kvar för henne vara som bortblåst. Men hur skulle hon kunna motstå att se efter vad som fanns i asken? Tina verkade ju tro att hon skulle tycka att det var intressant.

Andäktigt öppnade hon locket. Hon visste inte vad hon hade trott, men innehållet överraskade henne. En efter en plockade hon upp de urklippta artiklarna, och tankarna for oordnade runt i huvudet på henne. Varför hade Laila samlat urklipp om de försvunna flickorna? Varför var hon intresserad av dem? Erica gick snabbt igenom artiklarna och konstaterade att Laila måste ha klippt ut det mesta som skrivits om försvinnandena i lokalpress och kvällstidningar.

"Hon kan komma närsomhelst nu", sa Tina med blicken riktad ut i korridoren. "Men håll med om att det är konstigt? Hon kastar sig över tidningarna så fort de kommer, och sedan ber hon att få dem när alla har läst. Jag visste inte vad hon skulle ha dem till förrän jag hittade asken."

"Tack", sa Erica och lade försiktigt tillbaka klippen. "Var låg den?"

"Intill sängbenet, längst in i hörnet", sa Tina och fortsatte hålla utkik efter Laila.

Erica sköt försiktigt tillbaka asken på plats. Hon visste inte riktigt hur hon skulle gå vidare med det hon nu fått veta. Kanske betydde det heller ingenting. Kanske var Laila bara allmänt intresserad av fallen med de försvunna flickorna. Folk kunde ju bli besatta av de märkligaste saker. Samtidigt trodde hon inte att det var så. Någonstans fanns det en koppling mellan Lailas liv och dessa flickor som hon aldrig kunde ha träffat. Och Erica tänkte ta reda på vilken den var.

"Vi har lite att gå igenom nu", sa Patrik.

Alla nickade. Annika satt beredd med block och penna, och Ernst låg under bordet och väntade på nedfallna smulor. Det var precis som det brukade. Endast den spända stämningen i köket gjorde det tydligt att det inte var en vanlig morgonfika.

"Vi var ju i Göteborg i går, Martin och jag. Vi träffade dels Minna Wahlbergs mamma Anette, dels Gerhard Struwer som gav sin syn på fallet utifrån det material han fått."

"Humbug", muttrade Mellberg som på beställning. "Slöseri med värdefulla resurser."

Patrik ignorerade honom och fortsatte:

"Martin har skrivit rent sina anteckningar från gårdagen, ni får var sin kopia."

Annika tog en bunt papper som låg på köksbordet och började dela ut dem.

"Jag tänkte dra några av de viktigaste punkterna, men sedan får ni gärna läsa den fullständiga rapporten, ifall jag har missat något."

Så kortfattat han kunde berättade Patrik sedan om de båda samtalen.

"Av det Struwer sa är det framför allt två saker som jag skulle vilja ta fasta på. För det första framhöll han att Minna sticker ut bland de här flickorna. Både hennes bakgrund och sättet hon försvann på är annorlunda. Frågan är om det finns något skäl till det. Jag tror att Struwer har rätt i att vi bör titta närmare på hennes försvinnande och det var också därför jag ville träffa Minnas mamma. Kanske hade gärningsmannen en personlig koppling till henne, vilket i så fall kan föra oss närmare en lösning på Victorias fall. Det här måste såklart ske i samarbete med Göteborgspolisen."

"Just det", sa Mellberg. "Som sagt, sådant här kan vara känsligt och …"

"Vi ska inte trampa på några tår", fyllde Patrik i och förundrades över att Mellberg alltid måste säga allting minst två gånger. "Vi kommer förhoppningsvis att få möjlighet att träffa dem också. Det andra som Struwer rådde oss till var nämligen att samla representanter för distrikten för en gemensam genomgång. Det är inte helt lätt att genomföra, men jag tycker ändå att vi ska försöka ordna ett sådant möte."

"Det kommer att kosta multum. Allas resor, uppehälle, arbetstid. Ledningen kommer aldrig att gå med på det", sa Mellberg och smög till Ernst en bit bulle under bordet.

Patrik lade band på sig för att inte sucka högt. Att jobba med Mellberg var ibland som att sakta dra ut en tand. Inget gick enkelt eller smärtfritt.

"Vi löser det problemet när det blir aktuellt. Jag kan mycket väl tänka mig att det här anses så prioriterat att resurser kan skjutas till på riksnivå."

"Det borde gå att samla alla. Vi kanske ska föreslå att vi träffas i Göteborg?" Martin lutade sig fram på stolen.

"Ja, det är en utmärkt idé", sa Patrik. "Annika, kan du koordinera det? Jag vet att det är helg och att många kan vara svåra att få tag i, men jag skulle vilja att det blev av så snart som möjligt."

"Visst." Annika gjorde en notering i blocket, med ett stort utropstecken bredvid.

"Stämmer det att du även träffade frugan i Göteborg?" sa Gösta.

Patrik himlade med ögonen. "Det är uppenbarligen omöjligt att hålla något hemligt på det här stället."

"Vad, var Erica i Göteborg? Och gjorde vadå? Håller hon på och lägger näsan i blöt igen?" Mellberg blev så upprörd att håret trillade ner över örat. "Du måste lära dig att ha pli på fruntimren. Det går verkligen inte an att hon ska springa runt och störa vårt arbete."

"Jag har pratat med henne och hon kommer inte att göra om det", sa Patrik lugnt men kände irritationen från gårdagen komma krypande. Det var obegripligt att Erica inte förstod vad hon kunde ställa till med, och att hon kunde försvåra polisarbetet med sina infall.

Mellberg blängde på honom. "Hon brukar ju inte direkt lyssna på dig."

"Jag vet, men jag lovar att det inte ska upprepas." Patrik insåg hur föga trovärdig han lät och för säkerhets skull skyndade han sig att byta samtalsämne. "Kan du dra det igen, det som du ringde mig om i går, Gösta?"

"Vilket av det?" sa Gösta.

"Båda besöken. Men särskilt det andra känns ju intressant."

Gösta nickade. Långsamt och metodiskt berättade han om besöket hos Jonas, om ketaminet som stulits strax innan Victoria försvann. Han redogjorde för hur han kopplat Katarinas anmälan till Victoria, och beskrev slutligen fyndet av cigarettfimpen i hennes trädgård.

"Bra jobbat", sa Martin. "Man har alltså full insyn i Victorias rum från den här kvinnans tomt?"

Gösta sträckte på sig. Det var inte ofta han fick beröm för sin initiativförmåga. "Ja, man ser rätt in till henne, och jag tror att personen har stått där och rökt och tittat in. Jag hittade fimpen precis på det ställe där Katarina såg någon stå."

"Och fimpen har skickats på analys", inflikade Patrik.

Gösta nickade igen. "Jajamänsan. Torbjörn har fått den, så om det finns dna på den kan vi sedan matcha det mot en eventuell misstänkt."

"Vi ska inte dra några förhastade slutsatser, men jag tror att det var gärningsmannen som stod där och spanade. Säkert för att skaffa sig en uppfattning om Victorias vanor, så att han sedan skulle kunna föra bort henne." Mellberg knäppte nöjt händerna på magen. "Vi kan väl göra som man gjorde i den där byn i England? Testa varenda en av Fjällbackas invånare och sedan jämföra resultaten med dna på fimpen. Och vips har vi vår man. Enkelt och genialt."

"För det första vet vi inte att det rör sig om en man", sa Patrik med tillkämpat tålamod. "Och för det andra vet vi inte om den skyldige är hemmahörande här, med tanke på var de andra flickorna försvunnit.

Snarare finns det ju en del som talar för att en sådan koppling kan finnas i Göteborg, i Minna Wahlbergs fall."

"Du är alltid så negativ", sa Mellberg, missnöjd med att hans i eget tycke briljanta plan sköts i sank.

"Eller kanske snarare realistisk", bet Patrik ifrån, men han ångrade sig genast. Att bli irriterad på Mellberg var onödigt. Gav han efter för den känslan skulle han inte hinna göra något annat. "Jag hörde att Paula var här i går?" sa han i stället och Mellberg nickade.

"Ja, jag pratade lite med henne om fallet, och det där med den avskurna tungan verkade få henne att tänka på något hon sett i någon gammal rapport. Problemet är att hon inte minns vad, eller var. Amningshjärna."

Mellberg snurrade pekfingret vid tinningen, men när Annika fnös sänkte han raskt handen. Om det fanns någon människa som Mellberg inte ville förarga, var det stationens sekreterare. Och möjligtvis Rita, om hon var på det humöret.

"Hon satt ett par timmar i arkivet", sa Gösta. "Men jag tror inte att hon hittade det hon letade efter."

"Nej, hon skulle komma hit i dag igen." Mellberg log spakt mot Annika som fortfarande blängde på honom.

"Bara hon är införstådd med att hon gör det utan extra ersättning", sa Patrik.

"Jodå, det vet hon. Om jag ska vara helt ärlig tror jag att hon behöver komma hemifrån lite", tillade Mellberg i ett sällsynt ögonblick av klarsyn.

Martin log. "Hon måste verkligen ha börjat klättra på väggarna hemma om hon föredrar att hänga i arkivet."

Leendet fick hela hans ansikte att lysa upp och Patrik insåg hur sällan det hände numera. Han måste verkligen se till att hålla ett öga på Martin. Det kunde inte vara lätt att sörja Pia, vara ensamstående pappa och samtidigt delta i en betungande utredning.

Han log tillbaka. "Ja, men vi får hoppas att hon får ut något av det. Och vi också."

Gösta räckte upp handen.

"Ja?" sa Patrik.

"Jag kan inte riktigt släppa det där med inbrottet hos Jonas. Det kanske vore lönt att fråga runt lite bland stalltjejerna ändå. Någon av dem kanske har sett något."

"Bra tänkt. Du kan ju göra det i samband med minnesstunden i eftermiddag, om du tar det lite varligt. De kommer säkert att vara lite upprivna."

"Ja, jag kan ta med mig Martin också. Det går nog smidigare om vi är fler."

Patrik kastade en blick på Martin. "Nja, behövs det verkl…"

"Det går bra, jag följer med", avbröt Martin honom.

Patrik tvekade ett ögonblick. "Okej", sa han sedan och vände sig mot Gösta. "Och du håller även kontakt med Torbjörn om dna-resultatet?"

Gösta nickade.

"Fint. Sedan borde vi knacka dörr hos Katarinas grannar, för att höra om någon mer kan ha sett någon som smög omkring där. Och kolla med Victorias familj ifall de märkte att någon höll uppsikt över dem."

Gösta drog handen genom det grå håret, så att det reste sig som ragg på huvudet.

"Det skulle de nog redan ha berättat i så fall. Jag tror till och med att vi frågade om de sett någon kring huset, men jag kan titta i förhörsprotokollen."

"Prata med dem en vända till i alla fall. Nu vet vi ju att någon faktiskt bevakade huset. Själv kan jag ta och prata med grannarna. Och Bertil, kan du vara standby här och tillsammans med Annika se om vi kan ordna ett stormöte?"

"Självklart. Vem skulle annars göra det? Det är ju chefen och den ansvariga för utredningen som de kommer att vilja träffa härifrån."

"Då så, då kör vi", sa Patrik men kände sig genast lite fånig, som om det här vore ett avsnitt av *Spanarna på Hill Street*. Men det fick det vara värt, för han såg Martin le igen.

"Om en vecka är det en ny tävling. Glöm det du har missat och se framåt i stället." Jonas strök Molly över håret. Han slutade aldrig förundras över hur lik hon var sin mor.

"Du låter som den där doctor Phil", muttrade Molly ner i kudden. Glädjen över löftet om bilen hade snabbt gått över och nu surade hon åter över den uteblivna tävlingen.

"Du kommer att ångra dig bittert om du inte tränar ordentligt. Då är det ju ingen idé att vi över huvud taget åker dit. Och den som skulle bli argast om du inte vinner är du, inte jag eller mamma."

"Marta bryr sig väl inte", sa Molly dovt.

Jonas hejdade sig mitt i rörelsen och drog åt sig handen.

"Du menar alltså att alla mil vi har åkt, alla timmar vi lagt ner, inte räknas. Mamma... Marta har satsat oerhört mycket pengar och tid på ditt tävlande, och det är otroligt otacksamt av dig att säga så." Han hörde själv att han lät skarp på rösten, men någon gång måste dottern bli vuxen.

Molly satte sig sakta upp. Hela hon utstrålade häpnad över att han talade till henne i den tonen, och hon öppnade munnen som för att protestera. Sedan slog hon ner blicken.

"Förlåt", sa hon tyst.

"Ursäkta, vad sa du?"

"Förlåt!" Gråten stockade sig i halsen på henne, och han lade armarna om henne. Han visste att han hade skämt bort henne och insåg att han bidragit både till hennes goda och dåliga sidor. Men nu hade hon gjort rätt. Hon var tvungen att lära sig att livet ibland krävde att man böjde sig.

"Såja gumman, såja... Ska vi inte gå ner till stallet? Du måste träna om du ska kunna klå Linda Bergvall. Hon får ju inte tro att hon sitter säkert på tronen."

"Nej...", sa Molly och torkade tårarna med ärmen.

"Kom nu. Jag är ledig i dag, så jag tänkte att jag kunde vara med på träningen. Mamma väntar där nere med Scirocco."

Molly svängde benen över sängkanten, och han såg tävlingsinstinkten glimma till i hennes blick. Där var de så lika. Ingen av dem tyckte om att förlora.

När de kom in i ridhuset stod Marta där med en sadlad och klar Scirocco. Hon tittade demonstrativt på klockan.

"Så madam behagar komma nu. Du skulle ha varit här för en halvtimme sedan."

Jonas gav sin hustru en varnande blick. Ett förfluget ord och Molly kunde rusa raka vägen tillbaka till sängen och börja tjura igen. Han såg att Marta överlade med sig själv. Hon avskydde att behöva rätta sig efter dottern, och även om det var självvalt avskydde hon att inte vara en del av deras gemenskap. Men också hon tyckte om att vinna, om det så skedde via en dotter som hon aldrig velat ha eller förstått sig på.

"Jag har förberett banan", sa hon och lämnade över hästen till Molly. Lätt svingade sig Molly upp i sadeln och fattade tyglarna. Med hjälp av låren och hälarna manade hon på Scirocco som lydde henne vant. Så fort Molly kom upp på en hästrygg var den truliga tonåringen som försvunnen. Där var hon en stark ung kvinna, självsäker, lugn och trygg. Jonas älskade att se den förvandlingen.

Han klev upp på läktaren och satte sig för att kunna iaktta Martas arbete. Kunnigt instruerade hon dottern, och hon visste exakt hur hon skulle få både ryttare och häst att göra sitt bästa. Molly hade en naturlig fallenhet för ridningens alla moment, men det var Marta som förädlade hennes talang. Hon var fantastisk där hon stod i manegen och med korta instruktioner fick ekipaget att flyga över hindren. Det skulle gå bra på tävlingen. De var ett fantastiskt team, Marta, Molly och han. Långsamt kände han den välbekanta förväntan och spänningen i kroppen byggas upp.

Erica satt i sitt arbetsrum och gick igenom den långa listan på saker hon borde göra. Anna hade sagt att hon och barnen kunde stanna kvar hela dagen om det behövdes och Erica hade inte varit sen att tacka ja till erbjudandet. Det var så många människor hon borde prata med och så mycket material hon borde läsa, och hon önskade att hon kommit längre. Då skulle hon kanske förstå varför Laila hade samlat alla de där artiklarna. Ett ögonblick hade hon tänkt gå raka vägen och fråga Laila men sedan insett att det inte skulle leda till något. I stället hade hon lämnat anstalten och kört hem för att först försöka ta reda på mer.

"Mammaaaa! Tvillingarna bråkar!" Majas röst fick henne att rycka till. Enligt Anna hade barnen uppfört sig exemplariskt när Erica var borta, men nu lät det som om de höll på att slå ihjäl varandra där nere.

Hon tog trappan i två kliv och rusade in i vardagsrummet. Där stod Maja och blängde på sina småbröder som slogs i soffan.

"De förstör när jag ska titta på tv, mamma. De vill hålla fjärrkontrollen och stänger av hela tiden."

"Då så", röt Erica lite argare än vad hon tänkt sig. "Då är det lika bra att ingen ser på tv."

Hon stegade fram till soffan och ryckte åt sig fjärrkontrollen. Pojkarna tittade förvånat på henne och började sedan stortjuta i kör. Hon räknade sakta till tio men kände armsvetten och irritationen sippra fram. Aldrig hade hon kunnat föreställa sig hur tålamodsprövande det var att vara förälder. Och hon skämdes över att hon än en gång straffat Maja för något som hon inte var skyldig till.

Anna hade varit ute i köket tillsammans med Emma och Adrian, men nu kom även hon in i vardagsrummet. När hon såg Ericas ansiktsuttryck log hon snett.

"Det är nog bra för dig att komma hemifrån lite oftare. Behöver du inte åka någon annanstans nu när jag ändå är här?"

Erica skulle precis säga att hon var tacksam bara för att få jobba i fred, men så slogs hon av en tanke. Det fanns faktiskt en sak hon behövde göra. En punkt på listan hade pockat extra mycket på hennes uppmärksamhet.

"Mamma måste åka iväg och jobba lite till, men Anna är här. Och om ni är snälla fixar hon fika till er."

Pojkarna tystnade tvärt. Ordet fika hade onekligen en magisk inverkan på dem.

Erica gav sin syster en varm kram. Hon gick ut i köket för att ringa och försäkra sig om att hon inte åkte i onödan, och en kvart senare var hon på väg. Vid det laget satt barnen nöjda runt ett bord fullt av saft, bullar och kakor. De skulle säkert bli rejält sockerstinna men det fick bli ett senare bekymmer.

Det var inte svårt att hitta till det lilla kedjehuset strax utanför Uddevalla där Wilhelm Mosander bodde. Han hade låtit nyfiken när hon ringde och dörren öppnades innan hon ens hann sätta fingret på ringklockan.

"Kliv på", sa den äldre mannen och hon sparkade försiktigt snön av stövlarna och steg in.

Hon hade aldrig träffat Wilhelm Mosander förut men kände mycket väl till honom. Han hade varit en legendarisk journalist på Bohusläningen redan på sin tid, och hans mest kända reportage hade handlat om mordet på Vladek Kowalski.

"Du håller alltså på och skriver en ny bok." Han gick före henne in i köket. Erica såg sig omkring och konstaterade att det var litet men rent och välskött. Hemtrevligt. Det syntes inga spår av kvinnlig närvaro, så hon gissade att Wilhelm var ungkarl. Som om han hörde hennes tankar sa han:

"Min hustru gick bort för tio år sedan och då sålde jag vårt gamla schabrak till hus och flyttade in här. Det är mycket enklare att sköta, men det blir ju lätt lite spartanskt när man inte kan det där med gardiner och sådant."

"Jag tycker att du har det fint här." Erica slog sig ner vid köksbordet och det obligatoriska kaffet sattes fram. "Ja, den ska handla om Skräckens hus", sa hon som svar på hans tidigare fråga.

"Vad tänkte du att jag skulle kunna tillföra då? Jag antar att du redan har läst det mesta av det som jag skrivit."

"Ja, Kjell Ringholm på Bohusläningen har hjälpt mig att få tillgång till tidningens artiklar. Och självklart har jag en hel del fakta om händelseförloppet och domen. Det jag skulle vilja ha hjälp med är snarare intrycken från någon som var med på plats. Jag tänker mig att du gjorde iakttagelser och fick fram saker som du inte kunde skriva om. Kanske har du några egna teorier om fallet? Enligt vad jag hört har du aldrig riktigt släppt det."

Erica läppjade på kaffet medan hon iakttog Wilhelm.

"Ja, det fanns ju en del att skriva om." Wilhelm mötte stadigt hennes blick och det gnistrade till i ögonen. "Jag har varken förr eller senare bevakat ett lika intressant fall. Ingen som kom i kontakt med det kunde förbli oberörd."

"Nej, det är något av det mest fruktansvärda jag stött på. Och jag skulle så gärna vilja veta vad som egentligen hände den där dagen."

"Då är vi två", sa Wilhelm. "Även om Laila erkände mordet blev jag aldrig kvitt känslan av att det var något som inte stämde. Någon teori har jag inte, men sanningen var nog mer komplicerad än så."

"Precis", sa Erica ivrigt. "Problemet är att Laila vägrar att prata om det."

"Men hon har alltså gått med på att träffa dig?" sa Wilhelm och lutade sig fram. "Det skulle jag aldrig ha kunnat gissa."

"Ja, vi har träffats ett antal gånger. Jag hade försökt ett tag, skickat brev och ringt, och hade väl börjat ge upp hoppet när hon plötsligt sa ja."

"Se på fan. I alla år har hon tigit, men så går hon med på att träffa dig…" Han skakade på huvudet och såg ut som om han hade svårt att tro sina öron. "Jag har ju själv försökt få en intervju vid otaliga tillfällen utan att lyckas."

"Jo, fast hon säger ju inget. Jag har egentligen inte lyckats få ur henne något av värde." Erica hörde själv hur uppgiven hon lät.

"Berätta, hur är hon? Hur verkar hon må?"

Erica kände att samtalet började ta fel vändning. Det var ju hon som skulle ställa frågorna, inte tvärtom, men hon bestämde sig för att vara tillmötesgående. Att ge och ta fick bli melodin.

"Hon är samlad. Lugn. Men verkar orolig över något."

"Verkar hon känna skuld? För mordet? För vad de gjorde mot dottern?"

Erica tänkte efter. "Ja och nej. Hon känns inte direkt ångerfull samtidigt som hon tar ansvar för det som skett. Det är svårt att förklara. Eftersom hon egentligen inte säger något om det, kan jag bara läsa mellan raderna, och det är möjligt att jag tolkar fel och färgas av mina egna känslor inför det hon gjorde."

"Ja, det var vidrigt." Wilhelm nickade. "Har du varit i huset?"

"Ja, jag var där häromdagen. Det är väldigt nedgånget nu, det har ju stått tomt länge. Men det var som om något satt i väggarna där… Och i källaren." Erica rös vid minnet.

"Jag vet vad du menar. Det är en gåta hur man kan behandla ett barn som Vladek gjorde. Och hur Laila kunde låta det ske. Personligen anser jag att hon på det viset är lika skyldig som han, även om hon levde i skräck för vad han kunde ta sig till. Det finns alltid utvägar, och man tycker ju att modersinstinkten borde vara starkare än så."

"De behandlade ju inte sonen på samma sätt. Varför tror du att Peter slapp lindrigare undan?"

"Jag lyckades aldrig få någon klarhet i det. Du har säkert läst artikeln där jag intervjuade några psykologer om det."

"Ja, de som menade att Vladeks kvinnoförakt gjorde att han bara var våldsam mot kvinnorna i familjen. Men det stämmer ju inte helt. Enligt läkarjournalerna hade även Peter skador. En arm som vridits ur led, ett djupt skärsår."

"Det är sant, men det går ju inte att jämföra med det som Louise utsattes för."

"Har du någon aning om vad som kan ha hänt med Peter? Jag har inte lyckats spåra honom. Än."

"Inte jag heller. Om du skulle lyckas lokalisera honom får du gärna höra av dig till mig."

"Är inte du pensionerad?" frågade Erica, men insåg sedan att det var en dum fråga. Fallet Kowalski hade för längesedan upphört att enbart vara ett journalistiskt uppdrag för Wilhelm, om det någonsin varit det. I hans blick syntes att det med åren snarare blivit en besatthet. Och han svarade heller inte på frågan, utan fortsatte att prata om Peter.

"Det är lite av ett mysterium. Som du säkert vet fick han bo hos sin mormor efter mordet, och där verkade han ha haft det bra. Men när han var femton blev mormodern mördad vid ett inbrott i deras hus. Peter var på fotbollsläger i Göteborg när det hände, och efter det är han som uppslukad av jorden."

"Kan han ha tagit livet av sig?" funderade Erica högt. "På något sätt så att kroppen inte återfunnits?"

"Vem vet. Det vore ännu en tragedi i den familjen."

"Du tänker på Louises död?"

"Ja, hon drunknade ju när hon bodde hos sin fosterfamilj. Hon placerades inte hos sin mormor utan hos en fosterfamilj som man ansåg skulle kunna ge henne bättre stöd efter det trauma hon varit med om."

"Det var en oförklarlig olycka, eller hur?" Erica försökte minnas detaljerna i det hon läst.

"Ja, både Louise och parets andra fosterdotter, som var jämnårig med henne, drogs troligen med av strömmarna och återfanns aldrig. Ett tragiskt slut på ett tragiskt liv."

"Den enda nära släktingen som lever är alltså Lailas syster som bor i Spanien?"

"Ja, men de hade inte mycket kontakt ens före mordet. Jag försökte prata med henne några gånger men hon ville inte ha något med Laila att göra. Och Vladek lämnade både sin familj och sitt gamla liv bakom sig när han valde att stanna i Sverige med Laila."

"En sådan märklig blandning av kärlek och... ondska", sa Erica i brist på bättre ord.

Wilhelm såg med ens väldigt trött ut. "Ja, det jag såg i det där vardagsrummet och i den där källaren är det närmaste ondska jag någonsin kommit."

"Var du på brottsplatsen?"

Han nickade. "Det var väl lite lättare på den tiden att ta sig in på ställen där man inte borde få vara. Jag hade goda kontakter inom polisen och fick komma in och kika en stund. Det var så mycket blod i det där vardagsrummet. Och tydligen satt Laila bara där mitt i alltihop när polisen kom. Hon rörde inte en min utan följde bara lugnt med dem."

"Och Louise var kedjad när de fann henne", sa Erica konstaterande.

"Ja, hon satt nere i källaren, mager och eländig."

Erica svalde när hon såg scenen framför sig.

"Träffade du någonsin barnen då?"

"Nej. Peter var ju så liten när det hände. Alla journalister var kloka nog att låta barnen vara i fred, och både mormodern och fosterfamiljen såg till att skydda dem från uppmärksamheten."

"Varför tror du att Laila erkände direkt?"

"Det fanns väl inte så många alternativ. När polisen kom satt hon som sagt med kniven i handen bredvid Vladeks kropp. Och det var ju hon själv som slog larm. Redan när hon ringde sa hon: 'Jag har dödat min man.' Det är för övrigt det enda som någon har lyckats få ur henne om mordet. Hon upprepade det under rättegången, och sedan dess verkar ingen ha kunnat bryta hennes tystnad."

"Varför tror du att hon har gått med på att prata med mig då?" sa Erica.

"Ja, det kan man undra…" Wilhelm såg begrundande på henne. "Polisen var hon ju tvungen att träffa, psykologerna likaså, men det här gör hon ju högst frivilligt."

"Hon kanske helt enkelt är sällskapssjuk och trött på att se samma gamla ansikten jämt", sa Erica fast hon själv inte riktigt trodde på den förklaringen.

"Inte Laila. Det måste finnas något annat. Har hon inte sagt något som stuckit ut, inget som du har reagerat på, ingen ledtråd om att något har ändrats eller hänt?" Han lutade sig ännu längre fram och satt nu ända ute på kanten av sin köksstol.

"Det finns en sak…" Erica tvekade. Sedan tog hon ett djupt andetag och berättade om artiklarna som Laila gömde i sitt rum. Hon insåg själv hur långsökt det verkade att det skulle ha någonting med deras möten att göra. Men Wilhelm lyssnade intresserat och i hans blick såg hon ett vaket intellekt.

"Du har inte funderat över tidpunkten?" sa han.

"Vilken tidpunkt?"

"Vilket datum sa Laila slutligen ja till att träffa dig?"

Erica letade febrilt i minnet. Det var ungefär fyra månader sedan, men hon mindes inte det exakta datumet. Så slog det henne: det hade varit dagen efter Kristinas födelsedag. Hon sa datumet till Wilhelm som med ett snett leende böjde sig ner och lyfte upp en tjock bunt med gamla Bohusläningen från golvet. Han började vant bläddra i dem, letade en stund, hummade sedan belåtet och vände en uppslagen tidning mot Erica. Hon förbannade sin dumhet. Såklart. Det måste vara så det hängde ihop. Frågan var bara vad det betydde.

Luften i ladan var stillastående och det kom rök ur munnen när hon andades. Helga drog kappan tätare om sig. Hon visste att Jonas och Marta såg fredagsmiddagarna som ett tvång. Det syntes på deras lidande ansiktsuttryck. Men middagarna var hennes fasta punkt i tillvaron, den enda stund då hon för ett ögonblick kunde se dem som en riktig familj.

I går hade det varit svårare än vanligt att uppehålla illusionen. För det var exakt vad det var: en illusion, en dröm. Hon hade haft så många drömmar. När hon träffade Einar hade han tagit över och fyllt hela hennes värld, med sina breda axlar, sitt blonda hår och ett leende som hon hade tolkat som varmt men som hon fått lära sig betydde något helt annat.

Hon stannade framför bilen som Molly hade pratat om. Hon visste mycket väl vilken det var, och om hon hade varit i Mollys ålder skulle hon också ha valt den. Helga lät blicken svepa över bilarna i ladan. Gapande tomma stod de där och rostade sönder.

Hon mindes exakt var varje bil kom ifrån, varje resa Einar gjort för att köpa lämpliga renoveringsobjekt. Det hade krävt många timmars arbete innan bilarna sedan kunde säljas. Egentligen handlade det inte om några stora inkomster, men det hade varit tillräckligt för att de skulle kunna leva tryggt, och hon hade aldrig behövt oroa sig för pengar. Det hade Einar åtminstone kunnat leva upp till: han hade försörjt henne och Jonas.

Sakta lämnade hon Mollys bil, som hon i tanken kallade den, och gick fram till en gammal svart Volvo med stora rostfläckar och krossad vindruta. Den skulle ha blivit fin ifall Einar hunnit göra i ordning den. Om hon blundade kunde hon se hans ansikte framför sig när han kom hem med en ny bil på släp. Hon hade sett på honom om resan varit lyckad. Ibland hade han bara varit borta någon dag, ibland hade turerna gått till avlägsna delar av Sverige och han var borta i en vecka. När han svängde in på gården med en febrig glans i ögonen och blossande kinder visste hon att han hade hittat det han ville ha. I flera dygn, ibland veckor, efteråt var han som uppslukad av sitt arbete. Då kunde hon ägna sig åt Jonas, åt hemmet. Hon slapp utbrotten, det kalla hatet i hans ögon, smärtan. Det var hennes lyckligaste stunder.

Hon rörde vid bilen och rös till när hon kände den kalla plåten mot handen. Ljuset i ladan hade sakta flyttat sig medan hon gått runt, och solstrålarna som sken in genom springorna i väggen reflekterades plötsligt i den svarta lacken. Helga drog åt sig handen. Bilen skulle aldrig få liv igen. Den var ett dött föremål, något som tillhörde det förgångna. Och hon tänkte se till att det förblev så.

Erica lutade sig tillbaka på besöksstolen. Hon hade åkt direkt från Wilhelm till anstalten. Hon måste bara prata med Laila igen. Lyckligtvis verkade Laila ha lugnat ner sig sedan i förmiddags och gått med på att ses. Kanske hade hon inte blivit så upprörd som Erica befarat.

Nu hade de suttit tysta en stund och Laila granskade henne, inte utan oro i blicken.

"Hur kommer det sig att ville du träffa mig en gång till i dag?"

Erica överlade med sig själv. Hon visste inte riktigt vad hon skulle säga, men hon kände på sig att Laila skulle sluta sig som en mussla om hon nämnde klippen och avslöjade att hon misstänkte ett samband.

"Jag har inte kunnat sluta tänka på det där du sa förut", sa hon till sist. "Det där om att det var ett skräckens hus men inte på det sätt som alla trodde. Vad menade du egentligen med det?"

Laila tittade ut genom fönstret.

"Varför skulle jag vilja prata om det? Det är inget man vill minnas."

"Jag kan förstå det. Men med tanke på att du tar emot mig anar jag att du egentligen vill det. Och kanske skulle det vara skönt att dela det med någon och kunna bearbeta det."

"Folk överdriver det där med pratandet. De sitter hos terapeuter och psykologer, de ältar med vänner, minsta händelse ska analyseras. Vissa saker mår kanske bäst av att förbli inlåsta."

"Pratar du om dig själv nu, eller om det som hände?" sa Erica mjukt.

Laila vände sig bort från fönstret och såg på henne med den märkliga isblå blicken.

"Både och kanske", sa hon. Det snaggade håret såg kortare ut än vanligt. Hon måste precis ha fått det klippt.

Erica bestämde sig för att byta taktik.

"Vi har inte pratat så mycket om din övriga familj. Kan vi göra det?" sa hon i ett försök att hitta en spricka i den mur av tystnad som Laila byggt omkring sig själv.

Laila ryckte på axlarna. "Det går väl bra."

"Din pappa dog ju när du var liten, men stod du din mamma nära?"

"Ja, mamma var min bästa vän." Ett leende spred sig över Lailas ansikte och fick henne att se flera år yngre ut.

"Och din storasyster?"

Laila satt tyst en stund. "Hon bor i Spanien sedan många år", sa hon sedan. "Vi har aldrig haft särskilt bra kontakt, och hon tog helt avstånd från mig när… när det hände."

"Har hon familj?"

"Ja, hon är gift med en spanjor och har en son och en dotter."

"Din mamma ställde som sagt upp och tog hand om Peter. Varför Peter men inte Louise?"

Laila skrattade hårt. "Mamma skulle aldrig ha kunnat ta hand om Flicka. Men med Peter var det annorlunda. Han och min mamma tyckte mycket om varandra."

"Flicka?" Erica såg frågande på Laila.

"Ja, vi kallade henne så", sa Laila tyst. "Eller det var Vladek som började med det och sedan fastnade namnet."

Stackars barn, tänkte Erica. Hon försökte lägga band på sin ilska och koncentrera sig på de frågor hon måste ställa.

"Och varför kunde inte Louise, eller Flicka, bo hos din mamma?"

Laila mötte trotsigt hennes blick. "Hon var helt enkelt ett krävande barn. Det är allt jag kan säga om saken."

Erica tvingades inse att hon inte skulle komma längre och bytte spår.

"Vad tror du hände med Peter när din mor… gick bort?"

Ett stråk av sorg for över Lailas ansikte. "Jag vet inte. Han bara försvann. Jag tror…" Hon svalde och verkade ha svårt att få fram orden. "Jag tror att han kanske inte orkade mer. Han var aldrig särskilt stark. Han var en känslig pojke."

"Menar du att du tror att han tog livet av sig?" Erica försökte ställa frågan så varsamt som möjligt.

Först kom det ingen reaktion från Laila, men sedan nickade hon sakta med nedslagen blick.

"Men han har aldrig hittats?" sa Erica.

"Nej."

"Du måste vara fantastiskt stark som har orkat med så många förluster."

"Man orkar mer än vad man tror. Om man måste", sa Laila. "Jag är inte särskilt troende, men det sägs att Gud inte lägger en större tyngd på ens axlar än han vet att man kan bära. Och han måste veta att jag klarar mycket."

"Det hålls en minnesstund i Fjällbacka kyrka i dag", sa Erica och iakttog Laila noggrant. Det var riskabelt att föra in samtalet på Victoria.

"Jaha?" Laila tittade frågande på henne, men Erica såg att hon mycket väl visste vad hon talade om.

"Det är för flickan som försvann och sedan dog. Du har säkert hört talas om henne. Victoria Hallberg hette hon. Det måste vara svårt för hennes föräldrar nu. Och för de föräldrar vars flickor fortfarande är försvunna."

"Ja, det måste det." Laila verkade kämpa för att behålla fattningen.

"Tänk, deras döttrar är borta och nu när de vet vad Victoria utsattes för måste de lida helvetets alla kval vid tanken på att deras flickor kanske har råkat ut för samma sak."

"Jag vet bara vad jag har läst i tidningen", sa Laila och svalde. "Men det måste vara hemskt."

Erica nickade. "Har du följt fallet noga?"

Laila gjorde en tvetydig min. "Nja, vi läser tidningarna varje dag här. Så jag har väl följt fallet lika mycket som alla andra."

"Jag förstår", sa Erica och tänkte på asken med omsorgsfullt hopvikta klipp som låg gömd under sängen i Lailas rum.

"Vet du, jag är rätt trött. Jag orkar inte prata mer nu. Du får komma tillbaka en annan dag." Laila reste sig abrupt.

För ett ögonblick övervägde Erica om hon skulle ställa Laila mot väggen, säga att hon kände till klippen och anade att Laila hade en personlig koppling till fallen men att hon inte förstod hur. Sedan hejdade hon sig. Lailas ansikte var slutet nu och hennes händer greppade så hårt om stolsryggen att knogarna vitnade. Vad det än var hon ville berätta, förmådde hon inte göra det.

Impulsivt tog Erica ett kliv fram och strök Laila över kinden. Det var första gången hon rörde vid henne och hennes hy var överraskande len.

"Vi hörs och pratar mer", sa hon mjukt. När hon gick mot dörren kände hon Lailas blickar i ryggen.

Tyra hörde sin mamma gnola ute i köket. Hon var alltid så mycket gladare när Lasse inte var hemma. Inte heller var hon upprörd över det som hänt i går. Hon hade accepterat Tyras förklaring om att hon glömt bort sig och gått till en kompis. Det var lika bra att inte berätta något för henne, det skulle bara bli jobbigt om hon fick reda på sanningen. Tyra gick långsamt in i köket.

"Vad bakar du?"

Hennes mamma stod vid köksbordet med mjöliga händer. Även i ansiktet syntes fläckar av mjöl. Prydlighet hade aldrig varit hennes starka sida och när hon hade lagat middag brukade Lasse alltid klaga på att det såg ut som efter ett fältslag.

"Kanelbullar. Jag tänkte att vi kunde fika lite i eftermiddag efter minnesstunden, och sedan tänkte jag fylla frysen också."

"Är Lasse i Kville?"

"Ja, som vanligt." Terese strök bort en hårslinga med en mjölig hand så att hon blev ännu vitare i ansiktet.

"Du kommer att se ut som Jokern snart", sa Tyra, och det fladdrade lyckligt i magen när hon såg sin mamma le. Det hände så sällan numera, hon såg mest trött och ledsen ut. Men känslan försvann lika snabbt som den kommit. Saknaden efter Victoria fanns alltid där och slukade alla glada känslor så fort de dök upp. Och tanken på minnesceremonin gav henne en hård klump i magen. Hon ville inte ta farväl.

Hon betraktade tyst sin mamma en stund.

"Hur var förresten Jonas som pojkvän?" sa hon sedan.

"Varför undrar du det?"

"Jag vet inte. Kom bara att tänka på att ni ju varit ihop."

"Han var lite svår att komma underfund med, måste jag nog säga. En aning sluten och tillbakadragen. Ganska mesig på sätt och vis också. Jag vet att jag fick kämpa för att han ens skulle våga sticka handen innanför tröjan på mig."

"Mamma!" Tyra satte händerna för öronen och blängde på Terese. Det där var sådant man inte ville höra om sin mamma. Hon ville helst tänka på Terese som en barbiedocka, fullkomligt könlös.

"Men det är sant, han var rätt mesig. Hans pappa var ju väldigt dominant och ibland verkade både Jonas och hans mamma rädda för honom."

Terese kavlade ut degen på köksbordet och hyvlade över smör så att det täckte hela degytan.

"Tror du att han slog dem?"

"Vem? Einar? Nja, jag såg aldrig något sådant. Jag hörde honom mest gorma och domdera. Han är nog en sådan där karl som skäller värre än han bits. Jag träffade honom inte så ofta heller. Han var antingen ute på sina inköpsresor, eller så jobbade han i ladan med bilarna."

"Hur träffades Jonas och Marta?" Tyra nöp av en bit av bulldegen och stoppade den i munnen.

Terese hejdade sig mitt i en rörelse och dröjde några sekunder med att svara.

"Vet du, jag har aldrig egentligen fått reda på det. En dag fanns hon bara där. Det gick väldigt fort alltsammans. Jag var ung och naiv och trodde att vi alltid skulle vara tillsammans, men plötsligt gjorde Jonas slut. Och jag har aldrig varit mycket för att bråka, så jag gick bara min väg. Jag var nog ledsen ett tag, men det gick över." Hon började pudra kanel över den smörtäckta degen och rullade sedan ihop den som en rulltårta.

"Har det pratats något om Jonas och Marta sedan dess? Något skvaller?"

"Du vet vad jag tycker om skvaller, Tyra", sa Terese strängt medan hon skar tjocka skivor av degrullen. "Men som svar på din fråga: nej, jag har aldrig hört något annat än att de har haft det bra. Och jag träffade ju din pappa. Det var liksom inte meningen att det skulle bli Jonas och jag. Vi var ju så unga. Du ska få se, du kommer säkert också att ha någon sådan tonårsförälskelse."

"Lägg av", sa Tyra och kände att hon rodnade. Hon avskydde när mamma pratade med henne om killar och sådant. Hon fattade ändå ingenting.

Terese tittade forskande på henne. "Men varför frågar du så mycket om Jonas? Och Marta?"

"Ingen särskild anledning. Jag bara undrade." Tyra ryckte på axlarna och försökte se nonchalant ut. Hon bytte snabbt ämne: "Molly ska få en av bilarna som står i ladan, en Volkswagenbubbla. Jonas har lovat att göra i ordning den till henne."

Hon kunde inte hindra avundsjukan från att krypa in i rösten, och hon såg på sin mamma att den hördes.

"Jag är ledsen att jag inte kan ge dig allt det jag skulle vilja. Vi … Jag … Ja, livet blir inte alltid som man tänkt sig." Terese tog ett djupt andetag och strödde pärlsocker över bullbitarna som hon lagt på en plåt.

"Jag vet, det gör inget", skyndade sig Tyra att säga.

Det var inte meningen att låta otacksam. Hon visste att hennes mamma gjorde så gott hon kunde. Och hon skämdes för att hon ens kunde tänka på en bil nu. Victoria skulle ju aldrig få någon bil.

"Hur går det med Lasses jobbsökande?" frågade hon.

Terese fnös. "Gud verkar inte kunna leverera något jobb i brådrasket."

"Nä, Gud kanske har lite annat att göra än att fixa jobb till Lasse."

Terese slutade med det hon höll på med och såg på henne.

"Tyra …" Hon verkade leta efter de rätta orden. "Hur tror du att vi skulle klara oss på egen hand? Utan Lasse?"

I ett ögonblick rådde tystnad i köket. Det enda ljud som hördes i lägenheten var stojet från pojkarnas rum. Sedan svarade Tyra stilla:

"Bra. Jag tror att vi skulle klara oss jättebra."

Hon tog ett steg fram och kysste sin mamma på den mjöliga kinden, och gick sedan till sitt rum för att byta om. Alla flickorna i stallet skulle gå på Victorias minnesstund. De verkade nästan se det som något spännande. Hon hade hört dem upphetsat viska till varandra och till och med diskutera vad de skulle ha på sig. Idioter. Ytliga, dumma idioter. Ingen av dem hade känt Victoria på samma sätt som hon. Eller ja, på det sätt som hon trodde att hon känt henne. Dröjande drog hon fram sin favoritklänning ur garderoben. Det var dags att säga adjö.

Det hade varit ett ljuvligt avbrott från hemmet att passa tvillingarna och Maja. Anna hade inte ljugit för Erica, de hade verkligen uppfört sig exemplariskt hela dagen, som barn så ofta gjorde. Det var bara med föräldrarna som de levde ut sina värsta sidor. Sedan hade det säkert hjälpt till att Emma och Adrian var med. De var sina kusiners idoler, bara genom att vara något så dyrkansvärt som "stooora barn".

Hon log för sig själv när hon torkade diskbänken. Det kändes ovant att le, hon hade inte gjort det på länge. I går, när hon och Dan pratade här i köket, hade ett hopp tänts inom henne. Hon visste att det snabbt kunde slockna, för efteråt hade Dan dragit sig tillbaka in i tystnaden. Men kanske hade de ändå tagit ett litet steg närmare varandra.

Hon hade menat allvar när hon sagt till honom att hon var redo att flytta om han ville det. Ett par gånger hade hon rentav varit ute på nätet och letat efter en passande lägenhet till sig och barnen. Men det var ju inte det hon ville. Hon älskade Dan.

De hade trots allt gjort några små försök att överbrygga klyftan mellan sig de senaste månaderna. Vid ett vinindränkt, ångestladdat tillfälle hade han till och med rört vid hennes kropp och hon hade klamrat sig fast vid honom som en drunknande. De hade älskat, men efteråt hade han sett så plågad ut att hon bara hade velat fly därifrån. Efter den gången hade de inte rört vid varandra igen. Förrän kramen i går.

Anna tittade ut genom köksfönstret. Barnen lekte i snön. Trots att även de yngsta började bli stora tyckte de att det var roligt att bygga snögubbar och ha snöbollskrig. Hon torkade händerna på en kökshandduk och lade försiktigt den ena handen på magen. Försökte minnas hur det hade känts att bära hennes och Dans gemensamma barn. Hon kunde inte skylla det hon gjort på sorgen, en sådan börda kunde man inte lägga på ett oskyldigt barn. Men saknaden blandades med skulden, och hon kunde inte låta bli att tänka att allt hade varit annorlunda om deras lille pojke fått leva. Då hade han lekt där ute i snön med storasyskonen och varit påbyltad som en Michelingubbe, med lika mycket kläder som kropp, som det alltid var när de var små.

Hon visste att Erica ibland oroade sig för att tvillingarna påminde henne om sonen hon förlorat. Och i början hade de gjort det. Hon hade varit avundsjuk och tänkt hemska tankar om orättvisa. Men sedan hade det gått över. Det fanns ingen våg som såg till att saker och ting fördelades jämnt i världen, och det fanns ingen rimlig förklaring till varför hon och Dan inte fick behålla sitt kärleksbarn. Nu kunde hon bara hoppas på att de hittade tillbaka till en vardag tillsammans.

En snöboll slog mot fönstret och hon såg Adrians förskräckta blick. Hans vantklädda hand for upp till munnen. Minen fick det att knyta sig i magen på henne och hon fattade ett beslut. Raskt sprang hon ut i hallen, kastade på sig vinterkläderna och slängde upp ytterdörren, gjorde sin bästa imitation av ett läskigt monster och grymtade: "Nu ni, nu blir det snöbollskrig!"

Barnen stirrade först häpet på henne. Sedan steg jublet mot vinterhimlen.

Gösta och Martin satte sig längst bak i kyrkan. Gösta hade bestämt att han skulle gå på Victorias minnesstund så fort han hörde att en sådan skulle ordnas. Hennes fruktansvärda öde hade fött oro och skräck i Fjällbacka, och i väntan på begravningen samlades nu vänner och familj. De behövde prata om Victoria, minnas, bearbeta alla de känslor som rivits upp när det blev känt vad hon utsatts för. Att han och Martin var där som representanter från stationen var inte mer än rimligt.

Det var svårt att hålla de egna minnena borta när han satt på den hårda kyrkbänken. Här hade han varit med om två begravningar: pojkens, och många år senare sin hustrus. Gösta snurrade på vigselringen som han fortfarande bar. Det hade aldrig känts lämpligt att ta av den. Maj-Britt hade varit hans stora kärlek, hans livskamrat, och han hade aldrig funderat på att ersätta henne.

Livets vägar var verkligen outgrundliga, tänkte han. Ibland undrade han nästan om det fanns någon högre makt som styrde och ställde med människorna. Tidigare hade han aldrig trott på sådant, han skulle nog närmast ha kallat sig ateist, men ju äldre han blev, desto mer kände han Maj-Britts närvaro. Det var som om hon fortfarande gick vid hans sida. Och att Ebba efter så många år hade fått en sådan självklar plats i hans liv och hjärta var nästan ett mirakel.

Han tittade sig omkring i kyrkan. Den var vacker. Byggd i den bohuslänska graniten som området var känt för, med höga vackra fönster som släppte in ett överflöd av ljus, en blå predikstol till vänster och så altaret längst fram, bakom den snidade altarringen. Kyrkan var för ovanlighetens skull fylld till bristningsgränsen. Familj, släkt och många ungdomar i Victorias ålder. En del var säkert från skolan, men han kände också igen några av tjejerna från stallet. De satt tillsammans på två av raderna i mitten, och flera av dem snyftade ljudligt.

Gösta sneglade på Martin och insåg att han kanske inte borde ha föreslagit att han skulle följa med hit. Det var inte så längesedan Pia legat i en kista där framme, och han såg på Martins bleka ansikte att det var precis det han satt och tänkte på.

"Du, jag kan ta hand om det här ensam, ifall du vill. Du behöver inte sitta kvar här."

"Det går bra", sa Martin med ett ansträngt leende, men genom hela minnesstunden höll han blicken riktad rakt fram.

Det blev en stämningsfull ceremoni, och när den sista psalmen klingade ut hoppades Gösta att den hade varit till tröst för familjen. Långt fram på första bänken reste sig Victorias föräldrar mödosamt, och Helena stödde sig mot Markus. De gick ut i mittgången och alla andra följde sakta efter.

Utanför kyrkan samlades släkt och vänner i små grupper. Det var en bitande kall dag men vacker, och det gnistrande solskenet reflekterades av snön. Dämpade, rödgråtna och frusna stod alla där och talade om saknaden efter Victoria och det ofattbara som hänt henne. Gösta såg också rädslan i de unga flickornas ansikten. Stod de på tur nu? Fanns den som rövat bort Victoria kvar i trakten? Han bestämde sig för att avvakta en stund med att prata med dem, tills de bröt upp och började ge sig av hemåt.

Med tom blick gick Markus och Helena runt och bytte några ord med alla. Ricky däremot stod lite avsides för sig själv. Han stirrade på sina skor och svarade knappt på tilltal när någon närmade sig. Några av Victorias kompisar ställde sig i en klunga runt honom, men de verkade mest få ur honom enstaviga svar och hummanden och till slut lät de honom vara.

Plötsligt tittade Ricky upp och mötte Göstas blick. Han såg ut att tveka, men sedan kom han fram till dem.

"Jag måste få prata med dig", sa han med låg röst. "Någonstans där ingen kan höra."

"Visst", sa Gösta. "Är det okej om min kollega Martin följer med?"

Ricky nickade och gick före dem till ett avläget hörn av kyrkogården.

"Det är något jag måste berätta", sa han och sparkade med kängan i marken. Snön var pudrigt lätt och yrde upp omkring dem, för att sedan sakta singla ner som glitter. "Något som jag antagligen borde ha berättat för längesedan."

Gösta och Martin utbytte undrande blickar.

"Victoria och jag hade aldrig haft några hemligheter för varandra. Aldrig någonsin. Det är svårt att förklara, men vi hade alltid hållit ihop och plötsligt kände jag att hon dolde något för mig. Hon började dra sig undan också, och då blev jag orolig. Jag försökte prata med henne, men hon undvek mig bara mer och mer. Sedan … sedan förstod jag vad det berodde på."

"Vad?" sa Gösta.

"Hon och Jonas." Ricky svalde. Han hade tårar i ögonen och det såg ut som om det gjorde fysiskt ont i honom att uttala orden.

"Vad var det med Victoria och Jonas?"

"De var tillsammans", sa Ricky.

"Är du säker?"

"Nej, säker är jag inte, men allt tydde på det. Och i går träffade jag Victorias bästis Tyra som berättade att hon också hade misstänkt något."

"Okej, men varför tror du i så fall att hon inte berättade om Jonas för dig?"

"Jag vet inte. Eller jo, det vet jag. Jag tror att hon skämdes. Hon visste nog att jag skulle tycka att det var fel, men hon hade inte behövt skämmas inför mig. Ingenting hon gjorde skulle ha förändrat min bild av henne."

"Hur länge tror du att det hade pågått?" frågade Martin.

Ricky skakade på huvudet. Han hade ingen mössa, och öronen var röda i kylan.

"Ingen aning, men det var någon gång före sommaren som jag började märka att hon var lite … annorlunda."

"På vilket sätt var hon annorlunda?" Gösta vickade lite på tårna. De hade börjat domna bort.

Ricky tänkte efter. "Det var något hemlighetsfullt med henne som jag aldrig hade upplevt tidigare. Hon kunde vara borta ett par timmar och om jag frågade var hon hade varit, sa hon att jag inte hade med det att göra. Det hade hon aldrig gjort förut. Sedan var hon både glad och ... jag vet inte hur jag ska beskriva det, men glad och deprimerad samtidigt. Hennes humör pendlade upp och ner och kunde ändras hur snabbt som helst. Jag tänkte att det kanske berodde på att hon var tonåring, men det var något mer." Han lät så snusförnuftig när han sa det att Gösta fick påminna sig om att Ricky bara var arton år.

"Och du misstänkte aldrig att hon hade ett förhållande med någon?" frågade Martin.

"Jo, det gjorde jag ju. Men jag tänkte inte ens tanken att det skulle vara med Jonas. Herregud, han är ju ... jättegammal! Och gift!"

Gösta kunde inte låta bli att dra på munnen. Om Jonas, som var i fyrtioårsåldern, ansågs jättegammal måste han själv vara en mumie i Rickys ögon.

Ricky torkade bort en tår som irrat sig ner på kinden.

"Jag blev så förbannad när jag fick reda på det att det kändes som om det brann i huvudet på mig. Det är ju typ ... pedofili."

Gösta skakade på huvudet. "Jag håller i princip med dig, men den lagliga gränsen går vid femton år. Hur man ska se på det moraliskt är en annan femma." Han gjorde en paus och försökte skapa någon sorts reda i Rickys berättelse. "Berätta nu hur du kom på att de hade ett förhållande."

"Jag anade som sagt att Victoria var tillsammans med någon som varken jag eller mina föräldrar skulle gilla." Ricky tvekade lite. "Men jag visste inte med vem och hon vägrade att berätta när jag frågade. Det var så olikt henne, vi delade ju allt! Sedan en dag kom jag till ridskolan för att hämta henne, och då fick jag se dem stå och gräla. Jag hörde inte vad de sa, men jag förstod direkt. Jag sprang fram till dem och skrek åt henne att jag äntligen fattade allt och att jag tyckte att det var äckligt, men hon skrek tillbaka att jag inte fattade någonting och var en idiot. Sedan rusade hon iväg. Jonas stod bara där som ett fån, och jag var så arg att jag skällde ut honom."

"Hörde någon annan er?"

"Nej, jag tror inte det. De äldre tjejerna hade ridit ut med de yngre, och Marta hade lektion med Molly i paddocken."

"Men Jonas erkände ingenting?" Gösta kände hur ilskan fyllde även honom.

"Nej, inte ett dugg. Han försökte bara lugna ner mig och fortsatte att hävda att det inte var sant, att han aldrig hade rört vid Victoria, att det bara var inbillning från min sida. Massa skitsnack. Och sedan ringde hans telefon och han var tvungen att dra iväg. Men det var säkert bara en dålig ursäkt för att han inte ville prata om det mer."

"Du trodde honom alltså inte?" Göstas tår var nu helt bortdomnade. I ögonvrån såg han att Markus tittade mot dem och säkert undrade vad de pratade med hans son om.

"Verkligen inte!" Ricky spottade fram orden. "Han var helt lugn, men jag såg ju på sättet de grälade att det var något personligt. Och Victorias svar bekräftade ju det."

"Men varför berättade du inte det här för oss?" frågade Martin.

"Jag vet inte, allt blev som ett enda kaos. Victoria kom aldrig hem den kvällen och när vi förstod att hon försvunnit på väg från stallet ringde vi polisen. Det värsta var att jag visste att det var mitt fel! Om jag inte hade skrikit åt henne och börjat bråka med Jonas, om jag hade skjutsat henne hem som det var tänkt, hade hon säkert inte blivit upplockad av någon jävla psykopat. Sedan ville jag inte att mamma och pappa skulle få veta något om förhållandet med Jonas. Att de förutom all oro skulle plågas av en massa skandalskriverier. Särskilt inte eftersom jag intalade mig att Victoria skulle komma hem. Och när jag inte berättade det här med en gång, blev det liksom omöjligt att göra det senare. Jag har haft så himla dåligt samvete och ..." Tårarna forsade fram nu, och Gösta tog instinktivt ett steg fram och lade armarna om Ricky.

"Hyssj ... såja, det är inte ditt fel, tänk inte så. Och ingen anklagar dig. Du ville skydda din familj, vi förstår det. Det är inte ditt fel", upprepade han, och till slut kände han att Rickys spända kropp började slappna av och gråten stillnade.

Ricky tittade upp på honom.

"Det fanns någon mer som visste", sa han tyst.

"Vem då?"

"Jag vet inte. Men jag hittade konstiga brev i Victorias rum. En massa svammel om Gud och syndare och att brinna i helvetet."

"Finns breven kvar?" frågade Gösta och bävade för svaret.

Ricky skakade på huvudet.

"Nej, jag slängde dem. Jag … jag tyckte att de var så vidriga, och jag var rädd att mamma och pappa skulle hitta dem. De skulle bli så ledsna. Så jag gjorde mig av med dem. Var det dumt?"

Gösta klappade honom på axeln. "Gjort är gjort. Men var hittade du dem? Och kan du försöka minnas lite mer exakt vad som stod i breven?"

"Jag gick igenom allt i hennes rum när hon försvann. Innan ni hann göra det. Jag tänkte att det kanske kunde finnas något som avslöjade henne och Jonas. Breven låg längst in i en av hennes skrivbordslådor. Jag minns inte riktigt vad det stod. Bara att det lät som citat ur Bibeln. Det stod saker om 'syndare' och 'skökor' och sådant."

"Och du antog att det rörde sig om Victorias relation med Jonas?" sa Martin.

"Ja, det verkade troligast. Att det var någon som kände till det och … ville skrämmas."

"Och du har alltså ingen aning om vem det skulle kunna vara?"

"Nej, tyvärr inte."

"Okej, då får vi tacka för att du berättade det här för oss. Det var bra gjort av dig", sa Gösta. "Gå till dina föräldrar nu, de undrar säkert vad vi står här och pratar om."

Ricky svarade inte. Han böjde bara på huvudet och gick med tunga steg tillbaka mot kyrkan.

När Patrik kom hem hade det redan varit mörkt i flera timmar. Så snart han klev innanför dörren kände han dofterna från köket. Det luktade som om Erica hade gjort något extra gott till lördagsmiddag, och han gissade på hennes fläskfilégryta med ädelost och klyftpotatis, en av hans favoriträtter. Han gick in till henne.

"Jag hoppas att du är hungrig", sa hon och lade armarna om honom.

De stod så en lång stund och sedan gick han fram till spisen och lyfte på locket till den turkosa Le Creuset-grytan som hon bara använde vid speciella tillfällen. Mycket riktigt. Skivor av fläskfilé låg och puttrade i en härligt gräddig sås, och i ugnen höll potatisklyftorna på att bli krispigt gyllenbruna. En sallad stod färdig i en stor skål, och han noterade att även den var en lyxvariant, med bladspenat, tomat, parmesanost och pinjenötter, samt örtagårdsdressingen som han älskade.

"Jag är fullkomligt utsvulten", sa han, och det stämde. Magen vred sig i kramper, och han insåg att han inte hade ätit något på hela dagen.

"Barnen då?"

Han nickade mot bordet som var dukat för två, med finporslinet och tända ljus. En flaska Amarone stod och luftades, och han insåg att det efter några hemska arbetsdagar kunde bli en riktigt lyckad lördagskväll.

"De har redan ätit och sitter och tittar på *Bilar*. Jag tänkte att vi skulle äta middag i lugn och ro för en gångs skull. Om du inte absolut vill att de ska sitta med förstås", sa Erica och blinkade.

"Nej, nej, vi håller ungarna så långt borta från köket som vi kan, tycker jag. Hot, mutor, det spelar ingen roll, i kväll vill jag äta middag med min vackra fru."

Han böjde sig fram och kysste henne på munnen.

"Jag går bara in och säger hej till barnen, så är jag strax tillbaka. Du får sätta mig i arbete om det är något du behöver hjälp med."

"Allt är under kontroll." Erica rörde i grytan. "Gå in och pussa på dem du, så sätter vi oss och äter sedan."

Leende gick han ut i vardagsrummet. Det var helt nedsläckt och i ljuset från tv:n följde barnen som hypnotiserade Blixten McQueens framfart runt banan.

"Kolla Blixten är snabb", sa Noel. Han höll ett hårt tag om snuttefilten som alltid var med vid mys i soffan.

"Fast inte lika snabb som pappa!" ropade Patrik, kastade sig fram och kittlade barnen så att de tjöt.

"Sluuuta, sluuuta!" skrek de i kör, fast deras kroppsspråk och ansiktsuttryck snarare signalerade "mera, mera".

Han fortsatte att brottas med dem en stund till, kände den intensiva energi som aldrig verkade ta slut, deras varma andedräkter mot sin kind. Skratten och skriken steg mot taket och där och då släppte han allt annat. Det enda som fanns var barnen, deras nu och hans nu. Sedan hörde han en försynt harkling.

"Älskling, maten…"

Patrik hejdade sig. "Okej, ungar. Pappa måste gå och mysa lite med mamma nu. Gosa ner er i soffan igen, så kommer vi och lägger er sedan."

Efter att ha stoppat om dem med filtarna följde han efter Erica till köket där allt stod framställt på bordet och vinet var serverat.

"Vad fint du har fixat." Han började lägga för sig på tallriken och höjde sedan sitt vinglas mot Erica.

"Skål, min älskling."

"Skål", sa hon, och de tog några klunkar under tystnad. Han blundade och njöt av smaken.

De småpratade en stund och han berättade lite om det som hänt i utredningen under dagen, att grannarna inte hade observerat någon som bevakade familjen Hallbergs hus och att Gösta och Martin efter minnesstunden inte hade lyckats få ur stalltjejerna något intressant om inbrottet på Jonas mottagning men däremot fått reda på något som var betydligt mer intressant.

"Du får lova att inte berätta för någon", sa han. "Inte ens för Anna."

"Visst, jag lovar."

"Okej, enligt Victorias bror Ricky hade hon ett förhållande med Jonas Persson."

"Du skämtar…", sa Erica.

"Jag vet, det låter konstigt. Han och Marta har ju framstått som det perfekta paret. Tydligen nekar han, men om det stämmer så måste vi fundera på om det kan ha med hennes försvinnande att göra."

"Ricky kanske hade missuppfattat saken. Det kan ju vara någon annan som hon hade ett förhållande med, någon som hon var på väg till när hon försvann. Kanske samma person som förde bort henne?"

Patrik satt tyst och begrundade det hon sagt. Kunde Erica ha rätt?

Efter en stund märkte han att det var något mer Erica ville prata om.

"Jag skulle vilja diskutera en sak med dig", sa hon. "Det är långsökt och fortfarande väldigt vagt, och jag vet inte om jag är helt ute och cyklar, men du måste höra på i alla fall."

"Jag hör på", sa Patrik och lade ner besticken. Ericas enträgna tonfall hade väckt hans nyfikenhet.

Hon började redogöra för sitt arbete med boken, om sina samtal med Laila, om besöket i huset och den research hon gjort. Medan hon pratade insåg Patrik hur dålig han hade varit på att intressera sig för hennes nya projekt. Hans enda ursäkt var att Victorias försvinnande krävt så mycket av honom att han inte riktigt orkat.

När hon kom till asken med urklippen spetsade han öronen men tyckte fortfarande inte att det var särskilt anmärkningsvärt. Det var inte ovanligt att folk fastnade för vissa fall och samlade information som hade med det att göra. Men sedan fortsatte Erica med att berätta om dagens andra utflykt, till Wilhelm Mosander på Bohusläningen.

"Wilhelm bevakade fallet då, och han har försökt komma i kontakt med Laila genom åren. Det är han inte ensam om, och jag vet ju att det var en stor sak att hon plötsligt svarade ja när jag frågade. Men det var nog ingen slump." Erica gjorde en paus och tog en klunk vin.

"Vad menar du, vad var inte någon slump?" sa Patrik.

Hans hustru fäste blicken på honom.

"Att Laila gick med på att träffa mig samma dag som det för första gången stod om Victorias försvinnande i tidningen."

I samma ögonblick ringde Patriks mobil, och med en polis instinkt kände han att det var ett samtal som inte skulle föra något gott med sig.

Einar satt ensam i mörkret. Några få ljus lyste upp gårdsplanen och byggnaderna utanför fönstret. En bit bort hörde han en enstaka gnäggning från hästarna i stallet. De var oroliga i kväll. Einar log. Han hade alltid trivts bäst när saker och ting inte var i harmoni. Det hade han ärvt av sin far.

Ibland kunde han tänka på honom med saknad. Fadern hade inte varit någon vänlig man, men de hade förstått varandra, liksom han och Jonas gjorde det. Helga däremot skulle alltid stå utanför deras gemenskap, dum och naiv som hon var.

Kvinnor var enfaldiga varelser, det hade han alltid tyckt, men han måste erkänna att Marta var annorlunda. Med åren hade han till och med kommit att beundra henne. Hon var något helt annat än den där förskrämda musen Terese, som hade darrat bara han tittade på henne. Han hade avskytt henne, men ett tag hade det till och med varit tal om förlovning. Helga hade förstås älskat Terese. Det var precis en sådan flicka som hon hade velat ta under sina vingars skugga, och hon hade väl tänkt sig att tjattra med henne på fruntimmersvis medan hon delade med sig av sina husmorstips och snöt en massa snoriga barnbarn.

Tack och lov hade det inte blivit så. En dag hade Terese varit borta och i stället hade Jonas kommit hem med Marta. Han hade förklarat att hon skulle bo hos dem, att de skulle vara tillsammans för alltid, och Einar hade trott honom. Han och Marta hade utbytt en blick och direkt vetat var de hade varandra. Med en kort nick hade han gett sitt godkännande. Helga hade gråtit tyst i kudden flera nätter men förstått att det inte var lönt att säga något, att det redan var avgjort.

Han hade aldrig talat med Helga om deras skilda åsikter om Marta. De talade inte med varandra på det sättet. En kort tid, när han uppvaktade henne före bröllopet, hade han visserligen ansträngt sig och småpratat om livet så som han visste att det förväntades av honom. Men det slutade han med så snart bröllopsnatten var över och han tagit henne med våld så som han sett fram emot att göra. Det fanns ingen anledning att fortsätta det löjliga spelet.

Han kände hur det började bli blött i skrevet där han satt i rullstolen. Han tittade ner. Jo, stomipåsen som han lossat en stund tidigare hade läckt rejält. Belåtet fyllde han lungorna med luft:

"Helgaaaaa!"

Uddevalla 1973

Laila hade aldrig trott på ondska, men nu gjorde hon det. Hon såg den i ögonen varje dag, och den stirrade tillbaka på henne. Hon var rädd och ända in i märgen trött. Hur sover man med ondska i huset? Hur kan man vila ens för en sekund? Den satt i väggarna, den bebodde varje vrå, varje litet skrymsle.

Hon hade själv släppt in den, till och med skapat den. Hon hade närt den, gött den, låtit den växa tills den inte längre kunde kontrolleras.

Hon betraktade sina händer. Rivmärkena löpte som röda blixtar över handryggen, och lillfingret på höger hand pekade i en märklig vinkel. Hon skulle bli tvungen att gå till läkarmottagningen igen och än en gång möta de misstänksamma blickarna, få frågorna som hon inte kunde svara på. För hur skulle hon kunna berätta sanningen? Hur skulle hon kunna dela med sig av skräcken hon kände? Det skulle inte finnas ord som räckte till. Det skulle inte hjälpa.

Hon fick fortsätta att tiga och ljuga, trots att hon såg på deras miner att de inte trodde henne.

Det värkte och bultade i fingret. Hon skulle få svårt att ta hand om Peter och sköta sina sysslor, men hon hade lärt sig mycket om sin egen styrka. Hur mycket hon tålde, hur mycket rädsla och skräck hon kunde leva med, hur nära hon kunde vara ondskan utan att rygga tillbaka. På något sätt skulle det gå.

Terese hade ringt till alla hon kunde komma på. Till Lasses få släktingar, de flesta av dem avlägsna. Till hans gamla fyllepolare, nyare vänner, till gamla arbetskamrater, till de församlingsmedlemmar som hon visste namnet på.

Det dåliga samvetet gjorde henne illamående. I går hade hon stått där i köket, bakat bullar och känt något som liknade glädje över att hon beslutat sig för att bryta upp och lämna honom. Hon hade inte börjat oroa sig förrän vid halv åtta på kvällen, när han inte kommit hem till middagen och inte svarade i telefonen. Han kom och gick som han ville och vanligtvis var han hos församlingen när han inte var hemma. Men inte den här gången. De hade inte sett till honom i kyrkan på hela dagen, vilket fått henne att bli riktigt orolig. Han hade egentligen ingen annanstans att ta vägen.

Bilen var också borta. Hon hade lånat grannens bil och kört runt och letat halva natten, trots att polisen hade sagt åt henne att de skulle ta hand om det nästa dag. Lasse var trots allt en vuxen man som kanske hade gett sig av frivilligt. Men hon kunde inte bara sitta hemma och oroa sig. Medan Tyra passade pojkarna sökte hon i hela Fjällbacka, och hon hade till och med åkt till Kville, där församlingen låg. Ingenstans såg hon deras röda Volvo kombi. Hon var tacksam för att polisen ändå hade tagit henne på allvar när hon ringde. Kanske hade de hört den enträgna paniken i hennes röst. Till och med under de perioder då Lasse supit som värst hade han alltid kommit hem på kvällen. Och nu hade han inte druckit en droppe på så länge.

Polismannen som hade kommit hit och pratat med henne hade naturligtvis frågat om spriten. Det här var ett litet samhälle och han kände till Lasses förflutna. Med eftertryck hade hon intygat att Lasse inte hade börjat supa igen, men om hon tänkte efter hade något varit annorlunda de senaste månaderna. Det var inte bara den maniska religiositeten, det hade tillkommit något annat också. Emellanåt hade hon kommit på honom med att le belåtet för sig själv, som om han ruvade på en fantastisk hemlighet, något som han inte ville att hon skulle få reda på.

Hon visste inte hur hon skulle kunna förklara någonting så vagt för polisen, hon förstod själv hur vansinnigt det lät. Ändå var hon plötsligt säker på sin sak: Lasse hade haft en hemlighet. Och det Terese var allra mest rädd för där hon satt i köket, medan morgonljuset sakta motade undan mörkret, var att denna hemlighet hade fört in Lasse på helt fel väg.

Marta styrde Valiant in på skogsstigen. En flock fåglar flög förskrämt upp när hon red förbi, och Valiant reagerade med att nervigt börja trava. Hon kände att han ville sträcka ut, men hon höll in honom och de fortsatte skritta framåt i den stilla morgonen. Trots att det var kallt frös hon inte. Hon värmdes av hästens kropp och hon visste också hur hon skulle klä sig, i lager på lager. Med rätt kläder kunde hon vara ute och rida i flera timmar, även på vintern.

Mollys träning hade gått bra i går. Dottern utvecklades ständigt som ryttare, och Marta var faktiskt en aning stolt över henne. Annars var det mest Jonas som skröt över Molly, men kanske var det så tydligt var talangen kom ifrån att det blev som en spegling av henne själv.

Hon manade på Valiant och njöt av känslan när hästen började röra sig snabbare. Hon kände sig aldrig så fri som på hästryggen. Det var som om hon i övrigt spelade en roll och först i samspelet med hästen blev sitt sanna jag.

Victorias död hade förändrat allt. Hon märkte det på stämningen i stallet, hon kände det hemma och även hos Einar och Helga. Flickorna var dämpade och rädda. Flera av dem hade kommit direkt till stallet i går efter minnesstunden. Hon och Jonas hade gett ett par av dem skjuts. De hade suttit tysta i baksätet, inte pratat, inte skrattat, inte stojat så som de alltid brukade göra. Och rivaliteten mellan dem hade märkligt nog hårdnat. De kivades om hästarna, kämpade för att få hennes uppmärksamhet, och de blängde avundsjukt på Molly, som de visste hade en ställning som aldrig skulle kunna hotas.

Det var ett fascinerande skådespel. Ibland kunde hon inte låta bli att underblåsa det. Hon lät någon rida en av favorithästarna för många gånger i följd, hon ägnade någon annan extra tid ett par lektioner medan hon ignorerade en tredje. Det fungerade alltid. Genast tätnade intrigerna och missnöjet började sjuda. Hon såg blickarna, grupperingarna, vilket roade henne. Det var så lätt att spela på deras osäkerhet, så lätt att förutse deras reaktioner.

Hon hade alltid haft den förmågan och kanske var det därför hon hade tyckt att det var så svårt när dottern var liten. Små barn var oberäkneliga. Det gick inte att få dem att rätta sig efter henne på samma sätt. I stället hade hon varit tvungen att rätta sig efter Mollys behov, efter när hon ville sova och äta, eller plötsligt bara var allmänt missnöjd utan någon vettig förklaring. Om Marta var ärlig tyckte hon inte att det var så farligt längre att vara mamma. Allteftersom Molly blivit större hade det blivit lättare att hantera henne, att förutspå hennes reaktioner och handlingar. Och i och med att hon upptäckt hennes ryttarbegåvning hade hon börjat känna en helt annan närhet till henne. Som om de faktiskt hörde ihop och Molly inte bara var ett främmande väsen som hyst in sig i hennes kropp.

Valiant sträckte ut ordentligt nu och galopperade snabbt och lyckligt. Hon kände till vägen så väl att hon vågade låta honom springa så fort han ville. En och annan gren tvingade henne att ducka, och ibland föll snösjok ner på dem när de dundrade förbi. Snön yrde kring hovarna, och det var som att fara fram på moln. Hon andades hårt och kände hur hela hennes kropp arbetade. Människor som inte red trodde att man bara lojt satt och åkte med på hästryggen. De förstod inte att varje muskel var aktiv. Efter en rejäl ridtur brukade hon vara underbart mör i kroppen.

Jonas hade fått rusa iväg på ett akut ärende tidigt i morse. Han hade alltid på telefonen, dygnet runt, och strax före fem hade det ringt från en av de närbelägna gårdarna. En ko var illa däran, och inom några minuter var Jonas påklädd och satt i bilen. Hon hade vaknat av ringsignalen och legat tyst i mörkret och iakttagit hans ryggtavla när han klädde på sig. Efter alla år tillsammans var den så välbekant, ändå kändes den främmande. Det var inte alltid lätt att leva tillsammans. De hade sina duster och det fanns stunder då hon ville skrika och slå honom i frustration. Men vissheten om att de hörde ihop fanns ändå alltid där.

Ett tag hade hon varit rädd. Hon erkände det aldrig annars, ville inte ens tänka på det, men på hästryggen, när friheten fick kroppen och sinnena att slappna av, kom tankarna fram. De hade varit nära att förlora allt: varandra, sin tillvaro, den lojalitet och närhet som de känt redan första gången de såg varandra.

Det fanns ett mått av vansinne i deras kärlek. Den var sotad i kanterna av elden som ständigt brann och de visste hur de skulle hålla den vid liv. De hade utforskat sin kärlek på alla sätt som fanns, testat gränserna för att se om den höll. Och det hade den gjort. Bara en gång hade det varit nära att den brustit, men i sista stund hade allt ordnat sig och återgått till att vara som det skulle. Faran var över och hon hade valt att tänka så lite som möjligt på det. Det var bäst så.

Marta drev på Valiant ytterligare och nära ljudlöst for de fram genom skogen. Mot ingenting, mot allt.

Patrik slog sig ner vid köksbordet och tog tacksamt emot en kopp kaffe som Erica räckte honom. Deras romantiska middag i går hade fått ett snöpligt slut när Terese Hansson ringde och var orolig för sin man Lasse. Han hade gått dit och pratat med henne och när han kom hem hade Erica hade röjt undan och nu syntes inte ett spår av middagen. Hon hade städat köket så att det blänkte, säkert på ren trots eftersom Kristina och Gunnar skulle komma på söndagsfika.

Han sneglade på tavlan som stod lutad mot väggen. Den hade stått där i ett år utan att bli upphängd, och om han inte åtgärdade det skulle säkert Byggare Bob snabbt vara där med hammaren. Patrik visste att det var barnsligt, men han kände sig inte helt tillfreds med att en annan man fixade saker i hans hem. Det borde han göra själv, eller åtminstone betala någon som gjorde det, skyndade han sig att tillägga eftersom han trots allt var medveten om sina hantverksmässiga begränsningar.

"Strunt i tavlan", sa Erica leende efter att ha följt hans blick. "Jag kan ställa undan den innan de kommer om du inte vill riskera att få den upphängd."

För ett ögonblick övervägde Patrik förslaget, men kände sig sedan dum.

"Nej, låt den stå. Jag har ju haft ett bra tag på mig att få upp den utan att lyckas, precis som det finns en massa annat här som jag borde ha gjort. Så jag får väl skylla mig själv och vara tacksam för hjälpen."

"Det är inte bara du som hade kunnat hänga upp den där tavlan och fixa allt det andra. Jag kan också hantera en hammare. Men vi har prioriterat annat. Jobb, tid med barnen och även varandra, vågar jag påstå. Vad spelar en ouppsatt tavla för roll då?" Hon satte sig i hans knä och lade armarna om honom. Han blundade och njöt av hennes lukt, som han aldrig tröttnade på. Vardagen hade självklart gjort sitt för att ta död på den stormande förälskelsen, men den hade i hans tycke ersatts av något bättre. En lugn och stadig men stark kärlek, och det fanns faktiskt stunder då han tände lika mycket på sin fru som under den första passionerade tiden. Det var bara lite längre mellan tillfällena nu, vilket väl var naturens sätt att se till att mänskligheten fick något gjort och inte tillbringade hela dagarna i sängen.

"Jag hade lite planer i går ...", sa Erica och nafsade honom lätt i underläppen. Trots att Patrik var in i döden trött efter de senaste dagarnas arbete och en natt då han haft svårt att komma till ro, kände han hur en del av honom piggnade till.

"Mmm, jag med ...", sa han.

"Vad gör ni?" hördes en stämma från dörröppningen och de ryckte skuldmedvetna till. Med småbarn i huset fick man tydligen aldrig hångla i fred.

"Vi pussas bara lite", sa Erica och reste sig.

"Blä, vad äckligt", sa Maja och sprang tillbaka ut i vardagsrummet.

Erica hällde upp en kopp kaffe till sig själv. "Det kommer hon inte att tycka om tio år."

"Usch, prata inte om det." Patrik rös. Om han hade kunnat skulle han stoppa tiden och se till att Maja aldrig någonsin blev tonåring.

"Vad ska ni göra nu då?" sa Erica. Hon lutade sig mot köksbänken och smuttade på sitt kaffe. Patrik tog ett par klunkar innan han svarade. Koffeinet hade marginell inverkan på hans trötthet.

"Jag pratade med Terese alldeles nyss och Lasse har fortfarande inte dykt upp. Hon har varit ute och letat halva natten, och nu måste vi nog hjälpa henne."

"Ingen teori om vad som kan ha hänt?

"Nej, inte direkt. Men nu sa Terese att det hade varit något märkligt med Lasse de senaste månaderna, något annorlunda som hon inte riktigt kunde sätta fingret på."

"Hade hon ingen aning? De flesta brukar väl ändå känna på sig om partnern har något på gång. En älskarinna, spelmissbruk?"

Han skakade på huvudet. "Nej, men vi ska fråga runt i bekantskapskretsen i dag, och jag har också bett Malte på banken att få ut kontoutdrag så att vi kan se om Lasse har gjort några särskilda uttag eller köpt något som kan förklara vart han har tagit vägen. Malte skulle kila över till banken och fixa det nu snart." Han kollade på klockan. Den närmade sig nio, och ljuset började äntligen krypa upp vid horisonten. Han avskydde vintern med dess evighetslånga nätter.

"En av fördelarna med att bo i en småstad. Att bankchefen kan 'kila över'."

"Ja, tack och lov underlättar det processen. Och jag hoppas att det kan ge någon ledtråd. Enligt Terese var det Lasse som höll i deras ekonomi."

"Ni kollar väl om han har betalat något med kort eller tagit ut i bankomat också sedan han försvann? Han kanske bara ledsnade och drog. Tog första bästa plan till Ibiza. Ja, ni borde även kolla flygen. Det vore inte första gången som en arbetslös småbarnsfarsa flyr från vardagen."

"Ja, tanken har slagit mig många gånger, även om jag inte är arbetslös", flinade Patrik och belönades med en lätt smäll på axeln.

"Du skulle bara våga! Dra till Magaluf och dricka shots med småbrudar."

"Jag hade nog somnat efter första drinken. Och ringt deras föräldrar och sagt åt dem att komma och hämta sina döttrar."

Erica skrattade. "Du har en poäng. Men kolla flygavgångarna ändå, man vet aldrig. Alla är ju inte så trötta och moraliska som du."

"Jag har redan bett Gösta göra det. Och Malte ska ta fram uppgifter om kortbetalningar och bankomatuttag också. Plus att vi naturligtvis ska kolla upp hans mobiltrafik så snart som möjligt. Så jag har koll på läget, tack." Han blinkade. "Vad har du för planer i dag då?"

"Kristina och Gunnar kommer ju hit senare. Och om du inte har något emot det tänkte jag låta dem passa ungarna en stund medan jag jobbar lite. Jag känner verkligen att jag vill komma vidare, annars kommer jag aldrig att förstå varför Laila intresserat sig för försvinnandena. Om jag hittar en koppling där kanske det kan leda till att hon äntligen berättar vad som hände när Vladek mördades. Jag har hela tiden känt att hon vill berätta något, men att hon inte vet hur eller inte riktigt vågar."

Morgonljuset sken nu in genom fönstret och lyste upp hela köket. Det fick Ericas blonda hår att skimra, och det slog åter Patrik hur fruktansvärt kär han var i sin fru. Inte minst i sådana här ögonblick, när hon strålade av entusiasm och passion för sitt jobb.

"Att bilen är borta tyder väl förresten på att Lasse inte är kvar i trakten", sa Erica och bytte plötsligt samtalsämne.

"Kanske. Terese har ju varit ute och letat, men det finns många ställen kvar där han kan ha ställt bilen. Små skogsvägar till exempel, och om den står inne i ett garage någonstans är den ju svår att hitta. Förhoppningsvis kan vi få hjälp av allmänheten och då kan det gå lättare att hitta den, om den nu finns kvar i omgivningen."

"Vad är det för bil?"

Patrik reste sig efter att ha druckit upp sista slurken kaffe. "En röd Volvo kombi."

"Du menar en sådan som står där", sa Erica och pekade mot den stora parkeringen vid vattnet utanför deras hus.

Patrik tittade i den riktning som hennes finger pekade. Han gapade. Där stod den, Lasses bil.

Gösta lade på luren. Malte hade ringt och meddelat att bankpapperen var på väg till stationens fax, så han reste sig för att gå och hämta dem. Han tyckte fortfarande att det var märkligt att någon kunde mata in ett papper i en maskin och att till synes samma papper sedan på något magiskt sätt kom ut i en annan maskin någon annanstans.

Han gäspade stort. Han skulle gärna ha haft sovmorgon eller till och med en ledig söndag, men som det var just nu fanns det ingen tid för sådant. Papperen matades sakta ut, och när det verkade som om allt kommit samlade han ihop dem och gick till köket. Det var trevligare att sitta där än inne på rummet.

"Vill du ha hjälp?" frågade Annika som redan satt där inne.

"Tack, det vore snällt." Han delade bunten i två högar och gav henne den ena.

"Vad sa Malte om kortanvändningen?"

"Jo, Lasse har inte använt kortet sedan i förrgår, och inga bankomat-uttag har gjorts heller."

"Okej. Jag har skickat ut en förfrågan till flygbolagen, som du bad mig. Men det verkar kanske otroligt att han åkt utomlands utan att betala med kortet, om det inte är så att han samlat kontanter och bara använder sig av det."

Gösta började bläddra i sin bunt som låg på bordet. "Ja, det kan vi ju försöka se på kontoutdragen, ifall det gjorts några större kontantuttag den senaste tiden."

"Det verkar i och för sig inte som om de har haft sådana marginaler", påpekade Annika.

"Nej, Lasse är ju arbetslös och jag kan inte tänka mig att Terese tjänar särskilt bra. De bör snarare ha det ganska knapert. Eller inte ...", sa han häpet när han såg siffrorna framför sig.

"Vadå?" Annika böjde sig fram för att se vad Gösta menade. Han vred på papperet och pekade på saldoraden längst ner.

"Oj", sa hon häpet.

"Det finns femtio tusen på det här kontot. Hur sjutton kan de ha så pass mycket pengar?" Han ögnade snabbt igenom posterna på konto-utdraget. "Det finns en hel del insättningar. Kontantinsättningar som det verkar. Fem tusen kronor i taget, en gång i månaden."

"Det bör väl ha varit Lasse som gjorde insättningarna eftersom han hade hand om ekonomin."

"Ja, troligtvis. Men vi får höra med Terese."

"Var kan han ha fått de här pengarna ifrån? Spel?"

Gösta trummade med fingrarna mot bordet. "Jag har inte hört något om att han skulle spela, så det tror jag inte. Vi får kolla hans dator, ifall han kan ha spelat online, men då borde det ju vara insättningar från något spelbolag. Det kan ju vara betalning för något jobb han gjort, något ljusskyggt som han inte kunde berätta om för Terese."

"Låter inte det långsökt?" Annika rynkade pannan.

"Inte med tanke på att han nu är försvunnen. Och att Terese säger att han kanske har dolt något för henne de senaste månaderna."

"Det kommer inte att bli lätt att ta reda på vad det är för jobb i så fall. Pengarna kan ju inte spåras."

"Nej, inte förrän vi har en misstänkt uppdragsgivare. Då kan vi granska den personens konto och se om det har gjorts uttag på motsvarande summor."

Noggrant gick Gösta igenom post för post igen, med läsglasögonen längst ut på nästippen. Men han hittade ingenting mer som avvek. Om man drog bort de kontanta insättningarna var det mycket riktigt så att familjen med nöd och näppe fick det att gå runt, och han noterade att de verkade hålla hårt i utgifterna.

"Det är ju oroväckande att han har alla de här pengarna på kontot och har försvunnit utan att ha tagit ut något", sa Annika.

"Ja, det slog mig också. Det bådar inte gott."

En mobilsignal ljöd i köket och Gösta plockade upp sin telefon. Han såg på displayen att det var Patrik och svarade snabbt.

"Hej. Va? Var? Okej, vi kommer direkt."

Han tryckte bort samtalet, reste sig och lade mobilen i fickan igen.

"Lasses bil står i Sälvik. Och det är blod vid badplatsen."

Annika nickade sakta. Hon såg inte förvånad ut.

Tyra ställde sig i dörröppningen till köket och tittade på sin mamma. Det skar i hjärtat att se hennes oroliga ansikte. Hon hade suttit som handlingsförlamad vid köksbordet ända sedan hon kom hem efter nattens sökande.

"Mamma...", sa Tyra men fick ingen reaktion. "Mamma!"

Terese tittade upp. "Ja, gumman?"

Tyra gick fram till henne, satte sig och tog hennes hand. Den kändes fortfarande kall.

"Hur är det med pojkarna?" sa Terese.

"De har det bra. De är och leker hos Arvid. Du, mamma..."

"Ja, förlåt, du ville säga något." Terese blinkade trött. Det såg ut som om hon knappt kunde hålla ögonen öppna.

"Det är en sak jag skulle vilja visa dig. Kom."

"Jaha?" Terese reste sig och följde efter Tyra ut i vardagsrummet.

"Jag upptäckte det här för ett tag sedan. Och jag har inte... jag har inte vetat om jag skulle säga något eller inte."

"Vadå?" Terese synade henne. "Har det något med Lasse att göra? För i så fall måste du berätta det med en gång."

Tyra nickade dröjande. Sedan tog hon sats.

"Lasse har ju två biblar, men han läser alltid bara i en av dem. Jag funderade på varför, den andra stod liksom bara där. Så jag kikade i den." Hon drog ut bibeln ur bokhyllan och slog upp den. "Titta."

Bibeln hade en gömma inuti. Någon hade skurit ut ett hålrum i sidorna.

"Vad är det här...?" sa Terese.

"Jag upptäckte det för några månader sedan, och jag har kollat i den då och då. Ibland har det legat pengar här, och alltid samma summa. Fem tusen kronor."

"Men jag förstår inte. Var kan Lasse ha fått så mycket pengar ifrån? Och varför gömde han dem?"

Tyra skakade på huvudet. Hon kände hur det knöt sig i magen.

"Jag vet inte, men jag borde ha sagt något. Tänk om det har hänt honom något som har med pengarna att göra. Då är det mitt fel, för om jag hade berättat för dig så kanske..." Hon kunde inte hålla tillbaka tårarna.

Terese tog henne i famnen och vyssjade henne.

"Det här är inte ditt fel, och jag förstår varför du inte sa något. Jag har känt på mig att Lasse dolt något och det handlar säkert om det här, men ingen hade kunnat förutse vad som skulle hända. Och vi vet ju inte om det verkligen har hänt något. Han kanske bara har trillat dit igen och ligger full någonstans, och då kommer polisen snart att hitta honom."

"Det där tror du väl inte ens själv på", snyftade Tyra mot sin mammas axel.

"Såja, vi vet ingenting, och det är bara dumt att ta ut något i förskott. Jag ringer polisen direkt och berättar om pengarna, så får vi se om det kan vara till hjälp på något sätt. Och ingen kommer att klandra dig. Du var lojal mot Lasse och ville inte ställa till problem för honom i onödan, och det tycker jag är fint. Okej?" Terese sköt henne ifrån sig och höll hennes ansikte i sina händer. Kinderna blossade av värme, så det var skönt med de svala händerna mot huden.

Efter att ha gett henne en kyss på pannan gick Terese iväg för att ringa. Tyra stod ensam kvar och torkade tårarna. Sedan följde hon efter sin mamma. Men hon hann inte ut i köket förrän hon hörde henne skrika.

Mellberg tittade ner i vaken där han stod längst ut på bryggan.

"Jaha, då har vi hittat honom då."

"Det kan vi inte veta säkert än", framhöll Patrik. Han stod en bit bort i väntan på att teknikerna skulle komma. Men Mellberg hade inte låtit sig hejdas.

"Lasses bil står parkerad där uppe. Och här finns blod. Klart som fan att han har dödats och dumpats i vaken. Vi lär ju inte se röken av honom förrän han flyter upp till våren." Mellberg tog ännu ett par kliv ute på bryggan och Patrik bet ihop käkarna.

"Torbjörn är på väg. Det vore bra om vi kunde låta det vara så orört som möjligt här", vädjade han.

"Det behöver du inte påpeka. Jag vet hur man rör sig på en brottsplats", sa Mellberg. "Du var väl knappt född när jag gjorde min första utredning, och du bör visa respekt för ..."

Han tog ett steg bakåt, och när han insåg att han trampade rakt ut i tomma luften förbyttes hans högdragna min i ett förvånat ansiktsuttryck. Med ett brak föll han ner i vaken och drog med sig ytterligare ett sjok is.

"Helvete!" ropade Patrik och rusade ut på bryggan.

Han var nära att gripas av panik när han insåg att det inte fanns någon livboj eller annat redskap inom räckhåll, och han övervägde att mot bättre vetande lägga sig på mage på isen och försöka dra upp Mellberg. Men precis när han skulle slänga sig ner på isen fick Mellberg tag i badstegen och hävde sig upp.

"Satan vad kallt!" Han lade sig flämtande ner på de snöiga plankorna. Patrik betraktade dystert förödelsen. Torbjörn skulle vara en mirakelman om han hittade något vettigt på den här brottsplatsen efter Mellbergs framfart.

"Kom igen, Bertil, du måste in i värmen. Vi går hem till mig", sa han och drog i Mellberg för att få upp honom på fötter. I ögonvrån såg han att Gösta och Martin var på väg ner mot badplatsen. Han föste Mellberg framför sig.

"Vad i…?" Gösta såg häpet på sin genomblöta chef som frustande hastade förbi dem och uppför den branta vägen mot parkeringen och Patriks hus.

"Säg inget", suckade Patrik. "Ta bara emot Torbjörn och hans team när de kommer. Och förvarna dem om att brottsplatsen inte är i bästa skick. De har tur om de kan säkra någonting över huvud taget."

Jonas tryckte försiktigt på ringklockan. Han hade aldrig tidigare varit hemma hos Terese och han hade varit tvungen att kolla upp adressen på nätet.

"Hej, Jonas." Tyra tittade förvånat på honom när hon öppnade dörren, men klev åt sidan och släppte in honom.

"Har du mamma hemma?"

Hon nickade och pekade inåt lägenheten. Jonas såg sig omkring. Det var städat och hemtrevligt utan några åthävor, precis som han hade trott att det skulle se ut. Han steg in i köket.

"Hej, Terese." Han såg förvåningen även i hennes ansikte. "Jag ville bara komma hit och se hur det var med dig och Tyra. Jag vet att det var längesedan vi sågs, men stalltjejerna berättade om Lasse. Att han är försvunnen."

"Inte längre." Tereses ögon var svullna av gråt och rösten entonig och sprucken.

"Har de hittat honom?"

"Nej, bara bilen. Men han är troligen död."

"Är det sant? Ska du inte ringa efter någon som kan komma hit? Jag kan göra det åt dig. En präst, eller någon vän?" Han hade hört att hennes föräldrar gått bort för ett antal år sedan, och hon hade inga syskon.

"Tack, men jag har Tyra här. Pojkarna är hos goda vänner. De vet ingenting än."

"Okej." Han stod villrådigt kvar i köket. "Vill du att jag ska gå? Ni kanske hellre vill vara i fred?"

"Nej, stanna du." Terese nickade mot kaffebryggaren. "Det finns kaffe, och mjölk i kylen. Jag har för mig att du drack med mjölk."

Jonas log. "Vilket minne du har." Han hällde upp en kopp till sig själv och fyllde på hennes. Sedan slog han sig ner mittemot henne.

"Vet polisen vad som hänt?"

"Nej. De ville inte säga så mycket på telefon heller. Bara att de har anledning att tro att Lasse är död."

"Brukar de ens lämna dödsbud per telefon?"

"Jag ringde Patrik Hedström för att… i ett annat ärende. Och jag hörde på honom att det hänt något, så han kände sig nog tvungen att berätta. Men någon från polisen skulle komma över om en stund."

"Hur tog Tyra det?"

Det dröjde innan Terese svarade.

"Hon och Lasse stod inte varandra så nära", sa hon till slut. "De åren då han söp var han ju helt frånvarande, och sedan försvann han in i något annat, som ibland kändes ännu mer främmande."

"Tror du att det som hänt honom kan ha med allt det här nya att göra? Eller med det gamla?"

Hon såg frågande på honom. "Hur menar du?"

"Ja, att det kan ha varit något bråk i församlingen som gått överstyr. Eller att han hade återvänt till sina gamla superkompisar och trasslat in sig i något olagligt? Att någon velat honom illa?"

"Nej, jag har svårt att tro att han skulle ha trillat dit igen. Vad man än kan säga om församlingen höll tron honom från spriten. Och han har inte haft ett ont ord att säga om någon där. De gav honom bara kärlek och förlåtelse, som han uttryckte det." Hon snyftade till. "Men jag hade inte förlåtit honom. Jag hade bestämt mig för att lämna honom. Och nu när han är borta saknar jag honom." Tårarna började rinna och Jonas räckte henne en servett ur ett ställ på bordet. Hon torkade sig om kinderna.

"Är du okej, mamma?" Tyra stod i dörren in till köket och tittade oroligt på henne.

Terese log krampaktigt genom tårarna. "Jadå, det är ingen fara."

"Det var kanske dumt av mig att komma hit", sa Jonas. "Jag tänkte bara att jag kanske kunde vara till hjälp."

"Det var snällt tänkt, och det var bara fint att du kom", sa Terese.

I samma ögonblick ringde det på dörren och de hoppade båda till av ljudet. Dörrklockans signal var gäll och upprepades en gång innan Tyra hann öppna. När han hörde att någon kom in i köket vände sig Jonas om och möttes av ännu en förvånad min.

"Hej, Gösta", sa han snabbt. "Jag skulle precis bege mig." Han reste sig och såg på Terese. "Säg till om det är något jag kan göra. Det är bara att du hör av dig."

Hon gav honom en uppskattande blick. "Tack."

När han gick mot dörren kände han en hand på sin arm. Med låg röst så att inte Terese skulle höra sa Gösta:

"Det är en sak som jag skulle vilja prata med dig om. Jag kommer förbi så snart jag är klar här."

Jonas nickade. Han kände hur strupen blev torr. Han tyckte inte om Göstas ton.

Erica kunde inte släppa tanken på Peter, sonen som Lailas mamma hade tagit hand om och som sedan försvunnit. Varför hade hon bara tagit hand om honom och inte hans syster? Och hade han gett sig av frivilligt efter mormoderns död?

Det fanns alldeles för många frågetecken kring Peter och det var dags att försöka räta ut åtminstone några av dem. Hon bläddrade i anteckningsblocket tills hon kom till sidorna med kontaktuppgifter till alla inblandade. Hon försökte alltid vara metodisk och samla dem på ett och samma ställe. Problemet var bara att hon ibland hade svårt att tyda sin egen handstil.

Från undervåningen hördes barnens glada skratt när de busade med Gunnar. De hade på kort tid fattat tycke för farmors kompis, som Maja kallade honom. De hade det bra och Erica kunde med gott samvete jobba en stund.

Blicken drogs mot fönstret. Hon hade sett Mellberg komma körande, bromsa in med sladdande hjul och sedan halvspringa ner mot badplatsen. Men hur mycket hon än sträckte på halsen gick det inte att se dit ner, och hon hade fått stränga förhållningsorder att hålla sig därifrån, så hon fick vackert vänta tills Patrik kom hem och berättade vad de hittat där nere.

Hon tittade i blocket igen. Intill Lailas systers namn stod ett spanskt telefonnummer nedklottrat, och Erica sträckte sig efter telefonen medan hon kisande försökte tyda vad hon hade skrivit. Var den sista siffran en sjua, eller var det en etta? Hon suckade och tänkte att hon i värsta fall fick försöka flera gånger. Hon bestämde sig för att pröva med en sjua och slog sedan numret.

En dov signal gick fram. Signalerna lät annorlunda när man ringde utomlands och hon hade alltid undrat varför.

"¡Hola!" svarade en mansröst.

"Hello. I would like to speak to Agneta. Is she home?" sa Erica. Hon hade läst franska i skolan, så hennes kunskaper i spanska var i princip obefintliga.

"May I ask who is calling?" sa mannen på oklanderlig engelska.

"My name is Erica Falck." Hon tvekade. "I'm calling about her sister."

Det blev tyst i luren en lång stund. Sedan sa rösten på svenska, med lätt brytning:

"Mitt namn är Stefan, jag är Agnetas son. Jag tror inte att mamma vill prata om Laila. De har inte haft kontakt på väldigt länge."

"Jag vet, Laila har berättat det. Men det skulle ändå vara värdefullt att få prata lite med din mamma. Du kan hälsa henne att det gäller Peter."

Tystnad igen. Hon kunde känna motviljan strömma emot henne genom telefonledningen.

"Undrar du aldrig över hur din släkt i Sverige har det?" undslapp sig Erica.

"Vilken släkt?" sa Stefan. "Det är bara Laila kvar och jag har aldrig ens träffat henne. Mamma hade redan flyttat till Spanien när jag föddes, så vi har ingen kontakt med den sidan av släkten. Och jag tror att mamma vill ha det så."

"Kan du inte fråga henne ändå, är du snäll?" Erica hörde hur vädjande hon lät.

"Okej, men räkna inte med att hon kommer att säga ja."

Stefan lade ner luren och förde ett mumlande samtal med någon. Hon tänkte att han hade pratat bra svenska. Hans brytning var mycket svag och vacker, och man kunde bara ana de läspande ljud som hon ändå visste att spanskan innehöll.

"Du kan få prata med henne i några minuter. Här kommer hon."

Erica ryckte till när hon åter hörde Stefans röst i luren. Hon var långt borta i sina lingvistiska tankegångar.

"Hallå?" sa en kvinnoröst.

Erica fann sig och presenterade sig snabbt, berättade att hon skrev en bok om systerns fall och att hon vore väldigt tacksam om hon fick ställa några frågor.

"Jag vet inte vad jag skulle kunna tillföra. Laila och jag bröt kontakten för många år sedan och jag vet ingenting om vare sig henne eller hennes familj. Jag skulle inte kunna hjälpa dig ens om jag ville det."

"Laila säger precis samma sak, men jag har några frågor om Peter som jag ändå hoppades att du skulle kunna svara på."

"Jaha, vad är det du vill veta?" sa Agneta uppgivet.

"En sak som jag undrar är varför inte er mamma tog hand om både Peter och Louise? Skulle det inte ha varit naturligare för en mormor att ta hand om båda barnen i stället för att dela på dem? Louise hamnade ju i fosterhem."

"Louise behövde … särskild omsorg. Mor kunde inte ge henne det."

"Men vad var det som var så speciellt med henne? Var det för att hon var så traumatiserad? Och misstänkte ni aldrig att Vladek behandlade sin familj illa? Din mamma bodde ju här i Fjällbacka, hon måste väl ha förstått att något inte stod rätt till?" Frågorna forsade ur Erica och först hörde hon bara tystnad i andra änden.

"Jag vill verkligen inte prata om det här. Det är så längesedan. Det var en mörk tid och jag vill helst bara glömma den." Agnetas röst ljöd svag och bruten genom telefonledningen. "Vår mor gjorde allt hon kunde för att skydda Peter, det är allt jag kan säga."

"Och Louise? Varför skyddade hon inte henne?"

"Vladek hade hand om Louise."

"Var det för att hon var flicka som hon råkade värst ut? Var det därför hon bara kallades Flicka? Hatade Vladek kvinnor men behandlade sin son bättre? Laila hade ju också skador." Hon fortsatte att ösa ur sig frågor, för hon var rädd att Agneta i vilken sekund som helst skulle avsluta samtalet.

"Det var ... komplicerat. Jag kan inte svara på dina frågor. Och jag har inget mer att säga."

Det lät som om Agneta var på väg att lägga på, och Erica skyndade sig att byta spår.

"Jag förstår att det är smärtsamt att prata om, men vad tror du hände när din och Lailas mor dog? Enligt polisrapporten var det ett inbrott som gick snett. Jag har läst den och jag har pratat med den polis som var ansvarig för utredningen. Men jag undrar ändå om det kan stämma. Det verkar vara en märklig slump att två mord sker i samma familj, om än med så många år emellan."

"Det kan ju hända. Det var ett inbrott, precis som polisen konstaterade. Någon, eller troligtvis några, bröt sig in i villan på natten. Mor vaknade och i ren panik slog tjuvarna ihjäl henne."

"Med en eldgaffel?"

"Ja, det var väl det vapen som de hittade i brådskan."

"Det fanns inga fingeravtryck, inga spår alls. Det måste ha varit försiktiga tjuvar. Lite egendomligt att de var så välplanerade men ändå greps av panik när den som bodde i huset vaknade."

"Polisen tyckte inte att det var konstigt. De gjorde en grundlig utredning. De hade till och med en teori om att Peter kunde vara inblandad, men han rentvåddes helt."

"Och sedan försvann han. Vad tror du hände?"

"Vem vet. Han kanske sitter på en ö i Karibien någonstans. Det är en fin tanke i alla fall. Men jag tror tyvärr inte det. Jag tror att traumat i hans barndom, och att ännu en person som stod honom nära mördades, blev för mycket för honom."

"Du tror … du tror att han tog livet av sig."

"Ja", sa Agneta. "Jag tror tyvärr det, men jag hoppas att jag har fel. Nu har jag tyvärr inte tid att prata längre. Stefan och hans fru ska ge sig iväg och jag ska vara barnvakt åt deras söner."

"En fråga till bara", bad Erica. "Hur var din relation till din syster? Stod ni varandra nära när ni växte upp?" Hon ville runda av med en mer neutral fråga för att Agneta inte skulle vägra prata med henne om hon ringde igen.

"Nej", sa Agneta efter en lång paus. "Vi var otroligt olika och hade inte mycket gemensamt. Och jag har valt att inte förknippas med Lailas liv och de val hon gjort. Inga av de svenskar som vi umgås med här vet vems syster jag är, och jag vill helst att det ska förbli så. Därför vill jag inte att du skriver om mig, och jag vill inte att du nämner för någon att vi pratat med varandra. Inte för Laila heller."

"Jag lovar", sa Erica. "En sista fråga bara. Laila samlar på tidningsurklipp om flickor som försvunnit de senaste två åren i Sverige. En av dem försvann här i Fjällbacka. Hon återfanns i veckan men blev påkörd av en bil och dog. Hon hade också stora skador efter sin tid i fångenskap. Vet du varför Laila kan vara intresserad av de fallen?" Hon tystnade och hörde Agneta andas.

"Nej", sa hon kort, och ropade sedan något på spanska bredvid luren. "Jag måste ta hand om mina barnbarn nu. Men som sagt: Jag vill inte på något sätt förknippas med det här."

Erica försäkrade henne än en gång att hon inte skulle nämna henne, och avslutade sedan samtalet.

Precis när hon skulle börja skriva rent det hon hade antecknat hördes ett tumultartat läte nedifrån hallen. Hon reste sig hastigt från kontorsstolen, rusade ut ur rummet och kikade ner över trappräcket.

"Vad i...?" sa hon och sprang nedför trappan. Där nere stod Patrik och slet kläderna av en dyngsur Bertil Mellberg som var blå om läpparna och skakade av köld.

Martin steg in på stationen och stampade snön av kängorna. När han passerade receptionen tittade Annika upp på honom över terminalglas-ögonens plastbågar.

"Hur gick det?"

"Tja, ungefär som vanligt när Mellberg är med."

Han såg Annikas frågande min, och så sansat han kunde redogjorde han för Mellbergs bravader.

"Herregud." Annika skakade på huvudet. "Den mannen upphör aldrig att förvåna. Vad sa Torbjörn då?"

"Att det tyvärr skulle bli svårt att säkra fotspår eller liknande eftersom Mellberg trampat runt så mycket. Men blodet tog han prov på. Det borde gå att matcha det mot Lasses blodgrupp, och även mot sönernas dna, så att vi kan få veta om det kommer från honom."

"Det var ju bra i alla fall. Tror ni att han är död?" sa Annika försiktigt.

"Det fanns mycket blod på bryggan och på isen intill vaken, men inga blodspår som ledde därifrån. Så om blodet är Lasses verkar det ju så."

"Vad sorgligt." Annikas ögon blev blanka av tårar. Hon hade alltid varit blödig, och sedan hon och hennes man Lennart hade adopterat en liten flicka från Kina hade hon blivit än känsligare för livets orättvisor.

"Ja, vi hade inte trott att det skulle sluta så illa. Snarare att vi skulle hitta honom stupfull någonstans."

"Vilket sorgligt livsöde. Stackars hans familj." Annika tystnade en stund men samlade sig sedan. "Jag har förresten lyckats få tag i alla berörda utredare nu och det blir möte i Göteborg i morgon klockan tio. Jag har meddelat Patrik, och självklart Mellberg. Hur gör du och Gösta? Åker ni med?"

Martin hade börjat svettas i inomhusvärmen och tog av sig jackan. När han drog fingrarna genom sitt röda hår kände han hur handen blev alldeles fuktig.

"Jag hade velat det, och Gösta med, tror jag. Men vi kan ju inte lämna stationen obemannad. Särskilt inte nu när vi har ett mordfall att utreda också."

"Det låter klokt. Och apropå klokt: Paula är nere i arkivet igen. Du kan väl kolla till henne, är du snäll."

"Visst, jag gör det med en gång", sa Martin, men tog först vägen om sitt rum för att hänga av sig de varma ytterkläderna.

Nere i källaren stod dörren till arkivet öppen. Han knackade ändå försiktigt på den, för Paula verkade djupt försjunken i lådornas innehåll där hon satt på golvet.

"Du har inte gett dig än?" sa han och klev in i rummet.

Hon tittade upp och lade ännu en mapp åt sidan.

"Jag kommer troligtvis inte hitta det, men jag har i alla fall fått en stund för mig själv. Vem hade trott att det kunde vara så enormt jobbigt med en liten bebis. Det var inte alls så med Leo."

Hon gjorde en ansats att resa sig och Martin sträckte fram en hjälpande hand. "Nej, jag har förstått att Lisa är lite speciell. Är hon hemma med Johanna nu?"

Paula skakade på huvudet. "Johanna tog med sig Leo ut och åkte pulka, så Lisa fick stanna inne med mormor." Hon tog några djupa andetag och sträckte på ryggen. "Nå, hur gick det för er? Jag hörde att ni hittat Lasses bil och att det fanns blod i närheten."

Martin berättade samma sak som han nyss berättat för Annika, om blodet och vaken, och även om Mellbergs ofrivilliga bad.

"Du skojar! Hur klantig får man vara?" Paula stirrade på honom. "Men han är okej?" tillade hon sedan, och Martin blev varm inombords av att Paula ändå oroade sig för Mellberg. Han visste hur nära Bertil stod Paulas och Johannas son, och det var ju något med gubben som gjorde att man gillade honom, trots att han var så jobbig.

"Ja, han är helt okej. Han är hemma hos Patrik och tinar upp."

"Det händer i alla fall alltid något när Bertil är med." Paula skrattade lite för sig själv. "Jag hade förresten tänkt ta en paus när du kom. Man får så himla ont i ryggen av att sitta hopkrupen så där. Gör du mig sällskap?"

De gick uppför trappan och var på väg mot köket när Martin hejdade sig. "Jag ska bara snabbt kolla en sak på mitt rum."

"Ingen fara, jag hänger med", sa Paula och följde efter honom.

Han började rota bland sina papper, och hon ställde sig och kikade i hans bokhylla medan hon sneglade på vad han gjorde. Som vanligt var det en salig röra på hans skrivbord.

"Du saknar jobbet, va?" sa han.

"Ja, minst sagt." Hon lade huvudet på sned för att kunna läsa titlarna.

"Har du läst alla de här? Psykologiböcker, kriminalteknik, jösses, du har till och med …" Hon avbröt sig mitt i en mening och såg på bokserien som stod prydligt inställd i Martins hylla.

"Vilken idiot jag är. Det är inte i arkivet jag har läst om tungan. Det är i en sådan här." Hon pekade på böckerna och Martin vände sig förvånat ditåt. Det kunde väl ändå inte vara möjligt?

Gösta svängde in på gårdsplanen vid ridskolan. Det var alltid svårt att prata med de anhöriga. I det här fallet hade han ju heller inte haft något säkert dödsbesked att lämna. Det fanns bara tydliga tecken på att något hänt Lasse och att han med största sannolikhet inte var i livet. Terese var tvungen att sväva i ovisshet ett tag till.

Det hade förvånat honom att träffa Jonas hemma hos henne. Vad hade han gjort där? Han hade dessutom sett orolig ut när Gösta sa att han ville prata med honom. Det var bra. Om han var ur balans skulle det bli lättare att få honom att avslöja sig. Det var i alla fall Göstas erfarenhet.

"Knack knack." Han knackade på ytterdörren till Jonas och Martas hus samtidigt som han sa orden högt. Hans förhoppning var att få prata med Jonas ensam, så om Marta eller dottern var hemma fick han kanske föreslå att de gick till mottagningen.

Jonas öppnade dörren. Han hade som en grå hinna över ansiktet, som Gösta inte sett förut.

"Är du ensam hemma? Det är en sak som jag skulle vilja dryfta med dig."

Det blev tyst i några sekunder och Gösta stod kvar på trappan och väntade. Sedan klev Jonas uppgiven åt sidan, som om han redan visste vad Gösta ville. Och kanske var det så. Han måste ha insett att det bara var en tidsfråga när det skulle nå polisens öron.

"Kom in", sa han. "Det är bara jag här."

Gösta tittade sig omkring. Huset verkade inrett utan känsla och tanke, och det var inte särskilt hemtrevligt. Han hade aldrig varit hemma hos familjen Persson förut och visste inte riktigt vad han hade förväntat sig, men han hade nog tänkt att vackra människor rörde sig i vackra miljöer.

"Det är hemskt det som hänt med Lasse", sa Jonas. Han gjorde en gest mot en soffa i vardagsrummet.

Gösta slog sig ner. "Ja, det är aldrig roligt att komma med sådana besked. Hur kommer det sig förresten att du var hos Terese?"

"Vi var ett par för längesedan. Sedan dess har vi väl tappat kontakten, men när jag fick veta att Lasse var försvunnen ville jag ändå höra om jag kunde hjälpa henne på något sätt. Hennes dotter är ju mycket här i stallet och har varit väldigt ledsen efter det som hände Victoria. Jag ville visa att jag brydde mig om dem nu när de har det svårt."

"Jag förstår", sa Gösta. Sedan blev det tyst. Han såg att Jonas spänt satt och väntade på vad han skulle säga.

"Jag skulle vilja fråga om Victoria. Om hur er relation var", sa Gösta till slut.

"Ja", sa Jonas dröjande. "Det finns väl inte så mycket att säga om den. Hon var en av Martas elever. En av tjejerna som alltid hänger i stallet." Han plockade med något osynligt på jeansen.

"Vad jag har förstått är det inte hela sanningen", sa Gösta med blicken stadigt fäst på Jonas.

"Hur menar du då?"

"Röker du?"

Jonas tittade på honom med rynkad panna. "Varför undrar du det? Nej, jag röker inte."

"Okej. Men om vi återgår till Victoria. Jag har fått höra att ni ska ha haft en … ja, en mer nära relation."

"Vem har sagt det? Jag pratade knappt med henne. Om jag var i stallet bytte jag kanske några ord med henne, precis som med de andra tjejerna som är där."

"Vi har pratat med hennes bror Ricky, och han hävdar bestämt att du och Victoria hade ett förhållande. Samma dag som hon försvann såg han er gräla utanför stallet. Vad rörde sig grälet om?"

Jonas ruskade på huvudet. "Jag minns inte ens att vi pratade den dagen. Men hursomhelst var det säkert inget gräl. Ibland säger jag till på skarpen om tjejerna inte sköter sig i stallet, och det handlade säkert om något sådant. De gillar inte alltid att man säger till dem, de är ju trots allt tonåringar."

"Jag tyckte du sa att du knappt har någon kontakt med tjejerna i stallet", sa Gösta lugnt och lutade sig tillbaka.

"Det är klart att jag har viss kontakt med dem. Jag är ju delägare i ridskolan, även om det är Marta som driver den. Det händer att jag hjälper till med det praktiska, och om jag ser att något inte sköts som det ska, säger jag naturligtvis ifrån."

Gösta funderade. Kunde Ricky ha överdrivit det han såg? Men även om det inte var ett gräl borde väl Jonas ändå minnas själva händelsen.

"Gräl eller inte, enligt Ricky skällde han ut dig. Han såg er på håll och sprang fram och skrek åt er båda, och sedan fortsatte han skälla på dig efter att Victoria sprungit sin väg. Kommer du verkligen inte ihåg något av det?"

"Nej, det där måste han ha fått om bakfoten ..."

Gösta insåg att han inte skulle komma någon vart, så han bestämde sig för att gå vidare även om Jonas svar inte övertygade. Varför skulle Ricky ljuga om att han konfronterat Jonas?

"Victoria hade dessutom fått hotfulla brev som antydde samma sak, att hon hade ett förhållande med någon", sa han.

"Brev?" sa Jonas och tankarna såg ut att snurra i huvudet på honom.

"Ja, anonyma brev som skickats hem till henne."

Jonas såg uppriktigt förvånad ut. Men det behövde inte betyda något. Gösta hade blivit lurad av en ärlig uppsyn förr.

"Jag vet inget om några anonyma brev. Och jag hade verkligen ingen relation med Victoria. För det första är jag gift, lyckligt gift. Och för det andra var hon ju bara barnet. Ricky har helt misstagit sig."

"Då får jag tacka för att du tog dig tid", sa Gösta och reste sig. "Som du säkert förstår måste vi ta sådana här uppgifter på allvar, och vi kommer att titta närmare på det och se vad andra har att säga."

"Ni kan väl inte gå runt och fråga om något sådant?" sa Jonas och reste sig han också. "Du vet hur folk fungerar här. Det kommer att räcka med att ni ställer frågan för att de ska tro att det är sant. Förstår du inte vilka rykten som kommer att börja spridas och vad det skulle innebära för ridskolan? Det hela är ett missförstånd, en lögn. Herregud, Victoria var lika gammal som min dotter. Vem tar ni mig för egentligen?" Hans annars så öppna och trevliga ansikte var förvridet av ilska.

"Vi ska vara diskreta, det lovar jag", sa Gösta.

Jonas drog handen genom håret. "Diskreta? Det här är inte klokt!"

Gösta drog sig mot hallen och när han öppnade dörren stod Marta precis utanför på trappan. Han ryckte till av förvåning.

"Hej", sa hon. "Vad gör du här?"

"Öh ... jag bara kollade några saker med Jonas."

"Gösta hade några kompletterande frågor om inbrottet", ropade Jonas inifrån vardagsrummet.

Gösta nickade. "Ja, det var några saker som jag glömde fråga häromdagen."

"Usch, jag hörde om Lasse", sa Marta. "Hur mår Terese? Enligt Jonas verkade hon ändå ganska samlad."

"Ja ..." Gösta visste inte riktigt vad han skulle svara.

"Vad är det som har hänt? Jonas sa att ni hittat Lasses bil?"

"Jag kan tyvärr inte prata om en pågående utredning", sa Gösta och trängde sig förbi henne. "Och nu måste jag ta mig tillbaka till stationen."

Han höll sig i räcket när han gick nedför yttertrappan. Vid hans ålder var det risk att man inte kom upp igen om man halkade och trillade.

"Säg bara till om vi kan hjälpa till med något!" ropade Marta efter honom när han gick mot bilen.

Han vinkade till svar. Innan han satte sig i förarsätet tittade han mot huset, där Marta och Jonas nu avtecknade sig som skuggor innanför vardagsrumsfönstret. Innerst inne var han säker på att Jonas ljög om grälet och kanske även om förhållandet. Något hade skorrat falskt i det han sa, men det skulle inte bli lätt att bevisa det.

Uddevalla 1973

Vladek blev mer och mer oberäknelig. Verkstaden hade gått i konkurs och han gick hemma som ett djur i bur. Han talade mycket om sitt gamla liv, om cirkusen och sin familj. Han kunde prata om det i timmar, och hela familjen lyssnade.

Ibland brukade Laila blunda och försöka föreställa sig allt det han berättade om. Ljuden, dofterna, färgerna, alla människorna han beskrev med kärlek och saknad. Det gjorde ont att höra honom beskriva sin längtan, där desperationen lyste igenom.

Samtidigt gav stunderna henne ett tillfällig andrum. Av någon anledning stillnade allt och kaoset upphörde. De satt som i trans och lyssnade på Vladek, lät sig trollbindas av hans röst och hans anekdoter. Berättelserna gav henne möjlighet att vila.

Allt han beskrev lät som om det var sprunget ur fantasins och sagans värld. Han pratade om människor som kunde gå på lina högt ovanför marken, om cirkusprinsessor som kunde stå på händer på hästryggar, om clowner som fick alla att skratta när de sprutade vatten på varandra, om zebror och elefanter som gjorde saker som ingen hade kunnat tro att de skulle klara av.

Och framför allt berättade han om lejonen. Farliga, starka lejon som hade lytt hans minsta vink. Som han tränat sedan de var små och som gjorde allt han bad om i manegen medan publiken höll andan och väntade på att djuren skulle kasta sig över honom och slita honom i stycken.

Timme ut och timme in berättade han om människorna och djuren på cirkusen, om sin släkt som låtit hänförelsen och magin leva vidare i generationer. Men så fort han slutade prata kastades hon tillbaka till den verklighet som hon helst av allt ville glömma.

Ovissheten var värst. Det var som om ett hungrigt lejon vankade av och an i väntan på nästa byte. Utfallen och attackerna kom alltid lika oväntat, alltid från ett annat håll än hon trott. Och tröttheten gjorde att hon blev allt mindre på sin vakt.

"Herregud, vad har ni för er här egentligen?" Anna skrattade när hon hörde om Mellberg som till slut tinat upp så pass att han kunde åka med Patrik till stationen. Hon tittade nyfiket på Gunnar som Erica noggrant hade beskrivit på telefon. Hon hade spontant fattat tycke för honom när hon mötte dem i hallen och först hälsade på barnen. Adrian fick nu hjälpa honom att spika upp en tavla i köket och lyste av lycka.

"Hur går det för dem då?" sa hon i allvarligare ton. "Det är ju hemskt det här med Lasse. Vet de något om vad som kan ha hänt?"

"De hittade honom precis. Eller ja, inte honom, men bilen och vad som ser ut att vara mordplatsen. Dykare är på väg, men frågan är om de kommer att hitta kroppen, eller om den har dragits ut med strömmarna."

"Jag har träffat Tyra i stallet när jag lämnat tjejerna där. Väldigt gullig flicka. Terese verkar också rar, henne har jag bara hälsat på någon gång. Stackars dem…"

Hon tittade på bullarna som Kristina hade ställt fram på bordet men hade varken matlust eller sötsug.

"Äter du ordentligt?" sa Erica och tittade strängt på henne. Under deras uppväxt hade hon varit mer som en mamma än som en storasyster, och hon kunde inte riktigt släppa den rollen. Men Anna hade slutat streta emot. Utan Ericas omtanke skulle hon aldrig ha orkat ta sig igenom livets alla svårigheter. Hennes älskade storasyster hade funnits där i vått och torrt, och den senaste tiden hade det bara varit hemma hos henne som Anna för en stund kunde känna sig lite glad och glömma skuldkänslorna.

"Du ser blek ut", fortsatte Erica, och Anna tvingade fram ett leende.

"Det är okej, men jag har faktiskt mått rätt illa den senaste tiden. Jag inser att det är psykiskt men får inte mer aptit för det."

Kristina vände sig om från sin plats vid diskbänken, där hon stod och stökade med något trots att Erica flera gånger uppmanat henne att sätta sig ner. Hon synade Anna ordentligt.

"Ja, Erica har rätt. Du är lite blek om nosen. Du måste äta och ta hand om dig. I stunder av kris är det extra viktigt att äta rätt och sova ordentligt. Har du sömntabletter? Annars kan du få en karta av mig. Om man inte sover blir det ingen ordning på någonting, det säger ju sig självt."

"Tack, det var snällt, men jag har inga problem med sömnen."

Det var en lögn. De flesta nätter låg hon och vred sig i sängen, tittade i taket och försökte hindra minnesbilderna från att tränga fram. Men hon ville inte fastna i pillerträsket och på kemisk väg försöka dämpa den ångest hon själv var orsak till. Kanske fanns det också ett visst mått av självplågeri i det, en önskan om att sona sina synder.

"Jag vet inte om jag tror dig, men jag ska inte tjata ...", sa Erica, men Anna visste att det var precis det hon skulle göra. Hon sträckte sig efter en bulle för att blidka henne, och även Erica tog en.

"Ät du, man behöver ett extra fettlager på vintern", nickade Anna.

"Hörru", sa Erica och måttade med bullen som för att kasta den på sin lillasyster.

"Herregud, ni är ju helt hopplösa ..." Kristina suckade och tog itu med att rensa kylen. Erica såg ut som om hon ville hindra henne, men troligen insåg hon att hon inte skulle kunna vinna den striden.

"Hur går det med boken förresten?" frågade Anna och försökte tvinga ner en tugga som bara tycktes växa i munnen på henne.

"Jag vet inte. Det är så mycket som är märkligt att jag inte vet i vilken ände jag ska börja."

"Berätta", sa Anna och tog en klunk kaffe för att försöka svälja ner veteklumpen som bildats i hennes mun. Hon lyssnade storögt medan Erica berättade om det som hänt de senaste dagarna.

"På något konstigt sätt känns det som om Lailas historia hör ihop med de försvunna flickorna. Varför skulle hon annars ha sparat alla de där urklippen? Och varför gick hon äntligen med på att träffa mig

samma dag som tidningarna för första gången skrev om Victorias för-
svinnande?"

"Det är inte bara en slump då?" frågade Anna, men såg på systerns
min vad svaret skulle bli.

"Nej, det finns något slags samband där. Laila vet någonting som hon
inte vill berätta. Eller jo, hon vill nog men det är som om hon inte kan.
Troligen var det därför hon till slut gick med på att träffa mig, för att ha
någon att anförtro sig åt. Men jag har inte lyckats få henne att känna sig
tillräckligt trygg för att hon ska berätta för mig vad det handlar om."
Erica drog frustrerad handen genom håret.

"Usch, det är ett under att en del saker här inte redan har krälat iväg
på egen hand", sa Kristina med halva huvudet inne i kylskåpet. Erica
såg på Anna med en blick som sa att hon inte tänkte låta sig provoceras
utan bara ignorera den pågående räddningsinsatsen.

"Du kanske måste ta reda på lite mer själv först", föreslog Anna. Hon
hade gett upp försöken att få i sig mer av kanelbullen och sippade bara
på sitt kaffe.

"Jag vet, men så länge Laila tiger är det nästan omöjligt. Alla inblan-
dade är borta. Louise är död liksom Lailas mamma, Peter är försvunnen
och troligtvis död. Lailas syster verkar inte veta någonting. Det finns
liksom ingen kvar att prata med, eftersom det var inom hemmets fyra
väggar som allt hände."

"Hur dog Louise?"

"Hon drunknade. Hon och en annan flicka som var fosterbarn hos
samma familj gick och badade en dag och kom inte hem igen. Deras
kläder hittades på en klippa men kropparna återfanns aldrig."

"Har du pratat med fosterföräldrarna?" frågade Kristina bakom kyl-
skåpsdörren, och Erica hajade till.

"Nej, det har jag inte haft en tanke på. De hade ju ingen koppling till
det som hände hos familjen Kowalski."

"Men kanske anförtrodde sig Louise till dem, eller till något av de
andra fosterbarnen."

"Ja ...", sa Erica. Det såg ut som om hon kände sig lite dum för att
svärmodern behövde påpeka en sådan självklar sak för henne.

"Jag tycker att Kristinas förslag är bra", sa Anna snabbt. "Var bor de?"

"I Hamburgsund, så dit skulle jag kunna ta en sväng förstås."

"Vi kan stanna hos barnen. Åk nu", sa Kristina.

Anna instämde. "Jag kan också hänga kvar ett tag. Kusinerna har ju så roligt ihop och jag har ingen anledning att skynda mig hem."

"Är det säkert?" Erica hade redan rest sig. "Men det är nog bäst ändå att jag ringer och hör om det är okej att jag kommer, trots allt."

"Stick", sa Anna och viftade med handen. "Jag kan säkert hitta något som jag kan fixa med här. Sådan oordning som ni har."

Hon belönades med ett långfinger från Erica.

Patrik stod vid whiteboarden i köket. De lösa trådarna var alltför många och han kände ett behov av att strukturera upp allt som måste göras. Han ville komma väl förberedd till mötet i Göteborg och medan han var borta skulle utredningen av Lasses troliga död fortsätta. Stressad påminde han sig själv att sänka axlarna och ta ett par djupa andetag. Han hade blivit rejält skrämd ett par år tidigare när kroppen sa ifrån och han rasade ihop. Det hade blivit en väckarklocka. Förr eller senare tröt orken även om han älskade sitt jobb.

"Vi står nu inför dubbla utredningar", sa han. "Och jag tänkte att vi börjar med Lasse." Han skrev Lasse med stora bokstäver och strök under namnet.

"Jag har pratat med Torbjörn som har gjort det han har kunnat", sa Martin.

"Ja, vi får väl se vad det kan ge …" Patrik hade svårt att behärska sig vid tanken på hur hans chef fördärvat brottsplatsen. Tack och lov hade han gått hem för att bädda ner sig, så nu skulle han i alla fall inte kunna sabotera utredningen mer i dag.

"Vi har fått Tereses tillåtelse att ta ett blodprov på deras äldsta son. Så snart det är gjort kommer det att jämföras med blodet från bryggan", tillade Martin.

"Bra. Vi kan ju inte säga helt säkert att det är Lasses blod vi har hittat där, men jag föreslår att vi tills vidare utgår från att Lasse bragdes om livet där på badplatsen."

"Instämmer", sa Gösta.

Patrik tittade på de övriga och fick nickar från samtliga.

"Jag bad Torbjörn att även gå igenom Lasses bil", sa Martin. "Om det nu skulle vara så att Lasse och mördaren kom dit tillsammans. Teknikerna säkrade också en del bilspår uppe på parkeringen. Det kanske kan vara bra att ha dem att matcha med om vi skulle behöva bevisa att någon varit där."

"Bra tänkt", sa Patrik. "Vi har inte hunnit få några listor över mobiltrafiken än, men vi har haft mer tur med banken. Eller hur, Gösta?"

Gösta harklade sig.

"Ja, Annika och jag har gått igenom Lasses kontoutdrag, och han har regelbundet gjort insättningar på fem tusen kronor. Och när jag var hos Terese berättade hon att hennes dotter Tyra hade hittat en hemlig gömma där Lasse i olika omgångar förvarat just fem tusen kronor i kontanter. Min gissning är att han hade dem där tills han fick tillfälle att sätta in dem."

"Hade Terese ingen idé om var pengarna kom ifrån?" frågade Martin.

"Nej. Och så vitt jag kan bedöma talade hon sanning."

"Hon anade ju att han dolde något för henne, och det skulle kunna vara det här", sa Patrik. "Det vi måste ta reda på är alltså var pengarna kom ifrån och vad de var betalning för."

"Att det var en så jämn summa talar väl för att det kan röra sig om utpressning?" sa Paula från sin plats vid dörren. Annika hade frågat om hon inte ville sitta med runt bordet men fått svaret att hon måste kunna springa ut snabbt och svara ifall Rita ringde om Lisa.

"Hur tänker du då?" sa Gösta.

"Jo, om det till exempel rörde sig om spelpengar skulle summan inte ha varit så jämn. Samma sak om det var lön för någon sorts extrajobb. Det hade säkert varit betalt per timme och borde inte ha genererat samma summa varje gång. Vid utpressning däremot, vore det rimligt att han skulle få en fast summa med jämna mellanrum."

"Jag tror att Paula kan ha rätt", sa Gösta. "Kanske utpressade Lasse någon som till slut tröttnade."

"Frågan är vad det i så fall kan ha handlat om. Familjen verkar inte veta något, så vi får vidga cirkeln och prata med Lasses bekanta, höra om någon annan vet något." Patrik funderade lite och lade till: "Fråga runt bland de boende också, ja, det blir väl mina grannar det, i husen längs vägen upp till Sälvik. Hör om de kan ha sett någon bil som körde till badplatsen. Trafiken är ju inte direkt tät så här års, och nyfiket folk bakom gardinerna finns det gott om."

Han noterade uppdragen på whiteboarden. De skulle fördelas ut, men just nu ville han bara få på pränt allt som behövde göras.

"Okej, då går vi över till Victoria. I morgon är det stormöte i Göteborg med alla inblandade. Tack, Annika, för att du hjälpte till att samordna det."

"Ingen orsak. Det var inte så svårt. Alla var mycket positiva och verkade snarast undra varför ingen hade tänkt på det tidigare."

"Bättre sent än aldrig. Vad har vi fått fram sedan sist?"

"Ja", sa Gösta, "det mest intressanta är väl egentligen att Victoria enligt hennes bror ska ha haft en relation med Jonas Persson."

"Har vi fått det bekräftat från någon annan än Ricky?" frågade Martin. "Och vad sa Jonas?"

"Nej, och Jonas nekar såklart, men jag tror inte att han talar sanning. Jag tänkte kolla lite bland flickorna i stallet. Sådant där borde inte gå att hålla helt hemligt."

"Pratade du med hans fru också?" sa Patrik.

"Jag vill helst undvika att prata med Marta tills vi vet mer. Om det trots allt inte stämmer skulle det kunna ställa till med ett herrans liv."

"Det kan jag hålla med om. Men förr eller senare kommer vi att bli tvungna att prata med henne också."

Paula harklade sig. "Förlåt, men jag förstår inte riktigt varför det här är av intresse för utredningen? Vi letar ju efter någon som kidnappat flickor även i andra delar av Sverige, inte bara här."

"Tja", sa Patrik. "Om inte Jonas haft alibi för Victorias försvinnande kunde det väl vara han lika gärna som någon annan? Men kanske kommer det att visa sig att det inte alls var Jonas hon hade ett förhållande med utan någon annan person som också förde bort henne. Vi måste helt enkelt förstå hur Victoria kom i kontakt med den som kidnappade henne, vad i hennes liv som gjorde henne sårbar. Det kan vara vadsomhelst. Och vi vet att någon bevakade familjens hus. Om det var gärningsmannen kan han ha haft henne under uppsikt en tid, vilket innebär att han kan ha gjort likadant med de andra flickorna. Saker i Victorias privatliv kan ha haft betydelse för att hon blev utvald."

"Hon hade fått brev också, med inte särskilt trevliga budskap", sa Gösta och vände sig mot Paula. "Ricky hittade dem men slängde dem tyvärr. Han var orolig att föräldrarna skulle få se dem."

"Då förstår jag", sa hon. "Det låter rimligt."

"Hur går det med fimpen?" sa Martin.

"Inget än", sa Patrik. "Och vi måste ju ha någon att matcha med för att det ska bli intressant. Vad har vi mer?" sa han och tittade sig runt. Det kändes som om frågetecknen bara blev fler och fler.

Hans blick fastnade på Paula och han mindes med ens att hon och Martin sagt att de hade något att berätta på mötet. Martin satt mycket riktigt som på nålar, och han nickade åt honom.

"Jo", sa Martin. "Paula har ju gått och grunnat på att något känts bekant med Victorias skador, eller egentligen med tungan."

"Därav dina timmar i arkivet", sa Patrik och kände att nyfikenheten väcktes när han såg de röda rosorna som blossade upp på Paulas kinder.

"Ja, fast jag var fel ute. Det jag sökte fanns inte i arkivet, men jag visste att jag sett det någonstans." Hon gick fram och ställde sig bredvid Patrik, så att alla slapp sitta och vända sig mot hennes plats vid dörren.

"Och du trodde att det var i någon gammal utredning", sa Patrik och hoppades att hon snabbt skulle komma till poängen.

"Precis. Och när jag var inne i Martins rum och stod och tittade i hans bokhylla kom jag på det. Det var ett fall som jag hade läst om i Nordisk kriminalkrönika."

Patrik kände pulsen öka. "Fortsätt", sa han.

"För tjugosju år sedan, en lördagskväll i maj, försvann den unga, nygifta Ingela Eriksson från sitt hem i Hultsfred. Hon var bara nitton år gammal, och hennes man blev omedelbart misstänkt eftersom han tidigare gjort sig skyldig till misshandel av både före detta flickvänner och Ingela. Det blev ett enormt polispådrag och hennes försvinnande fick stor uppmärksamhet i pressen eftersom det råkade sammanfalla med att kvällstidningarna skrev mycket om våld mot kvinnor i hemmet. Och när Ingela hittades död i ett skogsområde bakom deras hus, var det spiken i kistan för hennes man. Det konstaterades att hon hade varit död ett tag, men kroppen var så pass välbevarad att man kunde se att hon utsatts för en fruktansvärd tortyr. Hennes man dömdes för mordet men fortsatte att hävda att han var oskyldig ända tills han fem år senare dog i fängelset. Han dödades av en medfånge i ett bråk om en spelskuld."

"Och vad är kopplingen?" sa Patrik men gissade redan vad han skulle få höra.

Paula slog upp boken som hon hade hållit i handen och pekade på stycket där Ingelas skador fanns beskrivna. Patrik sänkte blicken och läste. Det var i detalj samma skador som Victoria hade haft när hon återfanns.

"Vad?" Gösta ryckte ifrån henne boken och läste snabbt igenom det som stod. "Herrejävlar."

"Ja, det kan man säga", sa Patrik. "Det verkar som om vi har att göra med en gärningsman som varit aktiv betydligt längre än vad vi först trott."

"Eller också en copycat", sa Martin.

Det blev knäpptyst i rummet.

Helga sneglade på Jonas där han satt vid köksbordet. Uppifrån övervåningen hörde de hur Einar grymtade och rörde på sig i sängen.

"Vad ville polisen?"

"Det var bara Gösta som ville fråga en sak", sa Jonas och strök med handen över ansiktet.

Hon kände hur det knöt sig i magen. Orosmolnet hade sakta blivit allt tätare de senaste månaderna och ångesten var nu nära att kväva henne.

"Vadå?" insisterade hon och slog sig ner mittemot honom.

"Inget särskilt. Bara en grej om inbrottet."

Skärpan i hans röst sårade henne. Han brukade inte snäsa på det sättet. Även om de hade en outtalad överenskommelse om att inte prata om vissa saker, hade han aldrig använt en sådan ton förut. Hon tittade ner på sina händer. De var rynkiga och nariga, med bruna pigmentfläckar på ovansidan. Det var en gammal kvinnas händer, det var hennes mors händer. När hade de förvandlats så? Hon hade inte tänkt på det förrän nu, där hon satt vid köksbordet medan den värld hon så omsorgsfullt byggt upp långsamt rasade samman. Hon kunde inte låta det ske.

"Hur är det med Molly?" sa hon i stället. Hon hade svårt att dölja sitt ogillande. Jonas tillät inte minsta kritik av dottern, men ibland ville Helga skaka om den bortskämda jäntan, få henne att förstå vilken tur hon hade, hur privilegierad hon var.

"Hon är okej nu", sa Jonas och hans ansikte ljusnade.

Det stack till i hjärtat på Helga. Hon visste att hon inte hade rätt att vara svartsjuk på Molly, men hon önskade ändå att det fanns samma kärlek i Jonas blick när han såg på henne som när han såg på Molly.

"Vi åker på tävling på lördag i stället." Han undvek att möta hennes blick.

"Ska ni verkligen göra det?" sa hon och hörde vädjan i sin röst.

"Marta och jag är överens."

"Marta hit och Marta dit! Jag önskar att ni aldrig hade träffat varandra. Du borde ha hållit fast vid Terese. Det var en rar flicka. Allt hade sett annorlunda ut då!"

Jonas såg till synes chockad på henne. Han hade aldrig hört henne höja rösten tidigare, i alla fall inte sedan han var liten. Hon förstod att hon borde hålla tyst och fortsätta leva på det sätt som gjort att hon stått ut under alla år, men det var som om en främmande kraft intog henne.

"Hon har förstört ditt liv! Hon tog sig in i vår familj och som en parasit har hon närt sig på dig, på oss, hon har ..."

Klatsch! Örfilen fick henne att tystna och häpet tog hon sig för kinden. Det sved rejält, och ögonen fylldes av tårar. Inte bara över smärtan. Hon visste att hon nu gått över gränsen och att det inte fanns någon återvändo.

Utan att se på henne lämnade Jonas köket, och när hon hörde ytterdörren slå igen förstod hon att hon inte längre hade råd att tigande se på. Den tiden var förbi.

"Skärp er nu, tjejer!" Irritationen i rösten spred sig i ridhuset. Alla flickorna var på helspänn, och det var så Marta ville ha det. Utan att känna viss rädsla lärde de sig ingenting.

"Vad håller du på med, Tindra?" Hon blängde på den blonda flickan som kämpade för att komma över ett av hindren.

"Fanta vill inte. Hon tar bettet hela tiden."

"Det är du som bestämmer, inte hästen. Glöm inte det."

Marta undrade hur många gånger hon hade upprepat det. Hon flyttade blicken till Molly, som hade full kontroll över Scirocco. Det såg bra ut inför tävlingen. De var väl förberedda, trots allt.

Samtidigt vägrade Fanta för tredje gången och Martas tålamod började tryta.

"Jag förstår inte vad det är med er i dag. Antingen koncentrerar ni er eller så avbryter vi den här lektionen." Med tillfredsställelse såg hon hur flickorna bleknade. De saktade alla in, vände in mot mitten och gjorde halt framför Marta.

En av flickorna harklade sig. "Vi ber om ursäkt. Men vi hörde om Tyras pappa ... eller styvpappa."

Det var alltså förklaringen till den nervösa stämningen i gruppen. Hon borde ha tänkt på det, men så fort hon gick in i stallet glömde hon världen utanför. Det var som om alla tankar, alla minnen trängdes undan. Kvar fanns bara lukten av häst, deras ljud, den respekt de bemötte henne med och som var oändligt mycket större än den som människor visade henne. Inte minst de här flickorna.

"Det som har hänt är hemskt och jag har all förståelse för att ni känner med Tyra, men det hör inte hemma här. Om ni inte kan sluta tänka på det och låter er påverkas av annat än det som sker just nu i det här ridhuset, kan ni lika gärna sitta av och gå härifrån."

"Jag har inga problem att koncentrera mig. Såg du förut när vi tog det höga hindret?" sa Molly.

De andra flickorna kunde inte låta bli att himla med ögonen. Hennes dotter saknade känsla för vad man sa och vad man bara tänkte, vilket var märkligt. Själv hade hon alltid behärskat den konsten till fullo. Ord som uttalats kunde aldrig tas tillbaka, ett felaktigt intryck kunde aldrig repareras, och hon förstod inte hur Molly kunde vara så tanklös.

"Vill du ha en medalj, eller?" sa hon.

Molly sjönk ihop, och Marta såg de andra flickornas illa dolda skadeglädje. Det var precis vad hon avsett. Molly kunde aldrig bli en sann vinnare om hon inte hade någon revanschlust i sig. Det var det Jonas inte förstod. Han strök henne medhårs, skämde bort henne och förstörde därmed hennes chanser att bli en överlevare.

"Du får byta häst med Tindra, Molly. Så får vi se om det fortfarande går lika bra eller om det är hästens förtjänst."

Det såg ut som om Molly skulle protestera men så hejdade hon sig. Hon hade säkerligen den uteblivna tävlingen i färskt minne och ville inte gå miste om chansen att få tävla nästa gång. Än så länge hade hennes föräldrar makt att bestämma över henne, och det var hon trots allt medveten om.

"Marta?" Jonas röst från läktaren fick henne att vända sig om. Han vinkade åt henne att komma och hans ansiktsuttryck fick henne att skynda på.

"Fortsätt, jag kommer strax", uppmanade hon flickorna och tog trappan upp till honom.

"Det är en sak vi måste prata om." Han gned sin ena hand.

"Kan vi ta det senare? Jag är mitt i en lektion", sa hon men såg på honom vad svaret skulle bli.

"Nej", svarade han mycket riktigt. "Vi måste ta det nu."

De gick ut ur ridhuset och bakom sig hörde hon ljudet av hästarna.

Erica svängde in framför fiket i Hamburgsund. Vägen från Fjällbacka var vacker, och hon hade njutit av en kort stunds lugn och ro i bilen. När hon ringde och förklarade sitt ärende hade paret Wallander först tvekat. De hade konfererat en stund medan Erica väntade i luren och lyssnade till deras vaga mummel. Till slut hade de gått med på att träffa henne, men inte hemma utan på ett café inne i samhället.

Hon såg dem så fort hon klev in på fiket och gick snabbt fram till deras bord. De reste sig och hälsade generat på henne. Tony, mannen i familjen, var lång och kraftig, hade stora tatueringar på underarmarna och var klädd i rutig skjorta och blå arbetarbyxor. Hans fru Berit var desto mindre, men hennes späda kropp såg senig och stark ut, och ansiktet var väderbitet.

"Åh, har ni köpt kaffe redan, jag som hade tänkt bjuda", sa Erica och nickade mot deras koppar. På ett fat intill låg två mazariner som var halvt uppätna.

"Ja, vi var lite tidiga", sa Tony. "Och inte ska du bjuda."

"Men du är säkert kaffesugen själv, så gå och köp en kopp till dig", sa Berit vänligt.

Erica tyckte instinktivt om de här människorna. Rejäla var det första ord som dök upp i hennes huvud för att beskriva dem. Hon gick till kassan och beställde kaffe och ett wienerbröd och slog sig sedan ner hos paret.

"Varför ville ni hellre ses här förresten? Jag hade ju kunnat köra hem till er, så hade ni sluppit besväret med att ta er hit", sa hon och tog en tugga av wienerbrödet som smakade ljuvligt nybakt.

"Nja, vi tyckte väl inte riktigt att det passade", sa Berit och tittade ner i bordduken. "Det är så rörigt och bedrövligt där hemma. Inte kunde vi bjuda in någon som du."

"Men så hade ni verkligen inte behövt känna", sa Erica. Nu var det hennes tur att bli generad. Hon avskydde känslan av att behandlas som annorlunda, eller till och med mer värd, bara för att hon då och då syntes i tv och tidningar.

"Vad ville du fråga om Louise?" sa Tony och gav henne en chans att ta sig ur den pinsamma situationen.

Erica tittade tacksamt på honom och tog en klunk kaffe innan hon svarade. Det var gott och starkt.

"Jo, först och främst undrar jag hur det kom sig att ni tog hand om Louise? Hennes bror fick ju bo hos deras mormor."

Berit och Tony tittade på varandra som för att se vem som skulle svara på frågan. Det blev Berit:

"Vi har aldrig riktigt fått klarhet i varför mormodern inte tog båda barnen. Kanske orkade hon helt enkelt inte med båda två. Louise var nog också mer illa däran än sin bror. Hursomhelst fick vi besked från kommunen om att en sjuårig flicka akut behövde få ett nytt hem och att hon hade varit med om ett trauma. Hon kom till oss direkt från sjukhuset, och sedan fick vi såklart veta mer om omständigheterna av handläggaren på socialtjänsten."

"Hur var Louise när hon kom till er?"

Tony knäppte händerna på bordet och lutade sig fram. Han fäste blicken på en punkt bakom Erica och tycktes förflytta sig bakåt i tiden till året då de tagit emot Louise.

"Hon var mager som en skrika och hade fullt av blåmärken och sår på kroppen. Men de hade tvättat henne på sjukhuset och klippt håret på henne, så hon såg inte fullt så förvildad ut som på bilderna som togs när de fann henne."

"Hon var söt, riktigt söt", sa Berit.

Tony nickade. "Ja, något annat kunde man inte säga. Men hon behövde äta upp sig och läka, till både kropp och själ."

"Hur var hon till sättet?"

"Tystlåten. Vi fick knappt ur henne något på flera månader. Hon bara satt där och iakttog oss."

"Sa hon ingenting alls?" Erica funderade på om hon borde anteckna, men hon bestämde sig för att bara lyssna uppmärksamt och sedan skriva ner allt ur minnet efteråt. Ibland missade hon nyanserna i det som människor sa om hon försökte anteckna samtidigt.

"Jo, enstaka ord. Tack, törstig, trött. Sådana saker."

"Men hon pratade med Tess", inflikade Berit.

"Tess? Den andra flickan som också bodde hos er?"

"Ja, Tess och Louise fann varandra från första stund", sa Tony. "Vi kunde höra genom väggen hur de låg och pratade med varandra på kvällen. Så jag antar att det bara var oss hon inte ville prata med. Louise gjorde inget som hon inte själv ville."

"Hur menar du då? Var hon bråkig?"

"Nja, egentligen var hon rätt stillsam på något vis." Tony kliade sig på den kala skallen. "Jag vet inte riktigt hur jag ska beskriva det." Han tittade villrådigt på Berit.

"Hon sa aldrig emot, men om man bad henne att göra något som hon inte ville gick hon därifrån. Och det spelade ingen roll om man skällde på henne, det bara rann av henne. Sedan var det såklart svårt att vara så tuff som man kanske borde mot någon som gått igenom det som Louise gjort."

"Ja, hjärtat blödde ju för henne", sa Tony och hans ögon blev mörka. "Att man kan behandla ett barn på det sättet."

"Blev hon pratsammare sedan, så att hon berättade något om sina föräldrar eller det som hänt?"

"Jo, hon började ju prata mer och mer", sa Berit. "Men pratsam blev hon aldrig, det kan man inte påstå. Det var sällan hon berättade något själv. Hon svarade på tilltal, men hon undvek att titta en i ögonen och hon anförtrodde sig aldrig åt oss. Kanske berättade hon en del för Tess om det hon varit med om. Det skulle jag kunna tänka mig. Det var som om de hade sin egen värld, de där två."

"Vad hade Tess för bakgrund? Varför kom hon till er?" Erica slukade det sista av wienerbrödet.

"Hon var föräldralös efter en trasig uppväxt", sa Tony. "Pappan fanns aldrig med i bilden, vad vi vet, och mamman var narkoman och dog av en överdos. Tess kom till oss strax före Louise. De var jämnåriga och såg nästan ut att vara systrar. Vi var så glada att de hade varandra. De hjälpte till mycket med djuren och det behövdes. Vi hade otur ett par år där med sjuka djur och mycket som slog fel på gården. Ett par villiga händer till var guld värt, och både Berit och jag anser att arbete är ett bra sätt att läka själen." Han tog sin hustrus hand och kramade den. De utbytte ett snabbt leende och Erica blev varm inombords av att se en så stark vardagskärlek trots att de levt så länge tillsammans. Så ville hon ha det med Patrik, och så trodde hon att det skulle bli.

"De lekte mycket ihop också", tillade Berit.

"Ja, just det, cirkusen", sa Tony och det glittrade i hans ögon vid minnet. "Det var deras favoritlek, att leka cirkus. Louises pappa hade ju en bakgrund som cirkusartist och det satte säkert igång flickornas fantasi. De gjorde en liten manege i ladan och höll på med alla möjliga konster där. En gång kom jag på dem med att ha spänt upp en lina på logen som de tokstollarna tänkte öva att gå på. Visserligen med hö under, men de kunde ha slagit sig rejält ändå, så det fick vi sätta stopp för. Kommer du ihåg det, när flickorna skulle gå på lina?"

"Ja, vilka upptåg de där två kunde ha för sig ibland. Och djuren var viktiga för dem. Jag minns när en av våra kor var sjuk och de satt och vakade hela natten tills hon slutligen dog i gryningen."

"De ställde aldrig till några problem för er?"

"Nej, inte de där två. Vi hade andra barn som kom och gick och som vi hade betydligt större bekymmer med. Tess och Louise skötte liksom sig själva. Ibland kunde jag känna att de avskärmade sig lite från verkligheten, och vi nådde nog aldrig riktigt fram till dem. Men de verkade må bra och vara trygga. De sov till och med tillsammans. Om jag smög in och tittade till dem låg de alltid ansikte mot ansikte med armarna om varandra." Berit log.

"Kom Louises mormor någonsin och hälsade på?"

"En gång. Jag tror att Louise var ungefär tio år då …" Hon tittade på sin man som nickade.

"Hur gick det besöket? Vad hände?"

"Det gick …" Berit tittade på Tony igen, som ryckte på axlarna och tog vid.

"Det hände ingenting särskilt. De satt i vårt kök och Louise sa inte ett ljud. Hennes mormor sa inte många meningar heller. De synade mest varandra. Och jag vill minnas att Tess hängde utanför köket och surade. Louises mormor hade helst velat att de sågs ensamma, men jag insisterade och hon gick motvilligt med på att jag var med. Louise hade ju varit hos oss i tre år vid det laget. Vi hade ansvar för henne och jag hade ingen aning om hur hon skulle reagera på att hennes mormor dök upp. Det måste ha framkallat dåliga minnen, men det märktes faktiskt inte. De bara satt där. Om jag ska vara ärlig förstår jag inte varför hon kom."

"Peter var inte med?"

"Peter?" sa Tony. "Du menar Louises lillebror? Nej, det var bara hennes mormor."

"Och Laila? Hörde hon någonsin av sig till Louise?"

"Nej", sa Berit. "Vi hörde aldrig ett ljud ifrån henne. Jag hade oerhört svårt att förstå det. Hur hon kunde hon vara så kall att hon inte ens undrade hur det var med hennes dotter?"

"Frågade Louise efter henne?"

"Nej, aldrig. Hon pratade som sagt ingenting om sitt gamla liv och vi pressade henne inte heller. Vi hade kontinuerlig kontakt med en barnpsykolog som rekommenderade att vi skulle låta henne berätta i sin egen takt. Men självklart ställde vi ändå en del frågor. Vi ville ju veta hur hon mådde."

Erica nickade och värmde händerna runt kaffekoppen. Varje gång dörren till fiket öppnades svepte en iskall vind in och kylde ner henne.

"Vad hände sedan, den dagen då de försvann?" sa hon försiktigt.

"Fryser du? Du kan ta min kofta om du vill", erbjöd Berit, och Erica förstod varför paret öppnat sitt hem för så många fosterbarn genom åren. Båda tycktes vara oerhört omtänksamma människor.

"Nej tack, det går bra", sa Erica. "Men tror ni att ni orkar berätta om den där dagen?"

"Det är så många år sedan nu, så det går bra", sa Tony, men Erica såg att en mörk skugga drog över deras ansikten vid minnet av den ödesdigra sommardagen. Hon hade läst om det som hände i polisrapporten, men det var något helt annat att få händelsen återberättad av de som varit med.

"Det var en onsdag i juli. Ja, inte för att det är relevant vilken veckodag det var ..." Tonys röst bröts, och Berit lade varsamt handen på hans arm. Han harklade sig och fortsatte:

"Flickorna sa att de skulle gå och bada. Vi var inte oroliga alls, de gick ofta iväg ensamma. Ibland var de borta hela dagarna, men de kom alltid hem framåt kvällen, när de började bli hungriga. Men inte den här dagen. Vi väntade och väntade, men flickorna dök inte upp. Och framåt åttatiden började vi inse att något måste ha hänt. Vi gav oss ut för att leta och när vi inte hittade dem ringde vi polisen. Först morgonen därpå hittades deras kläder vid några klippor."

"Var det ni eller polisen som hittade dem?"

"Polisen hade samlat ihop en skallgångskedja, så det var en av de frivilliga som upptäckte kläderna." Berit snyftade till.

"De måste ha dragits med av de starka strömmarna där. Ingen av kropparna återfanns… En fruktansvärd tragedi." Tony slog ner blicken, och det var tydligt hur djupt händelsen påverkat dem bägge.

"Vad hände sedan?" Det skar i Ericas hjärta vid tanken på de två flickornas kamp mot strömmarna.

"Polisen utredde och konstaterade att det måste röra sig om en olycka. Vi… ja, vi anklagade oss själva länge. Men flickorna var trots allt femton år gamla, och de brukade kunna ta vara på sig själva. Med åren har vi insett att det inte var vårt fel. Ingen hade kunnat förutse vad som skulle hända. De där två hade levt tillräckligt länge i fångenskap och vi hade låtit dem springa fritt ända sedan de kom till oss."

"Klokt", sa Erica och undrade om fosterbarnen som fått bo hos Berit och Tony insåg hur lyckligt lottade de hade varit.

Hon reste sig och sträckte fram handen.

"Tack för att ni tog er tid att träffa mig. Jag uppskattar det verkligen, och jag är ledsen om det väckte en del svåra minnen till liv."

"Det väckte även en del fina minnen till liv", sa Berit och tryckte varmt hennes hand. "Vi har haft förmånen att få ta hand om många barn under åren, och alla har lämnat ett avtryck. Tess och Louise var speciella och de är inte bortglömda."

Det hade blivit så tyst hemma. Det var som om tomrummet efter Victoria fyllde huset, som om det fyllde dem själva och hotade att spränga dem inifrån.

De gjorde tafatta försök att dela sorgen, började tala om Victoria men avbröt sig mitt i ett minne och lät orden sväva ut i intet. Hur skulle livet någonsin kunna bli detsamma igen?

Ricky visste att det bara var en tidsfråga när polisen skulle komma på besök igen. Gösta hade redan ringt för att dubbelkolla att de verkligen inte hade sett någon misstänkt person i omgivningarna tiden före Victorias försvinnande. Tydligen hade de nu fått indikationer på att någon hade bevakat huset vid den tiden. Ricky insåg att de också skulle vilja fråga mamma och pappa om de visste något om Victorias relation med Jonas, eller om breven som han hittat. På sätt och vis skulle det vara en lättnad. Det hade varit tungt att bära hemligheten mitt i sorgen, tungt att veta att föräldrarna inte visste allt.

"Skickar du potatisen?" Hans pappa sträckte fram handen utan att se honom i ögonen, och Ricky lyfte kastrullen och gav den till honom.

Det här var den enda sortens samtal de hade nu. Om vardagliga och praktiska ting.

"Vill du ha morötter?" Mamma räckte honom karotten. Hennes hand nuddade vid hans när han tog emot den, och hon ryckte till som om hon bränt sig. Sorgen gjorde så ont att de knappt klarade av att röra vid varandra.

Han tittade på sina föräldrar där de satt mittemot honom vid köksbordet. Mamma hade lagat middagen, men maten var tillagad utan omsorg och såg lika hopplös ut som den smakade. De åt under tystnad, var och en i sina egna tankar. Snart skulle polisen komma och störa i tystnaden, och han insåg att han borde vara den som berättade. Han tog sats.

"Det är en sak jag måste berätta. Om Victoria..."

De stannade upp mitt i en rörelse och tittade på honom, såg honom så som de inte gjort på länge. Hjärtat rusade snabbare i bröstet, munnen blev torr, men han tvingade sig att fortsätta. Han berättade om Jonas, om grälet i stallet, om hur Victoria hade rusat iväg, om breven han hittat, om de fula orden och tillmälena.

De lyssnade uppmärksamt och sedan slog mamma ner blicken. Men han hann se en märklig glimt i den. Det tog en stund innan han förstod vad den betydde.

Hans mor visste redan.

"Han dödade alltså inte sin fru? Eller gjorde han det?" Rita rynkade pannan och lyssnade tålmodigt på Paula.

"Han dömdes för mordet men hävdade hela tiden att han var oskyldig. Jag har inte lyckats få tag i någon som jobbade med fallet, men jag har fått delar av utredningsmaterialet faxat till mig och läst en del tidningsartiklar. Och bevisen var egentligen bara indicier."

Paula gick runt i köket och vyssjade Lisa medan hon pratade. Dottern var för tillfället alldeles lugn, vilket skulle ändra sig direkt om Paula stannade upp. Hon undrade när hon senast satt ner och åt en hel måltid.

Johanna kastade en blick på henne och Paula tänkte i sitt stilla sinne att det kanske egentligen var hennes tur att kånka runt på dottern. Det var ju inget som sa att hon var mest lämpad för det, bara för att hon hade fött henne.

"Sitt ner på stolen", röt Johanna åt Leo som envisades med att ställa sig upp i sin Tripp Trapp-stol mellan varje tugga.

"Herregud, om man höll på så där när man åt, skulle man vara smal som en vidja", konstaterade Mellberg och blinkade åt Leo.

Johanna suckade. "Snälla, Bertil, måste du heja på honom? Det är svårt nog att uppfostra honom ändå."

"Äh, vad spelar det för roll om grabben motionerar lite mellan tuggorna. Det borde vi alla göra. Titta." Mellberg tog en tugga, ställde sig upp, satte sig och gjorde sedan om allt igen. Leo skrattade så att han tjöt.

"Kan du inte säga till honom?" Johanna vände sig mot Rita med en vädjande min.

Paula kände hur det började bubbla inombords. Hon visste att Johanna skulle bli vansinnig, men till slut kunde hon inte längre hålla tillbaka skrattet. Hon skrattade så att tårarna rann och hon tyckte nästan att Lisa log också. Rita kunde inte heller hejda sig, och uppmuntrade av publikens gensvar ställde sig och satte sig Leo och Mellberg i takt.

"Vad har jag begått för synder i tidigare liv för att hamna hos ett sådant här gäng?" suckade Johanna, men det började rycka i hennes mungipor också. "Okej då, gör vad ni vill. Jag har ändå redan gett upp hoppet om att den här ungen ska bli en fungerande vuxen." Skrattande böjde hon sig fram och kysste Leo på kinden.

"Jag vill veta mer om det där mordet", sa Rita när stämningen i köket lugnat ner sig lite. "Om det inte fanns bevis, kunde de väl inte döma honom? I Sverige sätter man väl inte folk i fängelse för saker som de inte har gjort?"

Paula log åt sin mor. Ända sedan de hade kommit hit från Chile på sjuttiotalet hade Rita dyrkat Sverige på ett sätt som landet inte alltid kunde leva upp till. Hon hade också anammat alla traditioner och firade de svenska högtiderna med en frenesi som till och med Sverigedemokraterna skulle ha funnit aningen överdriven. Alla andra dagar lagade hon specialiteter från deras hemland, men på midsommar och liknande fick det knappt finnas annat än sill i kylskåpet.

"Det fanns som sagt indicier, alltså sådant som pekade på att han var skyldig men som inte ... Hur ska man förklara det?"

Mellberg harklade sig. "Indicier är en juridisk term för vissa omständigheter som är svagare än ett faktum men som ändå kan leda till att en anklagad kan frias eller fällas för ett brott."

Paula stirrade på honom. Det sista hon hade förväntat sig var ett svar på frågan, än mindre ett vettigt sådant. Hon hade snarare tänkt högt.

"Precis. Och i det här fallet kan man säga att Ingelas man hade ett förflutet som påverkade domen. Tidigare flickvänner och även Ingelas väninnor vittnade om att han ofta var aggressiv. Och han hade dessutom vid flera tillfällen misshandlat Ingela och hotat henne till livet. När han sedan saknade alibi för tidpunkten då hon försvann och kroppen hittades i skogen nära deras hem, ja, då ansåg man att saken var klar."

"Men nu tror ni inte det?" sa Johanna och torkade Leo om munnen.

"Det är omöjligt att säga än. Men skadorna är väldigt speciella. Och det har höjts röster genom åren som försvarat Ingelas man och hävdat att han talade sanning. Att polisens ovilja att ens undersöka några andra spår gjorde att en mördare gick lös."

"Det kan inte vara så att någon annan har hört talas om det här mordet och vill göra samma sak?" frågade Rita.

"Jo, det var precis vad Martin sa under mötet. Det är nästan trettio år sedan Ingela blev mördad, så visst kan det vara någon som härmar de skadorna snarare än att det är samma mördare som plötsligt har börjat om." Efter en blick på Lisa som nu tycktes sova djupt, satte sig Paula ner vid bordet. Hon fick äta med henne i famnen.

"Det är värt att titta närmare på i alla fall", sa Mellberg och tog en portion till. "Jag tänkte läsa igenom utredningsmaterialet i kväll så att jag kan dra det på mötet i Göteborg i morgon."

Paula kvävde en djup suck. Säkert skulle Mellberg ta åt sig hela äran av hennes upptäckt.

Patrik klev in genom dörren och tittade sig storögt omkring.

"Har vi haft städfirma hemma i dag? Nej, just det, mamma och Byggare Bob var ju här." Han kysste Erica på kinden. "Fram med skaderapporten bara. Hur mycket har han lagat och fixat?"

"Det vill du inte veta", sa hon och gick före in i köket där hon höll på med middagen.

"Är det så illa?" Patrik satte sig med en suck och barnen kom inrusande och kastade sig i hans famn för en kram. Men lika snabbt var de försvunna igen. Det var Bolibompa på tv. "När blev den gröna draken populärare än jag?" sa han med ett snett leende.

"Oj, det var längesedan", sa Erica och böjde sig fram och pussade honom på munnen. "Fast hos mig är du fortfarande populärast."

"Förutom Brad Pitt då?"

"Tyvärr. Brad Pitt kommer du aldrig att kunna slå." Hon blinkade och öppnade skåpet för att plocka fram glas och Patrik reste sig och hjälpte till att duka.

"Hur går det förresten? Har ni kommit någon vart?"

Han skakade på huvudet. "Nej, inte än. De tekniska resultaten tar ju ett tag. Det enda vi vet är att någon med jämna mellanrum verkar ha betalat fem tusen kronor till Lasse."

"Utpressning?"

Patrik nickade. "Ja, det är vår teori så här långt. Vi försöker att inte låsa oss vid den, men det verkar rätt troligt att han utövade utpressning mot någon som till slut tröttnade. Frågan är bara vem. Hittills har vi ingen aning."

"Hur känns det inför mötet i morgon då?" Erica rörde om ett varv i kastrullen som stod på spisen.

"Jo, vi är nog hyfsat förberedda. Men Paula kom med en ny teori i dag. Det kan finnas en koppling till ett tjugosju år gammalt fall. Ingela Eriksson som mördades i Hultsfred."

"Hon som blev torterad och ihjälslagen av sin man?" Erica vände sig om och stirrade på honom. "På vilket sätt har det med ert fall att göra?"

"Just ja, jag glömde att du har koll på svensk kriminalhistoria. Då borde du väl minnas hur hon blev torterad?"

"Nej, jag vet bara att han misshandlade henne och dumpade henne i skogen i närheten av där de bodde. Säg nu vad kopplingen är." Hon kunde inte dölja ivern i rösten.

"Ingela Eriksson hade exakt samma skador som Victoria."

I ett ögonblick blev det tyst i köket.

"Skojar du?" sa Erica sedan.

"Nej, tyvärr." Patrik sniffade i luften. "Vad blir det till middag?"

"Fisksoppa." Erica började hälla upp soppan i skålarna på bordet, men han såg att hon var någon annanstans i tankarna. "Antingen var hennes man oskyldig och det är samma mördare som nu kidnappat flickorna, eller så är det någon som har kopierat mördarens tillvägagångssätt. Eller så är det en ren slump."

"Jag tror inte på slumpen."

Erica slog sig ner. "Inte jag heller. Ska ni ta upp det på mötet i morgon?"

"Ja, jag har fått med mig kopior av utredningsmaterialet hem i kväll. Och även Mellberg skulle läsa på om fallet, sa han."

"Är det ni två som åker?" Hon smakade försiktigt på soppan.

"Ja, vi sticker rätt tidigt i morgon bitti. Mötet börjar redan klockan tio."

"Jag hoppas att det kommer att ge något." Hon såg forskande på honom. "Du ser trött ut. Jag vet att det är viktigt att ni löser det här snabbt, men du måste ta hand om dig."

"Det är jag. Jag vet var gränsen går. Apropå trött, hur var det med Anna i dag?"

Erica verkade fundera på hur hon skulle svara.

"Jag vet ärligt talat inte. Det känns inte riktigt som om jag når fram till henne. Hon har liksom bäddat in sig i skulden, och jag vet inte hur jag ska tvinga ut henne i verkligheten igen."

"Det kanske inte är ditt jobb", sa han men visste att han talade för döva öron.

"Jag ska prata med Dan", sa hon och markerade att samtalet om Anna var avslutat.

Patrik förstod och ställde inga fler frågor. Oron för systern tyngde

Erica, och ville hon prata skulle hon göra det. Till dess fick hon fundera på egen hand.

"Jag kommer för övrigt att behöva kristerapi." Hon fyllde på mer fisksoppa.

"Jaså, varför då? Vad har mamma sagt nu?"

"Kristina är helt oskyldig den här gången. Och jag kommer inte bara att behöva kristerapi. Troligtvis kommer jag att behöva utradera mitt minne också efter att ha sett Mellberg nästan naken i morse."

Patrik kunde inte hejda sig. Han brast ut i ett sådant gapskratt att han fick fisksoppa i näsan.

"Ja, den synen kommer ingen av oss att glömma. Och vi ska ju dela både glädje och sorg… Försök att inte se honom framför dig när vi har sex bara."

Erica stirrade på honom i fasa.

Uddevalla 1974

Gränsen för det normala började suddas ut. Laila såg och förstod det men kunde ändå inte stå emot lockelsen i att då och då ge efter för Vladeks vilja. Hon visste att det inte var rätt, men ibland ville hon för en kort stund låtsas som om de levde ett vanligt liv.

Vladeks historier fortsatte att trollbinda dem. De knöt ihop det ovanliga med det vanliga, det fasansfulla med det fantastiska. Ofta satt de tillsammans runt köksbordet med bara en liten lampa tänd. I dunklet kunde de alla leva sig in i hans historier. De kunde höra ljudet av publikens applåder, de såg lindansarna sväva högt uppe mot taket, skrattade åt clownerna och deras lustigheter, hänfördes av cirkusprinsessan som med grace och styrka balanserade på hästen som sprang runt runt, dekorerad med plymer och paljetter. Men mest av allt såg de Vladek och lejonen i manegen. Hur han stod där, stark och stolt och med makt över de vilda djuren. Inte för att han hade piskan i sin hand, som publiken trodde, utan för att lejonen respekterade och älskade honom. De litade på honom och därför lydde de honom.

Hans främsta trick, hans grande finale, var när han till synes dödsföraktande stack in huvudet i ett av lejonens gap. I det ögonblicket satt publiken tyst, ur stånd att tro att det var på riktigt. Eldtricket hade också varit effektfullt. När ljuset släcktes i manegen spred sig oron bland åskådarna. Tanken på de djur som fanns någonstans där inne, djur som såg i mörkret och som kanske betraktade dem som villebråd, fick dem att fatta handen på den som satt bredvid. Sedan lystes mörkret plötsligt upp av brinnande ringar som flammade hypnotiskt. Och lejonen trotsade sin rädsla för eld och hoppade graciöst igenom dem, eftersom de kände tillit till den som tämjt dem och bad dem utföra tricket.

Där Laila satt och lyssnade, längtade hon efter något som kunde skingra hennes eget mörker. Efter att återigen få känna tillit till någon.

Gatorna låg öde när Helga promenerade genom Fjällbacka i den kyliga morgonen. På sommaren vibrerade det lilla samhället av liv. Affärerna var öppna, restaurangerna fullsatta, i hamnen låg båtarna tätt och ett myller av människor flanerade omkring. Nu på vintern var det helt tyst. Allt var igenbommat och det var som om Fjällbacka låg i ide och väntade på en ny sommar. Men Helga hade alltid föredragit de lugnare årstiderna. Även hennes hem hade varit mer rofyllt då. På somrarna hade Einar oftare kommit hem full och varit på extra elakt humör.

Sedan han blev sjuk var det förstås annorlunda. Orden var hans enda vapen, men nu kunde de inte längre skada henne. Ingen kunde såra henne, förutom Jonas. Han kände till hennes ömma punkter och visste när hon var som skörast. Det absurda var att hon ändå ville beskydda honom. Det spelade ingen roll att han numera var en fullvuxen man, lång och stark. Han behövde henne fortfarande och hon skulle försvara honom mot allt ont.

Hon passerade Ingrid Bergmans torg och ställde sig och tittade ut över det frusna vattnet. Hon älskade skärgården. Hennes far hade varit fiskare och de hade ofta varit ute med båten tillsammans. Men allt sådant hade upphört när hon gifte sig med Einar. Han kom från inlandet och hade aldrig vant sig vid havets nyckfullhet. Om det varit meningen att människor skulle vara ute på vattnet, hade de varit födda med gälar, hade han muttrat. Jonas hade heller aldrig fastnat för båtlivet, så hon hade inte varit ute på havet sedan hon var sjutton år, trots att hon bodde i det vackraste av skärgårdsområden.

För första gången på många år värkte det i henne av längtan efter att ge sig ut. Men det skulle inte ha gått även om hon haft en båt. Isen var tjock, och de få båtar som inte hade dragits upp på land låg infrusna i hamnen. På så vis liknade de henne själv. Det var så hon hade känt sig i alla år: så nära sitt rätta element men ändå oförmögen att ta sig ur sin fångenskap.

Det var Jonas som hade fått henne att överleva. Kärleken till honom var så stark att allt annat förbleknade. Under hela hans liv hade hon förberett sig för att kunna ställa sig i vägen för det framrusande tåg som nu var på väg för att krossa honom. Hon var beredd och kände inga tvivel. Allt hon gjorde för Jonas, gjorde hon med glädje.

Hon stannade och tittade på bysten av Ingrid Bergman. Jonas och hon hade varit nere på torget när avtäckningsceremonin ägt rum. Man hade också presenterat rosen som odlats fram till hennes minne. Jonas hade varit full av förväntan. Ingrids barn skulle närvara, och även sonens flickvän: Caroline av Monaco. Jonas var i en ålder då hans värld var fylld av riddare och drakar, prinsar och prinsessor. Helst hade han nog velat se en riddare, men en prinsessa fick duga. Det var rörande att se hans iver när han gjorde sig i ordning för den stora händelsen. Noggrant vattenkammade han sig, och han plockade blommor i deras trädgård, löjtnantshjärtan och blåklockor, som hann krokna betänkligt i hans svettiga hand innan de nådde fram till torget. Einar hade förstås retat honom skoningslöst, men för en gångs skull hade Jonas ignorerat sin far. Han skulle ju få se en riktig prinsessa.

Helga mindes fortfarande uttrycket av häpen besvikelse i hans ansikte när hon hade pekat ut Caroline för honom. Han hade tittat på henne med darrande underläpp och sagt:

"Men mamma, hon ser ju ut som en helt vanlig tant."

På eftermiddagen, efter att de kommit hem, hittade hon alla hans sagoböcker i en stor hög bakom huset. Bortslängda. Jonas hade aldrig hanterat besvikelser särskilt väl.

Hon tog ett djupt andetag, vände och började gå hemåt igen. Det var hennes ansvar att bespara honom besvikelser. Stora som små.

Kriminalinspektör Palle Viking, som utsetts till ordförande för mötet, harklade sig.

"Välkomna hit till oss på Göteborgspolisen. Jag vill tacka för gott samarbete så här långt. Man kan tycka att vi borde ha samlats på det här viset tidigare, men ni vet ju alla hur tungrott och ineffektivt samarbetet över distriktsgränserna kan vara, och kanske kommer det trots allt att visa sig att det här är precis rätt tidpunkt." Han slog ner blicken och tillade: "Att Victoria Hallberg återfanns och det i ett sådant skick är självklart en tragedi. Men det ger oss samtidigt en bild av vad som kan ha hänt med de andra flickorna, och därmed information som kan leda oss vidare i utredningen."

"Pratar han alltid så här?" viskade Mellberg.

Patrik nickade. "Han utbildade sig sent till polis men har gjort komet-karriär. Sägs vara väldigt duktig. Innan dess forskade han i filosofi."

Mellberg gapade. "Det var värst. Men namnet måste vara taget?"

"Nej, men det matchar ju hans utseende."

"Ja, herregud, han ser ut som, vad heter han, den där svensken som slogs mot Rocky."

"När du säger det så …" Patrik log. Mellberg hade rätt. Palle Viking var en kopia av Dolph Lundgren.

När Mellberg böjde sig fram för att viska något igen, hyssjade Patrik honom: "Det är bäst att vi lyssnar nu."

Palle Viking hade under tiden fortsatt sin introduktion. "Jag tänkte att vi går laget runt och berättar hur vi ligger till i våra respektive utred-ningar. Det mesta av informationen har vi ju delat på förhand, men jag har ändå sett till att ni här får mappar med aktuella sammanställningar av spaningsläget. Ni ska också få kopior av de filmade samtal som gjorts med de anhöriga. Det var ett bra initiativ. Tack, Tage." Han nickade åt en kort och satt man med yvig mustasch som ansvarade för utredningen av Sandra Anderssons försvinnande.

Redan när Jennifer Backlin försvann, ett halvår efter Sandra, hade ett samband börjat anas, och Tage hade gett Falsterbopolisen rådet att följa deras exempel och filma samtalen med de anhöriga. Tanken var att låta familjemedlemmarna i lugn och ro berätta om sina iakttagelser i samband med försvinnandet. I hemmet kunde utredarna också få en bättre bild av vem den försvunna flickan var. Sedan dess hade alla gjort likadant och nu skulle de få ta del av varandras filmer.

På väggen satt en stor Sverigekarta där orterna för flickornas försvinnanden var utmärkta. Även om han hade gjort likadant hemma på stationen kisade Patrik och försökte än en gång urskilja något slags mönster. Men han kunde inte se någon koppling mellan orterna, mer än att de låg i sydvästra och mellersta Sverige. Det fanns inga nålar i öster, eller norr om Västerås.

"Ska vi börja med dig, Tage?" Palle pekade på utredaren från Strömsholm, som reste sig och tog Palles plats längst fram.

En efter en klev de fram och redogjorde för alla aspekterna av sina utredningar. Besviket kunde Patrik konstatera att det inte gav några nya insikter eller uppslag. Här fanns bara samma bristfälliga information som i det utredningsmaterial som de alla redan tagit del av. Han förstod att han inte var den enda som kände så, för stämningen i rummet sjönk alltmer.

Mellberg var sist ut, eftersom Victoria var den av flickorna som försvunnit senast. I ögonvrån såg Patrik hur han spratt av iver att få sin stund i rampljuset. Han hoppades innerligt att Mellberg var redo för uppgiften och hade gjort sin hemläxa åtminstone hjälpligt.

"Hej på er!" inledde Mellberg, som vanligt oförmögen att känna av stämningar eller hantera dem på ett lämpligt sätt.

Till svar fick han ett spritt mummel. Herregud, tänkte Patrik, hur skulle det här gå? Men till hans förvåning gjorde Mellberg en stringent genomgång av deras utredning och Gerhard Struwers teorier om gärningsmannen. I korta stunder framstod han till och med som kompetent. Patrik höll andan när han förstod att Mellberg var framme vid det som skulle komma som en nyhet för de övriga poliserna.

"Vi har ju rykte om oss att utföra ett högst effektivt polisarbete i Tanumshede", sa han och Patrik kvävde en fnysning. De övriga runt honom hade inte samma impulskontroll och någon fnissade till och med.

"En av våra poliser har hittat en koppling mellan Victoria Hallberg och ett betydligt äldre mordfall." Han gjorde en konstpaus och inväntade reaktionen, som inte uteblev. Alla tystnade och sträckte på sig. "Är det någon som minns mordet på Ingela Eriksson? I Hultsfred?"

Flera nickade och en av poliserna från Västerås sa:

"Ja, hon som hittades torterad och mördad i skogen bakom huset där hon bodde. Hennes man dömdes mot sitt nekande för mordet."

Mellberg nickade. "Han dog sedan i fängelset. Fallet var uppbyggt på indicier, och det finns anledning att tro att han faktiskt var oskyldig. Själv hävdade han att han var ensam hemma kvällen då hans fru försvann. Hon hade sagt att hon skulle gå och träffa en väninna, men enligt väninnan stämde inte det. Hursomhelst hade han inget alibi och det fanns inga vittnen som kunde stödja påståendet att frun hade varit hemma tidigare på dagen. Enligt mannen hade de haft besök av en herre som svarat på en annons de satt ut, men polisen fick aldrig tag i honom. Eftersom maken var känd för att tidigare ha misshandlat kvinnor, inklusive sin fru, så riktades polisens uppmärksamhet omedelbart mot honom. De verkar egentligen inte ha varit särskilt intresserade av att undersöka andra spår."

"Men hur hänger det här ihop med försvinnandena?" sa Västeråspolisen. "Det var väl trettio år sedan?"

"Tjugosju. Jo, saken är den …", sa Mellberg och gjorde åter en konstpaus för att det han nu var på väg att säga skulle få största möjliga effekt. "Att Ingela Eriksson hade exakt samma skador som Victoria."

Det blev tyst en lång stund.

"Kan det vara en copycat?" sa Tage från Strömsholm till slut.

"Det är ett alternativ."

"Låter inte det troligare än att det skulle vara samma gärningsman? Varför skulle det gå så många år emellan annars?" Tage såg sig omkring bland de övriga. Flera hummade instämmande.

"Ja", sa Palle och vände sig halvt om på stolen så att alla skulle höra. "Eller så har gärningsmannen inte begått några brott under de här åren av andra anledningar. Han kan till exempel ha suttit i fängelse eller bott utomlands. Det kan också finnas offer som vi har missat. Varje år försvinner sex tusen människor i Sverige, och det kan ha funnits flickor bland dem som ingen har kopplat ihop med det här fallet. Så vi måste också överväga möjligheten att det kan vara samma gärningsman. Men", han höjde ett finger, "vi får inte ta för givet att det alls finns en koppling. Kan det inte vara en slump?"

"Skadorna är identiska", invände Mellberg. "In i minsta detalj. Ni kan själva läsa i utredningen. Vi har med kopior till er."

"Ska vi ta en läspaus?" sa Palle Viking.

Alla reste sig och hämtade en kopia ur högen som låg på bordet bredvid Mellberg. De omringade honom och ställde frågor och all uppmärksamhet fick honom att stråla som en sol.

Patrik höjde ett ögonbryn. Mellberg hade inte tagit åt sig äran, vilket förvånade honom. Även Mellberg hade sina ljusa stunder. Men det hade kanske inte skadat om han påmint sig om anledningen till varför de var här. Fyra försvunna flickor. Och en död.

Marta hade som vanligt varit uppe tidigt. Sysslorna i stallet kunde inte vänta. Jonas hade å sin sida klivit upp ännu tidigare, för att åka till en gård i närheten där en häst fått svår kolik. Hon gäspade. De hade suttit uppe och pratat till sent, så det hade blivit alldeles för få timmars sömn.

Det surrade till i mobilen och hon tog upp den ur fickan och tittade på displayen. Helga ville bjuda henne och Molly på fika. Hon hade väl spanat ut genom fönstret, sett att Molly var hemma från skolan och ville veta varför. Sanningen var att Molly sagt att hon hade ont i magen och att Marta för en gångs skull låtsats tro på den usla lögnen.

"Molly, farmor vill att vi kommer dit och fikar."

"Måste vi?" hördes Mollys röst från en av spiltorna.

"Ja, det måste vi. Kom nu."

"Men jag har ju ont i magen", gnällde Molly.

Marta suckade. "Om du kan vara i stallet med magont kan du nog klara av att fika hos farmor också. Kom nu, så får vi det överstökat. Jonas och hon grälade i går och han blir nog glad om vi försöker sluta fred med henne."

"Jag hade tänkt göra i ordning Scirocco och rida ett pass." Molly hängde med huvudet när hon kom ut i stallgången.

"Med magont?" sa Marta och fick ett ilsket ögonkast tillbaka. "Du hinner det också. Vi tar en snabb fika hos farmor och sedan kan du träna i lugn och ro i eftermiddag. Jag har inte första lektionen förrän klockan fem i dag."

"Okej då", muttrade Molly.

När de gick över gårdsplanen knöt Marta händerna i irritation. Molly hade fått allt serverat. Hon visste ingenting om hur det var att ha en eländig uppväxt, att behöva klara sig själv. Ibland hade hon god lust att visa henne hur livet kunde se ut om man inte var så bortskämd som hon.

"Vi är här nu." Hon klev rakt in hos svärmodern utan att knacka.

"Kom in och sätt er. Jag har bakat sockerkaka, och det finns te till er bägge." Helga vände sig om när de steg in i köket. Hon såg ut som urtypen för en farmor, med ett mjöligt förkläde knutet om midjan och det grå håret som en sky runt ansiktet.

"Te?" Molly rynkade på näsan. "Jag vill ha kaffe."

"Jag tar också gärna kaffe", sa Marta och slog sig ner.

"Kaffet var tyvärr slut. Jag har inte hunnit handla. Ta i en sked honung, så går det nog ner." Hon pekade på en burk på bordet.

Marta sträckte sig efter den och rörde ner en stor klick honung i sin kopp.

"Jag hörde att du ska tävla i helgen?" sa Helga.

Molly sippade på den varma drycken. "Ja, det blev ju inget i lördags, så det finns inte på kartan att jag skulle missa nästa tävling."

"Nej, det är klart." Helga sköt fram fatet med sockerkaka mot dem. "Det kommer säkert att gå jättebra. Och både mamma och pappa ska med?"

"Ja, såklart."

"Att ni orkar fara och flänga så där", sa Helga med en suck till Marta. "Men det är ju det som krävs. Föräldrar som alltid ställer upp."

Marta tittade misstänksamt på henne. Så här positiv brukade inte Helga vara.

"Ja, det är ju det. Och träningarna har gått bra. Jag tror att vi har goda chanser."

Molly sken motvilligt upp. Det var så sällan hon fick beröm från sin mamma.

"Du är duktig. Ja, det är ni båda", sa Helga och log. "Jag drömde själv om att börja rida som ung, men jag fick aldrig chansen. Och sedan träffade jag ju Einar."

Leendet slocknade och ansiktet slöt sig. Marta betraktade henne tyst medan hon rörde om i sitt te. Ja, Einar kunde få ett leende att slockna, det visste hon också.

"Hur träffades du och farfar?" frågade Molly, och Marta förvånades av hennes plötsliga intresse för en annan människa än hon själv.

"På en dans inne i Fjällbacka. Din farfar var väldigt stilig på den tiden."

"Var han?" sa Molly häpet. Hon hade knappt några minnen av sin farfar från tiden innan han satt i rullstol.

"Ja, och din pappa är väldigt lik honom. Vänta så ska jag hämta ett foto." Helga reste sig och gick in i vardagsrummet. Hon kom tillbaka med ett album och bläddrade tills hon hittade rätt bild.

"Titta, här är farfar i sin glans dagar." Tonen var märkligt bitter.

"Oj, han är ju skitsnygg! Och jättelik pappa. Inte för att pappa är snygg, eller det kan man ju inte se när det är ens pappa." Molly granskade bilden. "Hur gammal är han här?"

Helga funderade. "Där är han väl ändå en trettiofem år."

"Vad är det för bil? Var det er?" sa Molly och pekade på bilen som Einar stod lutad mot.

"Nej, det var en av alla bilar han köpte och renoverade. En Amazon som han gjorde ett jättefint arbete med. Ja, vad man än kan säga i övrigt så var han i alla fall duktig med bilar." Återigen den bittra tonen och Marta såg förvånat på svärmodern medan hon tog ännu en klunk av det söta teet.

"Jag önskar att jag hade känt farfar då, innan han blev sjuk", sa Molly.

Helga nickade. "Ja, det förstår jag. Men din mamma kände honom då, så du får fråga henne."

"Jag har liksom aldrig tänkt på det förut. Han har ju mest varit en arg gubbe på övervåningen", sa Molly med tonåringens rättframhet.

"En arg gubbe på övervåningen. Ja, det är ju en rätt bra beskrivning." Helga skrattade till.

Marta log tillbaka. Hennes svärmor var sig verkligen inte lik. Av en rad skäl, mer eller mindre uppenbara, hade de hade aldrig gillat varandra. Men i dag var Helga inte lika menlös som vanligt och det uppskattade Marta. Nåja, det var säkert övergående. Marta tog en tugga av sockerkakan. De skulle snart kunna avsluta den här artighetsvisiten.

Det var obeskrivligt tyst hemma. Barnen var på dagis, Patrik i Göteborg och det betydde att hon kunde jobba ostört. Hon hade förflyttat arbetet från det lilla arbetsrummet på övervåningen till vardagsrumsgolvet. Papper låg utspridda överallt. Det senaste tillskottet i pappershögarna var en kopia av utredningen av mordet på Ingela Eriksson. Det hade krävt en hel del övertalning, men till slut hade hon lyckats få en av utskrifterna som Patrik skulle ta med till mötet i Göteborg. Hon hade läst den noggrant om och om igen. Det fanns verkligen kusliga likheter med Victorias skador.

Hon hade också läst igenom alla sina anteckningar från mötena med Laila, från samtalet med hennes syster, Louises fosterföräldrar och personalen på anstalten. Flera timmar av samtal som hon haft för att förstå vad som hände den dagen då Vladek Kowalski mördades, och nu också för att hitta sambandet mellan det mordet och fem unga flickors försvinnanden.

Erica ställde sig upp och försökte få en överblick över materialet hon hade framför sig. Vad var det som Laila ville säga till henne men som hon av någon anledning inte kunde få ur sig? Hon hade enligt personalen inte haft kontakt med någon utanför anstalten på alla dessa år. Hon hade inte fått några besök, inga telefonsamtal, ingen…

Erica hejdade sig. Hon hade glömt att kolla om Laila fick eller skickade någon post. Så otroligt klantigt. Hon tog upp telefonen och slog numret till anstalten som hon numera kunde utantill.

"Hej, det här var Erica Falck."

Vakten som svarat hälsade igenkännande. "Hej, Erica. Tina här. Tänkte du komma på besök?"

"Nej, inget besök i dag. Jag ville bara kolla en sak. Har Laila fått någon post under de här åren? Eller har hon skickat något själv?"

"Ja, hon har fått några få vykort. Och jag tror att hon även kan ha fått några brev."

"Jaså?" sa Erica. Det svaret hade hon knappast väntat sig. "Vet du från vem?"

"Nej, men kanske kan det vara någon annan här som vet. Vykorten var hursomhelst helt tomma. Och hon ville inte ta emot dem."

"Hur menar du?"

"Hon ville knappt ta i dem, vad jag vet. Hon bad oss bara att slänga dem. Men vi sparade dem om hon skulle ångra sig."

"De finns alltså kvar?" Erica kunde inte dölja sin upphetsning. "Kan jag få se dem?"

Efter att ha fått ett löfte om att få komma dit och titta lade Erica förbryllat på luren. Det här måste betyda något. Men hon kunde inte för sitt liv förstå vad det kunde vara.

Gösta kliade sig i det grå håret. Det kändes ensamt på stationen. Förutom honom själv var det bara Annika här. Patrik och Mellberg var i Göteborg, och Martin hade åkt till Sälvik för att knacka dörr bland villorna i närheten av badplatsen. Dykarna hade inte hittat någon kropp än, men det var kanske inte så konstigt med tanke på de svåra förhållandena. Själv hade han varit och pratat med några av Lasses bekanta, men ingen av dem visste något om pengarna. Nu satt han och funderade på om han skulle åka till Kville och prata med ledarna för Lasses församling.

Han var precis på väg att resa sig när telefonen ringde. Han slängde sig på luren. Det var Pedersen.

"Okej, så snabbt? Och vad kom ni fram till?"

Han lyssnade uppmärksamt.

"Är det sant?" sa han sedan. Efter att ha ställt ytterligare några frågor, lade han på luren och blev sittande några minuter. Tankarna for runt i huvudet på honom, och han visste inte hur han skulle få någon rätsida på det han nu fått veta. Men så började en möjlig teori växa fram.

Han drog på sig jackan och småsprang förbi Annika i receptionen.

"Jag sticker till Fjällbacka en sväng."

"Vad ska du göra där?" ropade hon efter honom, men han var redan på väg ut genom dörren. Han fick förklara sedan.

Bilfärden mellan Tanumshede och Fjällbacka tog bara en kvart tjugo minuter, men kändes oändligt lång. Han undrade om han borde ha ringt Patrik och berättat om Pedersens resultat men kom fram till att det var onödigt att störa i mötet. Det var lika bra att han jobbade på i stället, så kunde han ha något nytt att presentera när de kom hem igen. Att ta egna initiativ var det som gällde. Och han var fullt kapabel att klara detta på egen hand.

Framme på gården ringde han på hos Jonas och Marta, och efter en stund kom en yrvaken Jonas och öppnade.

"Väckte jag dig?" sa Gösta och tittade på klockan. Hon var ett.

"Jag hade ett akutfall tidigt i morse, så jag tog igen lite förlorad sömn. Men kom in du. Nu är jag ju ändå uppe." Han gjorde ett försök att släta till håret som stod på ända.

Gösta följde efter honom in i köket och slog sig ner, trots att Jonas inte bett honom att göra det. Han bestämde sig för att gå rakt på sak.

"Hur väl kände du Lasse?"

"Jag skulle säga att jag inte kände honom alls. Jag hälsade på honom någon gång när han hämtade Tyra i stallet, men det är allt."

"Jag har anledning att tro att det inte stämmer", sa Gösta.

Jonas stod fortfarande upp och nu ryckte det irriterat kring munnen på honom.

"Jag börjar bli rätt trött på det här. Vad vill du egentligen?"

"Jag tror att Lasse kände till din relation med Victoria. Och att han utpressade dig."

Jonas stirrade på honom. "Du kan inte mena allvar?"

Han såg genuint förvånad ut och för ett ögonblick tvivlade Gösta på den teori som han funderat ut efter samtalet med Pedersen. Sedan skakade han av sig tvivlet. Det måste vara så det hängde ihop, och det skulle inte bli särskilt svårt att bevisa det heller.

"Är det inte lika bra att du säger som det är? Vi kommer att titta på din mobiltrafik och dina kontoutdrag, och då kommer vi att kunna se att ni haft kontakt och att du tagit ut kontanter för att betala Lasse.

Du kan bespara oss det jobbet om du i stället säger som det är."

"Gå härifrån", sa Jonas och pekade mot ytterdörren. "Det räcker nu."

"Det kommer ju att finnas där svart på vitt", fortsatte Gösta. "Och vad hände sedan? Krävde han mer? Ledsnade du på hans krav och dödade honom?"

"Jag vill att du går härifrån." Jonas röst var iskall. Han följde Gösta till ytterdörren och nästan föste ut honom.

"Jag vet att jag har rätt", sa Gösta när han stod på översta trappsteget.

"Du har fel. För det första hade jag inget förhållande med Victoria, och för det andra sa Terese att Lasse försvann någon gång mellan lördag morgon och söndag förmiddag, och jag har alibi för hela den tiden. Så nästa gång jag ser dig vill jag att du ber om ursäkt. Och mitt alibi kommer jag redogöra för om någon av dina kolleger frågar. Inte om du gör det."

Jonas stängde dörren och Gösta kände tvivlet återvända. Tänk om han hade fel, trots att allt verkade falla så fint på plats. Men kanske skulle det ge sig. Han behövde göra ett besök till, sedan skulle han ta itu med exakt det som han sagt till Jonas. Bankutdragen och mobiltrafiken skulle tala sitt tydliga språk. Sedan kunde Jonas yra om alibi bäst han ville.

Det borde vara dags snart. Laila kände på sig att det vilken dag som helst skulle dimpa ner ett nytt vykort. För ett par år sedan hade de plötsligt börjat komma med posten, och nu hade det kommit sammanlagt fyra. Några dagar efter varje kort kom brevet med ett tidningsurklipp. Det stod inget på korten men efter hand hade hon ändå anat vad budskapet var.

Vykorten skrämde henne och hon hade bett personalen att slänga dem. Klippen hade hon däremot sparat. Varje gång hon tog fram dem från gömstället hoppades hon förstå mer om hotet som nu inte bara var riktat mot henne.

Trött lade hon sig ner på sängen. Om en stund skulle hon ha ett meningslöst terapisamtal igen. Hon hade sovit illa i natt, drömt mardrömmar om Vladek och om Flicka. Det var svårt att förstå hur det kunde bli som det blev, hur det onormala gradvis blev normalt. Sakta hade de förändrats tills de slutligen inte kände igen sig själva.

"Du kan komma nu, Laila." Ulla knackade på hennes öppna dörr och Laila reste sig mödosamt upp. Tröttheten blev värre för varje dag. Mardrömmarna, väntan, alla minnen av hur livet sakta men säkert hade gått så snett. Hon hade älskat honom så mycket. Hans bakgrund hade varit fullkomligt olik hennes egen, aldrig hade hon kunnat föreställa sig att hon skulle träffa någon som han, och ändå hade de blivit ett par. Det hade känts som den mest naturliga sak i världen, tills ondskan tagit över och raserat allt.

"Kommer du, Laila?" hördes Ullas röst.

Laila tvingade sina ben att röra sig. Det kändes som om hon tog sig fram genom vatten. Rädslan hade så länge hindrat henne från att tala, från att göra någonting alls. Och hon var fortfarande rädd. Skräckslagen. Men de försvunna flickornas öde hade berört henne på djupet och hon kunde inte tiga hur länge som helst. Hon skämdes för sin feghet, att hon låtit ondskan skörda så många oskyldiga liv. Att träffa Erica var i alla fall en början, kanske skulle det leda till att hon slutligen fick modet att avslöja sanningen. Hon tänkte på det där hon hört en gång, om hur en fjärils vingslag kunde orsaka en storm någon annanstans på jorden. Kanske var det vad som skulle ske nu.

"Laila?"

"Jag kommer", sa hon med en suck.

Skräcken rev i hennes kropp och var hon än tittade möttes hon av fasor. På golvet slingrade sig ormar med lysande ögon, och väggarna myllrade av spindlar och kackerlackor. Hon skrek rakt ut, och ekot bildade en fasansfull kör. Hon kämpade för att fly från djuren, men något höll henne fast och ju mer hon drog, desto ondare gjorde det. Långt bortifrån hörde hon någon ropa på henne, högre och högre, och hon försökte röra sig mot den uppfordrande rösten, men återigen hölls hon tillbaka och smärtan fick paniken att stegras ytterligare.

"Molly!" Rösten trängde igenom hennes egna skrik och det var som om allt stannade till. Hennes namn fortsatte att upprepas, nu lugnare och tystare, och hon såg hur krypen sakta löstes upp och försvann som om de aldrig ens hade funnits där.

"Du hallucinerar", sa Marta och hennes röst ljöd nu klar och tydlig.

Molly kisade och försökte se något framför sig där hon låg. Hon kände sig dimmig i huvudet och hon förstod ingenting. Vart hade ormarna och kackerlackorna tagit vägen? De hade ju varit här, hon hade sett dem med egna ögon.

"Hör på mig. Ingenting av det du ser är på riktigt."

"Okej", sa hon med torr mun och försökte än en gång röra sig i riktning mot Martas röst.

"Aj, jag sitter fast." Hon sparkade med benet men kunde inte komma loss. Det var beckmörkt runtomkring henne och hon förstod att Marta hade haft rätt. Djuren kunde inte vara verkliga, för hon skulle inte ha kunnat se dem i mörkret. Men det kändes som om väggarna kom allt närmare och hon fick inte ner någon luft i lungorna. Hon kunde höra sina egna andetag, korta och ytliga.

"Lugn, Molly", sa Marta med sin stränga röst, den som alltid fick flickorna i stallet att ställa sig i givakt. Och den fungerade nu också. Molly tvingade sig att andas lugnare, och efter en stund lade sig den värsta paniken och lungorna fylldes med syre igen.

"Vi måste hålla oss lugna. Annars kommer vi aldrig att klara det här."

"Vad är det… var är vi?" Molly kravlade sig upp på huk och förde händerna längs smalbenet. En ring av metall var fäst runt hennes ankel och när hon trevade vidare kände hon de grova länkarna i en kedja. Förgäves började hon slita i den medan hon vrålade rakt ut i mörkret.

"Lugna ner dig, sa jag! Du kommer inte att komma loss på det där sättet."

Tonen var enträgen och bestämd, men den här gången kunde rösten inte dämpa paniken, som stegrades alltmer tills Molly slutligen insåg det uppenbara. Hon tystnade tvärt och viskade ut i mörkret:

"Den som tog Victoria har tagit oss också."

Hon väntade på att få höra Marta igen, men hon var tyst nu. Och den tystnaden skrämde Molly mer än något annat.

De hade ätit lunch i matsalen på polishuset och när de samlades på nytt var de mätta och aningen dästa. Patrik ruskade lite på sig för att vakna till. Det hade blivit alldeles för lite sömn på sistone och tröttheten var som en tyngd i kroppen.

"Då kör vi igång igen", sa Palle Viking och pekade på kartan. "Det geografiska området för försvinnandena är relativt begränsat, men ingen har lyckats hitta något samband mellan orterna. Vad gäller flickorna finns ju flera likheter, i utseende och bakgrund, men vi har inte hittat någon gemensam nämnare mellan dem, såsom ett delat intresse, aktivitet på samma internetforum eller liknande. Det finns ju också några olikheter, och den som främst sticker ut är Minna Wahlberg, precis som Tanumspolisen påpekade tidigare i dag. Här i Göteborg har vi såklart gjort stora ansträngningar för att hitta fler personer som kan ha sett den vita bilen, men som ni vet har vi kammat noll."

"Frågan är varför gärningsmannen var så slarvig i just det fallet", sa Patrik och allas blickar vändes mot honom. "Han lämnade ju inte ett enda spår efter sig vid de övriga bortförandena. Om vi nu utgår från att det var föraren av den vita bilen som förde bort Minna, det vet vi ju egentligen inte. Men hursomhelst tyckte Gerhard Struwer, som vi berättade om i förmiddags, att vi borde koncentrera oss på när gärningsmannen avviker i sitt beteende."

"Jag håller med. En teori som vi har haft är att mördaren kände henne på ett personligt plan. Vi har redan förhört en mängd människor i Minnas närhet, men jag tror ändå att det kan vara värt att fortsätta gräva i det."

Palle fick ett instämmande mummel till svar.

"Det ryktas förresten att även din fru har pratat med Minnas mamma", tillade han med ett roat leende.

Spridda fniss hördes från kollegerna och Patrik kände hur han rodnade.

"Ja, min kollega Martin Molin och jag var och besökte Minnas mamma, och min fru Erica ... var också där." Han hörde själv hur urskuldande han lät.

Mellberg fnös. "Maken till näsvist fruntimmer ..."

"Allt står i rapporten", skyndade sig Patrik att inflika i ett försök att överrösta honom. Han nickade mot de papper som de alla hade fått. "Eller ja, Ericas besök finns inte med."

Fler fniss och han suckade inombords. Han älskade sin hustru men ibland försatte hon honom i rätt besvärliga situationer.

"Det räcker säkert med er rapport", log Palle och blev sedan allvarlig. "Men det ryktas också att Erica har huvudet på skaft, så du får gärna höra om hon kom på något som ni och vi kan ha missat."

"Jag har självklart redan pratat med henne om det, och jag tror inte att hon fick fram något mer än vi."

"Ta ändå ett snack med henne, är du snäll. Vi måste hitta vad det är som gör Minnas fall annorlunda."

"Okej, jag ska prata med henne", sa Patrik något blidkad.

De följande timmarna ägnade de åt att diskutera fallen ur alla möjliga och omöjliga aspekter. Teorier kastades fram, uppslag vändes och vreds på, möjliga utredningslinjer antecknades och fördelades ut mellan distrikten. Galna idéer togs emot med lika öppet sinne som de mer rimliga. Alla ville de hitta någonting som ledde framåt. De hade känt samma vanmakt över att de misslyckats att hitta flickorna. Varje distrikt hade minnen av möten med anhöriga, av sorgen, förtvivlan, oron, fasan i att inte veta vad som hänt. Och sedan den ännu större förtvivlan när Victoria återfanns och de insåg att deras döttrar kunde ha gått samma öde till mötes.

När dagen var slut var det en dämpad men målmedveten grupp som splittrades för att åka hem och fortsätta sina utredningar. Fem flickors öden vilade tungt på deras axlar. En flicka var död. Fyra var fortfarande försvunna.

Det var tyst och lugnt när Erica klev in på anstalten. Hon hejade vant på personalen, och efter att ha anmält sin ankomst och registrerats släpptes hon in i personalrummet och slog sig ner på en stol. Medan hon satt där och väntade grämde hon sig återigen för att hon varit så slarvig. Hon gillade inte att göra sådana här misstag.

"Hej, Erica." Tina kom in och stängde dörren efter sig. I handen hade hon några vykort med ett gummiband runt, och hon lade dem på bordet framför Erica. "Här är de."

"Får jag titta?"

Tina nickade och Erica sträckte sig efter bunten och drog av gummi-snodden. Sedan hejdade hon sig och tänkte på fingeravtrycken men insåg snabbt att korten redan hade hanterats av så många att alla intressanta avtryck för längesedan var borta.

Det fanns fyra vykort i bunten. Erica spred ut dem med framsidan uppåt. De hade alla olika Spanienmotiv.

"När kom det senaste?"

"Vad kan det vara …? Tre fyra månader sedan kanske."

"Laila har aldrig sagt något om dem, vem som kan ha skickat dem?"

"Inte ett ljud. Men hon blir väldigt orolig när de kommer och efteråt har hon varit upprörd i flera dagar."

"Och hon vill inte behålla dem?" Erica synade vykorten.

"Nej, hon har alltid sagt åt oss att kasta dem."

"Men tyckte ni inte att det hela var lite märkligt?"

"Jo…" Tina tvekade. "Det var kanske därför vi sparade dem, trots allt."

Erica såg sig omkring i det kala, opersonliga rummet medan hon funderade. Det enda försöket att göra det hemtrevligt var en halvvissen yuccapalm i fönstret.

"Vi sitter inte så ofta här", sa Tina med ett leende.

"Nej, jag kan förstå det", sa Erica och vände uppmärksamheten mot vykorten igen. Hon vände på dem. De var mycket riktigt tomma, förutom Lailas adress till anstalten som var stämplad i blått. Alla var poststämplade på olika ställen, och ingen av orterna hade en koppling till något som Erica visste om Laila.

Varför Spanien? Var det Lailas syster som hade skickat vykorten? Varför i så fall? Det kändes ju inte så troligt med tanke på att de var poststämplade i Sverige. Hon undrade om hon skulle be Patrik kolla Agnetas in- och utresor. Systrarna hade kanske haft mer kontakt än vad Laila påstått. Eller hade det inte alls med henne att göra?

"Vill du höra om Laila har något att säga om dem? Jag kan se om hon vill ta emot besök", sa Tina.

Erica tänkte efter ett ögonblick, tittade på den vissna yuccapalmen i fönstret och skakade sedan på huvudet.

"Tack, men jag vill fundera ett tag först och se om jag kan klura ut vad det här rör sig om."

"Lycka till", sa Tina och reste sig.

Erica log snett. Tur var verkligen något hon skulle behöva.

"Kan jag ta med mig vykorten?"

Tina tvekade. "Okej, om du lovar att ta med dem tillbaka."

"Jag lovar", sa Erica och lade ner dem i väskan. Ingenting var omöjligt. Någonstans fanns sambandet, och hon skulle inte ge sig förrän hon hittade det.

Gösta undrade om han trots allt borde vänta tills Patrik var tillbaka, men det kändes som om tiden var för knapp för det. Han bestämde sig för att följa sin instinkt och gå vidare med det han visste.

Annika hade ringt och sagt att hon gått hem tidigt för att hennes dotter var sjuk, så egentligen borde han kanske åka tillbaka till stationen och hålla ställningarna. Men Martin skulle säkert snart komma tillbaka, så han struntade i det och körde mot Sumpan.

Ricky öppnade och släppte tyst in honom i hallen. Gösta hade skickat ett sms till honom på vägen och försäkrat sig om att de var hemma, och spänningen var påtaglig när han klev in i vardagsrummet.

"Har ni fått reda på något nytt?" sa Markus.

Gösta såg hoppet som lyste i ögonen på dem, inte längre ett hopp om att dottern skulle återfinnas utan om någon sorts förklaring och möjlighet till försoning. Det gjorde honom ont att tvingas göra dem besvikna.

"Nej, i alla fall inget som vi med säkerhet vet har med Victorias död att göra. Men det finns en märklig omständighet som har koppling till det andra fallet som vi håller på och utreder."

"Lasse?" sa Helena.

Gösta nickade. "Ja, vi har hittat en koppling mellan Victoria och Lasse. Och det hör ihop med något annat som jag har fått reda på. Och det är lite känsligt."

Han harklade sig och visste inte riktigt hur han skulle lägga fram det. Alla tre satt tysta och väntade och han såg vånden i Rickys blick, det dåliga samvetet som han troligtvis skulle få leva med resten av livet.

"Vi har fortfarande inte hittat Lasses kropp, men det fanns blodspår i närheten av hans bil och vi skickade in det för analys. Det visade sig att det var Lasses."

"Jaha", sa Markus. "Men hur hänger det ihop med Victoria?"

"Jo, som ni vet har vi misstänkt att någon bevakade ert hus. Vi hittade en cigarettfimp i er grannes trädgård och skickade in den för analys", sa Gösta och visste att han började närma sig det ämne han helst hade velat undvika. "På eget bevåg jämförde rättsteknikerna blodet från bryggan med dna på fimpen, och det visade sig att de matchade. Med andra ord var det Lasse som bevakade Victoria, och sannolikt var det även han som skickade obehagliga brev till henne. Ja, Ricky har berättat för oss om dem."

"Han har berättat för oss också", sa Helena med en blick på Ricky.

"Jag är så ledsen att jag slängde dem", mumlade han. "Jag ville inte att ni skulle se dem."

"Bekymra dig inte om det", sa Gösta. "Det där är utrett. Hursomhelst arbetar vi nu utifrån teorin att Lasse pressade pengar av någon som till slut ledsnade och dödade honom. Och jag har en teori om vem den personen är."

"Förlåt, jag hänger inte riktigt med", sa Helena. "Vad har det med Victoria att göra?"

"Ja, varför bevakade han henne?" sa Markus. "Vad kunde hon ha för koppling till att han utpressade någon? Nu får du förklara dig."

Gösta suckade och tog ett djupt andetag. "Jag tror att Lasse utpressade Jonas Persson eftersom han visste att Jonas hade ett utomäktenskapligt förhållande med en mycket yngre flicka. Med Victoria."

När han äntligen hade sagt det kände han hur axlarna sjönk. Han höll andan i väntan på Victorias föräldrars reaktion. Den blev inte alls den förväntade. Helena höjde blicken och tittade stadigt på honom. Sedan log hon ett vemodigt leende.

"Du har fått något om bakfoten, Gösta."

Till Dans stora förvåning hade Anna frivilligt åtagit sig att skjutsa flickorna till stallet. Hon behövde komma hemifrån och få lite frisk luft och inte ens närvaron av hästar kunde avskräcka henne. Hon huttrade till och drog jackan tätare om sig. Förutom allt annat elände hade illamåendet blivit värre, och hon började bli mer och mer övertygad om att det inte längre bara var psykiskt utan att hon var på väg att få den maginfluensa som härjade i skolan. Hittills hade hon kunnat hålla den stången genom att svälja tio vitpepparkorn, men snart skulle hon säkert ligga med huvudet över en spann och kräkas.

Utanför stallet stod några flickor och frös. Emma och Lisen sprang fram till dem och Anna följde efter.

"Hej, varför står ni här?"

"Marta har inte kommit än", sa en lång mörk flicka. "Och hon brukar aldrig vara sen."

"Då kommer hon säkert snart."

"Men Molly skulle också vara här och hjälpa till", sa den långa mörka igen, och de andra nickade. Hon var uppenbarligen ledaren i gruppen.

"Har ni knackat på hemma hos dem?" frågade Anna och tittade mot huset. Det lyste där inne och det såg ut som om någon var hemma.

"Nej, det skulle vi aldrig göra." Flickan såg förfärad ut.

"Då gör jag det. Vänta här."

Anna småsprang över gårdsplanen till Jonas och Martas hus. Illamåendet blev inte bättre av den korta språngmarschen och hon stödde sig på räcket när hon gick uppför trappan. Två gånger ringde hon på innan Jonas öppnade. Han torkade händerna på en kökshandduk och av lukten att döma höll han på att laga mat.

"Hej", sa han frågande.

Anna harklade sig.

"Hej. Är Marta här, och Molly?"

"Nej, de är väl i stallet." Jonas tittade på klockan. "Marta har ju lektion strax, och jag tror att Molly ska hjälpa till med den."

Anna skakade på huvudet. "De har inte dykt upp. Var kan de vara, tror du?"

"Ingen aning", sa Jonas och verkade tänka efter. "Jag har inte sett dem sedan tidigt i morse, för jag var tvungen att åka på ett akutfall och när jag kom hem var det ingen här. Sedan dess har jag sovit och varit på mottagningen, och jag bara antog att de var i stallet under eftermiddagen. Molly har en viktig tävling snart, så jag trodde att de tränade intensivt. Och bilen står ju här." Han pekade på den blå Toyotan som stod utanför deras hus.

Anna nickade. "Vad ska vi göra då? Flickorna väntar ..."

"Jag får ringa hennes mobil. Kom in så länge", sa han och vände sig om.

Han tog upp sin mobiltelefon som låg på en byrå i hallen och ringde ett förprogrammerat nummer.

"Nej, hon svarar inte. Vad konstigt. Hon brukar alltid ha den med sig." Jonas började se orolig ut. "Jag kollar med mamma också."

Han ringde upp och Anna hörde honom förklara vad det gällde och samtidigt försäkra sin mamma att det inte var någon fara, att allt var som det skulle. Han avslutade samtalet med att säga hej då ett flertal gånger.

"Mammor och telefonsamtal", sa han med en lätt grimas. "Det är lättare att få grisar att flyga än att få mammor att lägga på luren."

"Ja, jo", sa Anna som om hon visste vad han pratade om. Sanningen var ju att hennes och Ericas mamma knappt hade hört av sig alls.

"Tydligen var de och fikade hos henne i förmiddags, men sedan har hon inte sett till dem. Molly stannade hemma från skolan i dag med magont, men de skulle ändå träna på eftermiddagen, sa de."

Han slängde på sig en jacka och höll upp dörren för Anna.

"Jag hänger med ut och letar. De måste vara här någonstans."

De gick en stor lov runt gårdsplanen, tittade in i den gamla ladan och i ridhuset och slutligen i samlingsrummet. Ingenstans syntes Molly och Marta till.

Flickorna hade gått in i stallet nu, och de hörde deras röster när de pratade med hästarna och varandra.

"Vi väntar väl en liten stund till", sa Anna. "Sedan drar vi oss nog hemåt om de inte dyker upp. Det kanske har blivit någon missuppfattning om tiden."

"Ja, antagligen", sa Jonas med tvekan i rösten. "Men jag kollar runt lite till, så ge inte upp än."

"Visst", sa Anna och klev in i stallet. Hon fick hålla sig på säkert avstånd från bestarna så länge.

De var på väg hemåt. Patrik hade insisterat på att köra, han behövde det för att varva ner.

"Ja, det blev en intensiv dag", sa han. "Det var bra att få den här genomgången, men jag hade nog hoppats att vi skulle få ut något mer konkret av den, att jag skulle få någon sorts aha-upplevelse."

"Det kommer säkert framöver", sa Mellberg osedvanligt muntert. Antagligen var han fortfarande hög på uppmärksamheten han fått när han berättade om Ingela Eriksson. Det här skulle han kunna leva på i veckor, tänkte Patrik. Men han insåg att också han måste hålla modet uppe. Det gick inte att ha en genomgång i morgon och förmedla känslan av att de kört fast.

"Kanske har du rätt, kanske kan mötet ändå leda till något. Palle kommer att lägga extra resurser på att gå igenom fallet med Ingela Eriksson, och om vi alla bidrar borde vi kunna hitta vad som är avvikande med Minna Wahlbergs försvinnande."

Han trampade lite till på gasen. Han var otålig att komma hem för att få möjlighet att smälta allt och kanske också diskutera igenom det med Erica. Hon lyckades ofta skapa struktur i sådant som för honom liknade kaos, och ingen var till bättre hjälp när han behövde få ordning på sina irrande tankar.

Dessutom hade han tänkt be henne om en tjänst, vilket han inte hade för avsikt att berätta för Mellberg, som var den som muttrade mest över Ericas ovana att blanda sig i deras utredningar. Även om Patrik själv kunde bli rejält arg på henne, hade hon ju en förmåga att hitta nya infallsvinklar. Palle hade bett honom utnyttja det, och hon var på sätt och vis redan involverad i fallet, med tanke på det möjliga samband hon upptäckt mellan Laila och flickornas försvinnande. Han hade funderat på om han skulle ta upp det på mötet men till slut bestämt sig för att inte göra det. Han ville veta mer först, annars var risken att det distraherade dem och störde utredningen snarare än ledde den framåt. Än hade Erica inte hittat något som stödde tesen, men av erfarenhet visste Patrik att det var värt att lyssna när hon kände på sig något. Hon hade sällan fel, vilket ibland kunde vara fruktansvärt irriterande men inte desto mindre till stor hjälp. Det var också därför han skulle be henne titta igenom de filmade samtalen. Fortfarande var den stora utmaningen att hitta en gemensam nämnare mellan flickorna, och kanske kunde Erica upptäcka något som alla andra hade missat.

"Jag tänkte att vi skulle samlas klockan åtta i morgon bitti och gå igenom allt", sa han. "Och jag tänkte be Paula komma in också om hon har möjlighet."

Det var tyst i bilen och Patrik försökte koncentrera sig på bilkörningen. Vägen började bli väl hal för hans smak.

"Vad tror du, Bertil?" tillade han när han fortfarande inte hade fått någon reaktion på det han sagt. "Kan du höra om Paula vill komma i morgon?"

Till svar fick han en hög snarkning. Han kastade en blick åt sidan. Jodå, Mellberg hade somnat. Han var säkert helt slut efter en hel dags arbete. Det var ju inget han var van vid.

Fjällbacka 1975

Situationen hade blivit ohållbar. Frågorna från grannar och myndigheter var alltför många och de hade insett att de inte skulle kunna bo kvar. Efter att Agneta flyttat till Spanien hade Lailas mor börjat höra av sig allt oftare. Hon kände sig ensam, och när hon tipsade dem om ett billigt hus som var till salu utanför Fjällbacka var beslutet enkelt. De skulle flytta tillbaka.

Samtidigt visste Laila att det var vansinne, att det var farligt att komma modern alltför nära. Men inom henne tändes ändå hoppet om att de kanske skulle kunna få hjälp av henne och att allt skulle bli lättare om de lämnades i fred i det här nya huset som låg ensligt, långt borta från nyfikna grannar.

Hoppet hade snart släckts. Vladeks tålamod blev allt sämre och grälen avlöste varandra. Av det som en gång varit fanns ingenting kvar.

I går hade hennes mor plötsligt dykt upp hemma hos dem. Oron stod skriven i hennes ansikte och först hade Laila velat kasta sig i hennes armar, bli liten igen och gråta som ett barn. Sedan hade hon känt Vladeks hand på sin axel, anat den råa styrkan i den, och ögonblicket var förbi. Lugnt och stilla hade han sagt det som måste sägas, trots att det sårade hennes mor.

Modern hade gett upp och när Laila såg henne gå mot bilen, med hopsjunkna axlar, hade hon velat skrika efter henne. Ropa att hon älskade henne, att hon behövde henne. Men orden fastnade i halsen.

Ibland undrade hon hur hon hade kunnat vara så dum att hon trott att flytten skulle förändra någonting. Problemet var deras, och ingen kunde hjälpa dem. De var ensamma. Hon kunde inte släppa in modern i deras helvete.

Det hände att hon kröp intill Vladek på natten och mindes de första åren, då de sovit så nära varandra. Varje natt hade de somnat omslingrade, trots att det egentligen blev för varmt under täcket. Nu sov hon inte längre. Hon låg vaken bredvid Vladek, lyssnade till hans ljudliga snarkningar och djupa andetag. Såg hur han ryckte till i sömnen och hur hans ögon rörde sig oroligt bakom ögonlocken.

Det snöade ute och som hypnotiserad följde Einar flingornas långsamma färd med blicken. Från undervåningen hörde han de vanliga ljuden, de som han hört dag efter dag de senaste åren: Helga som stökade i köket, dammsugaren som brummade, klirret av porslin som åkte in i diskmaskinen. Den eviga städning som hon ägnat hela sitt liv åt.

Herregud, vad han föraktade henne, denna svaga och eländiga människa. Han hade hatat kvinnor i hela sitt liv. Hans mor hade varit den första och sedan hade andra följt. Hon hade avskytt honom från första stund, hon hade försökt vingklippa honom, hindra honom från att vara sig själv. Men nu vilade hon sedan länge i jorden.

Hon hade dött i en hjärtinfarkt när han var tolv år gammal. Han hade sett henne dö och det var ett av hans bästa minnen. Likt en skatt gömde han det inombords och plockade bara fram det vid speciella tillfällen. Då mindes han alla detaljer som om en film spelades upp framför honom: hur hon tog sig för bröstet, hur ansiktet skrynklades ihop av smärta och förvåning och hur hon sakta segnade ner på golvet. Han hade inte ropat på hjälp utan bara satt sig på knä intill henne för att inte gå miste om något i hennes minspel. Noga studerade han hennes ansikte när det först stelnade och sedan blev blåare och blåare av syrebristen då hjärtat slutade slå.

Förr om åren hade han nästan blivit hård när han tänkte på hennes plåga och den makt han då känt att han hade över hennes liv. Einar önskade han kunde bli det nu med, men kroppen förvägrade honom den njutningen. Inget minne han plockade fram kunde ge honom den sköna känslan av blod som dunkade i underlivet. Hans enda njutning numera var att plåga Helga.

Han tog ett djupt andetag. "Helga! Helgaaa!!"

Ljuden på undervåningen tystnade. Antagligen suckade hon där nere, och han njöt av den tanken. Så hörde han steg i trappan och Helga klev in i hans rum.

"Påsen behöver bytas igen." Han hade själv dragit isär den så att den läckte innan han ropade på henne. Han visste att hon visste, och det hörde till leken att hon trots det inte hade något val. Han skulle aldrig ha gift sig med någon som ansett sig ha valmöjligheter, eller ens en egen vilja. Kvinnor skulle inte ha en egen vilja. Mannen var så överlägsen inom alla områden medan kvinnans enda uppgift var att föda barn. Men inte ens det hade Helga varit särskilt duktig på.

"Jag vet att du gör det där själv", sa Helga som om hon hade läst hans tankar.

Han svarade inte utan tittade bara på henne. Det spelade ingen roll vad hon trodde, hon skulle vara tvungen att torka upp det ändå.

"Vem var det som ringde förut?" sa han.

"Det var Jonas. Han frågade efter Molly och Marta." Med aningen för häftiga rörelser knäppte hon upp hans skjorta.

"Jaså, varför det?" sa han och bekämpade en impuls att ge henne en rejäl örfil.

Han saknade att kunna kontrollera henne med sin styrka, att med ordlösa hot få henne att sänka blicken, foga sig, underordna sig. Men han skulle aldrig låta henne kontrollera honom. Hans kropp hade förrått honom men mentalt var han fortfarande starkare än hon.

"De var inte i stallet när de skulle. Några flickor stod och väntade på att ha lektion, men varken Molly eller Marta var där."

"Ska det vara så svårt att sköta en verksamhet ordentligt?" sa Einar och ryckte till när Helga nöp honom i skinnet. "Vad in i helvete gör du?"

"Förlåt, det var inte meningen", sa Helga. Hennes röst saknade den undergivna ton han var van vid att höra, men han bestämde sig för att låta det bero. Han var för trött i dag.

"Var är de då?"

"Hur ska jag kunna veta det?" fräste Helga och gick till badrummet för att hämta vatten.

Han ryckte till. Det var verkligen inte acceptabelt att hon talade till honom på det där sättet.

"När såg han dem sist?" ropade han och hörde henne svara genom ljudet av vatten som spolades i baljan.

"Tidigt i morse. De sov när han åkte iväg akut till Leanderssons gård. Men de var här i förmiddags och de sa inget om att de skulle iväg på något särskilt. Och bilen står kvar."

"Ja, men då är de väl här någonstans." Einar iakttog henne noggrant när hon kom tillbaka från badrummet med baljan med vatten och en trasa. "Men Marta måste ju förstå att hon inte kan utebli från lektioner så där. Då kommer hon att förlora elever och vad ska de då leva av? Jonas mottagning i all ära, men det är ju inget de blir feta på." Han slöt ögonen och njöt av det varma vattnet och känslan av att bli ren.

"De reder sig nog", sa Helga och vred ur trasan.

"Ja, de ska inte tro att de kan komma hit och låna pengar i alla fall."

Han hade höjt rösten vid tanken på att behöva skiljas från de pengar han mödosamt samlat på hög, pengar som Helga inte kände till. Det hade blivit en rätt rejäl slant med åren. Han hade varit duktig på det han gjorde och han hade nöjen som inte var särskilt dyra. Tanken var att pengarna en dag skulle komma Jonas till del, men Einar var orolig att sonen i ett anfall av generositet skulle dela med sig till sin mor. Jonas var lik honom, men han hade också ett vekt drag som han måste ha ärvt av Helga. Han förstod sig inte på det och det oroade honom.

"Är det rent nu?" frågade han när hon satte på honom en ny skjorta och knäppte knapparna med fingrar som var märkta av alla år av hushållsarbete.

"Ja, till nästa gång du vill roa dig med att ha sönder påsen."

Hon ställde sig och betraktade honom och han kände irritationen krypa i huden. Vad var det med henne? Det var som om hon studerade ett kryp under ett förstoringsglas. Hennes blick var kall, iakttagande och värderande och framför allt orädd.

För första gången på många år kände Einar något han djupt ogillade: osäkerhet. Han var i underläge och han visste att han snabbt måste återställa maktförhållandet mellan dem.

"Be Jonas att komma hit", sa han så barskt han kunde. Men Helga svarade inte. Hon fortsatte bara att titta på honom.

Molly frös så att tänderna skallrade. Ögonen hade vant sig vid mörkret och hon kunde urskilja Marta som en skugga. Hon ville krypa intill henne och värma sig, men något höll henne tillbaka. Det som alltid hade hållit henne tillbaka.

Hon visste att Marta inte älskade henne. Det hade hon vetat så länge hon kunde minnas, och egentligen hade hon nog aldrig saknat hennes kärlek. Hur kunde man sakna något som man aldrig haft? Dessutom hade Jonas hela tiden funnits där. Det var han som borstat bort gruset ur skrubbsåren när hon cyklade omkull, som jagat bort monstren under sängen och stoppat om henne på kvällen. Han hade förhört henne på läxor, förklarat allt om planeterna och solsystemet, varit allvetande och allsmäktig.

Molly hade aldrig förstått hur Jonas kunde vara så besatt av Marta. Ibland hade hon sett dem utbyta blickar vid köksbordet, sett hans hungriga ögon. Vad var det han såg? Vad hade han sett hos henne första gången de träffades, det där mötet som hon hört om så många gånger.

"Jag fryser", sa hon och såg på den orörliga gestalten i mörkret. Marta svarade inte och Molly snyftade till. "Vad var det som hände? Vad gör vi här? Var är vi?"

Hon kunde inte hejda frågorna. De hopade sig i hennes huvud och ovissheten blandades med skräcken. Hon ryckte prövande i kedjan igen. Det hade börjat bli ett sår på vristen, och hon grimaserade av smärta.

"Sluta, du kommer inte loss", sa Marta.

"Vi kan väl inte bara ge upp?" På rent trots ryckte Molly till igen men straffades genast av smärtan som for upp genom benet.

"Vem har sagt att vi ska ge upp?" Martas röst var lugn. Hur kunde hon vara så behärskad? Lugnet snarare skrämde än smittade av sig, och Molly kände paniken riva i henne.

"Hjääälp!" skrek hon och skriket studsade mellan väggarna. "Här är vi! Hjäääälp!"

Tystnaden när ropen ekade bort var öronbedövande.

"Låt bli med det där. Det tjänar ingenting till", sa Marta med samma iskalla lugn.

Molly ville slå och klösa henne, ville dra henne i håret, sparka henne, vadsomhelst för att få någon annan reaktion än det där kusliga lugnet.

"Vi kommer att få hjälp", sa Marta till slut. "Men vi måste vänta. Allt handlar om att inte tappa kontrollen. Var tyst nu, så ordnar sig allt."

Molly förstod inte vad Marta menade. Det hon sa var ju vansinne. Vem skulle kunna hitta dem här? Sedan dämpades paniken. Så pass väl kände hon Marta ändå. Om hon sa att de skulle få hjälp, så skulle de det. Molly satte sig med ryggen mot väggen och vilade huvudet mot knäna. Hon skulle göra som Marta ville.

"Herregud, vad trött jag är." Patrik drog handen över ansiktet. Gösta hade ringt precis när han kom innanför dörren och ville antagligen få en rapport om hur mötet gått, men efter en kort tvekan hade han bestämt sig för att lägga undan mobilen. Om det hände något akut, fick de väl komma och hämta honom. Han orkade inte tänka på mer än en sak just nu, och han ville gå igenom allt i lugn och ro med Erica.

"Försök att bara vila i kväll då", sa Erica.

Patrik log. Han hade redan förstått på hennes min att det var något hon ville berätta för honom.

"Nej, jag vill ha din hjälp med en grej", sa han och gick in i vardagsrummet för att säga hej till barnen. De kom emot honom alla tre och kastade sig i hans famn. Det var en av de många underbara sidorna med att ha barn: efter en dag borta välkomnades man som om man hade varit på en världsomsegling.

"Okej, det ska väl gå bra", sa Erica och han hörde hur lättad hon lät. Han undrade vad det var hon ville berätta men kände att han var tvungen att få något i magen först.

En halvtimme senare var han mätt och redo att lyssna på det som hans hustru var så ivrig att prata med honom om.

"I dag kom jag på att jag hade glömt att ta reda på en sak." Hon slog sig ner mittemot honom. "Jag hade ju kollat om Laila fått några besök eller telefonsamtal, och det hade hon inte."

"Ja, det minns jag att du sa." Han betraktade henne i skenet av stearinljusen som brann på köksbordet. Hon var så vacker. Det var som om han glömde bort det emellanåt, som om han var så van att se henne att han inte reagerade på det. Han borde säga det oftare och uppvakta henne mer, även om han visste att hon var nöjd med de små stunderna i vardagen, kvällarna i soffan med huvudet på hans axel, fredagsmiddagarna med god mat och ett glas vin, samtalen i sängen innan de somnade – ja, allt sådant som han också älskade med deras liv.

"Förlåt, vad sa du?" Han insåg att han hade varit djupt försjunken i sina egna tankar. Tröttheten gjorde att han hade svårt att koncentrera sig.

"Jo, jag hade missat ett sätt att ha kontakt med omvärlden. Väldigt korkat av mig, men det var ju tur att jag kom att tänka på det till slut."

"Kom till poängen, älskling", sa han i retsam ton.

"Ja, just det. Posten. Jag hade glömt att kolla om hon hade fått någon post eller själv skickat några brev."

"Med tanke på din illa dolda iver utgår jag från att du hittade något?"

Erica nickade ivrigt. "Ja, men jag vet inte vad det betyder. Vänta, jag ska visa dig."

Hon reste sig och gick ut i hallen och hämtade sin väska. Ur den tog hon försiktigt upp några vykort och lade dem på köksbordet framför honom.

"De här har skickats till Laila, men hon har inte velat ha dem och bad personalen att slänga dem. Vilket de tursamt nog inte gjorde. Som du ser har de alla Spanienmotiv."

"Från vem?"

"Jag har ingen aning. De är poststämplade på olika platser i Sverige, och jag kan inte komma på något samband mellan orterna."

"Vad säger Laila om dem?" Han lyfte upp ett av vykorten, vände på det och såg adressen som var stämplad i blått.

"Jag har inte pratat med henne än. Jag vill försöka hitta den röda tråden först."

"Har du någon teori?"

"Nej, jag har funderat på det ända sedan jag fick dem. Men förutom Spanien hittar jag ingen gemensam nämnare."

"Hade inte Laila en syster i Spanien?"

Erica nickade och plockade själv upp ett av vykorten. Det föreställde en matador med ett rött skynke framför en vildsint tjur.

"Jo, men det verkar ju stämma att de inte haft kontakt på alla år, och dessutom är korten poststämplade i Sverige, inte i Spanien."

Patrik rynkade pannan och försökte komma på fler sätt att hitta ett samband. "Har du märkt ut orterna för poststämplarna på en karta?"

"Nej, det har jag inte tänkt på. Kom, vi gör det på kartan jag har där uppe."

Hon stegade ut ur köket med vykorten i handen och han reste sig mödosamt och följde efter.

Uppe i arbetsrummet vände Erica på det första vykortet, tittade på poststämpeln och sedan på kartan. När hon hade hittat orten hon sökte satte hon ett kryss vid namnet och gjorde sedan samma sak med de tre andra korten. Patrik iakttog hennes tyst, lutad mot dörrposten med armarna i kors. Nedifrån hörde han ljudet av Emils pappa som skrikande jagade sin son mot snickerboa.

"Så där!" Erica tog ett steg tillbaka och betraktade kartan med kritisk min. Hon hade märkt ut de försvunna flickornas hemorter med rött medan vykortens poststämplar var markerade med blått. "Jag fattar fortfarande ingenting."

Patrik klev in i rummet och ställde sig bredvid henne. "Nej, jag kan inte heller se något mönster."

"Och det kom inte fram något i dag som kan hjälpa till?" sa Erica utan att ta blicken från kartan.

"Nej, ingenting", sa han med en uppgiven axelryckning. "Men eftersom du redan är så involverad kan jag dra det som vi gick igenom. Kanske kommer du på något som vi missat. Kom, vi går ner och sätter oss och pratar i stället."

Han gick mot trappan och började långsamt gå ner medan han fortsatte att prata över axeln.

"Jag tänkte som sagt be dig om hjälp med en sak. Alla distrikten har filmat samtal med flickornas familj, och nu har vi fått kopior på materialet. Förut har vi bara haft de skrivna rapporterna att utgå ifrån.

Jag skulle vilja att du tittade på dem med mig och delar med dig av allt du kommer att tänka på."

Erica gick alldeles bakom honom och hon lade en hand på hans axel.

"Det är klart att jag vill titta på dem. Vi kan väl göra det så fort barnen har somnat. Men berätta först vad som sades i dag, så att jag vet lite mer."

De satte sig i köket igen och Patrik undrade om han skulle föreslå att de gjorde en räd i frysen och såg efter vad som fanns i glassväg.

"Min kollega i Göteborg ville faktiskt att jag skulle be dig berätta om ditt samtal med Minnas mamma igen. Vi har alla en känsla av att hennes fall är speciellt, och minsta lilla du kommer på kan vara till hjälp."

"Javisst. Men jag berättade ju allt direkt efteråt, och nu har jag det inte i lika färskt minne."

"Berätta det du kommer ihåg", sa Patrik och jublade inombords när Erica gick till frysen och plockade ut en burk med Ben & Jerry's-glass. Ibland undrade han om man lärde sig att läsa varandras tankar när man levde länge tillsammans.

"Nä, äter ni glass!" Maja hade kommit in i köket och stod nu och blängde på dem. "Fy bubblan vad orättvist!"

Patrik såg att hon tog sats och visste vad som skulle komma härnäst.

"Anton! Noel! Mamma och pappa äter glass och vi har inte fått smaka."

Han suckade och reste sig. Han tog fram ett Big pack och tre skålar och började sleva upp glass. Man fick välja sina strider.

Han hade precis lagt upp glass i den tredje skålen och såg fram emot att förse sig själv med en rejäl portion chocolate fudge brownie när det ringde på dörren. Om och om igen.

"Vad nu då?" Han kastade en blick på Erica och gick sedan och öppnade. Utanför stod Martin med spänt ansiktsuttryck.

"Varför i helvete svarar du inte i telefonen? Vi har sökt dig som galna!"

"Vad är det som har hänt?" sa Patrik och kände hur magen drog ihop sig.

Martin tittade med allvarlig min på honom.

"Jonas Persson har hört av sig. Molly och Marta är försvunna."

Bakom sig hörde Patrik hur Erica drog efter andan.

Jonas satt i vardagsrumssoffan och kände hur oron växte inom honom. Han förstod inte vad polisen gjorde här. Borde de inte vara ute någonstans och leta i stället? Inkompetenta idioter.

Som om han kunde läsa tankar kom Patrik Hedström fram och lade handen på hans axel.

"Vi kommer att söka av området kring gården nu, men vi får vänta med skogen tills det blir ljust. Det vi skulle behöva din hjälp med är att sammanställa en lista på vänner till både Marta och Molly. Du kanske kunde börja ringa runt till dem också?"

"Jag har redan ringt till alla jag kan komma på."

"Gör en lista ändå. Det kan finnas namn som du inte har tänkt på. Och jag tänkte gå och prata med din mamma också, ifall hon kan komma på att de sa något mer om vad de skulle göra på eftermiddagen. Har Marta någon kalender? Har Molly det? Allt kan vara till hjälp just nu."

"Marta använder kalendern i telefonen och den har hon nog med sig, även om hon inte svarar. Hon går aldrig hemifrån utan den. Mollys telefon ligger kvar på hennes rum. Om hon har någon annan kalender vet jag faktiskt inte." Han skakade på huvudet. Vad visste han egentligen om Mollys liv? Vad visste han om sin dotter?

"Okej", sa Patrik och lade åter handen på hans axel. Jonas förvånades över hur väl det faktiskt fungerade. Handen spred åtminstone något litet lugn inom honom.

"Kan jag följa med till mamma?" Han reste sig för att markera att det egentligen inte var någon fråga. "Hon blir lätt orolig och är väldigt uppriven över det här."

"Ja, det går bra", sa Patrik kort och gick mot ytterdörren.

Jonas följde efter och de gick tysta över gårdsplanen bort till Helgas och Einars hus. Han tog några raska kliv förbi Patrik i trappan och drog upp dörren.

"Det är bara jag, mamma. Och polisen som vill ställa några frågor."

Helga kom ut i hallen. "Polisen? Vad vill polisen? Har det hänt dem något?"

"Det är ingen fara", sa Patrik snabbt. "Vi är här för att Marta och Molly inte har dykt upp och Jonas inte har fått tag i dem. Men sådant här brukar oftast visa sig vara rena missförstånd. De är säkert hos någon väninna och har bara glömt att meddela det."

Helga såg aningen lugnad ut och nickade kort.

"Ja, så är det säkert. Jag förstår inte riktigt varför det ska vara nödvändigt att störa polisen med detta just nu. Ni har säkert nog att göra."

Hon gick före dem in i köket och fortsatte att plocka i diskmaskinen.

"Sätt dig, mamma", sa Jonas.

Oron blev allt större. Han fick inte ihop det. Var kunde de vara? I huvudet hade han gått igenom de senaste dagarnas samtal med Marta. Inget hade gett honom anledning att tro att något inte var som det skulle. Samtidigt fanns rädslan där, den som han känt sedan deras första möte: rädslan och övertygelsen om att hon en dag skulle lämna honom. Det skrämde honom mer än något annat. Det perfekta var dömt att gå under. Jämvikten måste rubbas. Det var den filosofi han hade gjort till sin. Hur hade han kunnat tro att han själv skulle förbli oberörd? Att samma regler inte skulle gälla för honom?

"Hur länge stannade de?" Patrik ställde sina frågor med mjuk röst, och Jonas blundade och lyssnade till dem och till moderns svar. Han hörde på hennes tonfall att hon ogillade den situation hon försatts i, och han visste att hon ansåg att de borde ha skött det hela utan att blanda in polisen. I deras familj skötte de allt själva.

"De sa inget om några planer, bara att de skulle träna senare." Helga tittade upp i taket medan hon funderade, en vana han kände igen sedan länge. Alla dessa välbekanta gester, allt som upprepades gång på gång i ett evigt kretslopp. Han hade accepterat att han var en del av det kretsloppet, och det hade Marta också gjort. Men utan henne vare sig kunde eller ville han vara del i det. Då hade ingenting längre någon mening.

"De pratade inte om att de skulle träffa någon? Eller något ärende de skulle göra?" fortsatte Patrik, och Helga skakade på huvudet.

"Nej, och i så fall skulle de ha tagit bilen. Marta var trots allt rätt bekväm av sig."

"Var?" sa Jonas och han hörde hur hans röst gick upp i falsett. "Är menar du väl?"

Patrik tittade förvånat på honom, och Jonas satte armbågarna i bordet och vilade huvudet i händerna.

"Förlåt. Jag har varit uppe sedan fyra i morse och har inte riktigt sovit ikapp. Och det är inte likt Marta att missa sina lektioner, och definitivt inte att ge sig iväg utan att höra av sig."

"De kommer säkert hem snart, och Marta kommer att bli arg när hon får höra att du ställt till med ett sådant liv", sa Helga tröstande, men med en lätt biton som Jonas undrade om Patrik uppfattade.

Han önskade att han kunde tro henne, men det var som om hela hans förnuft motsade sig det. Vad skulle han ta sig till om de var borta? Han skulle aldrig kunna förklara för någon hur han och Marta var som en och samma person. Sedan första stund hade de andats i takt med varandra. Molly var hans kött och blod, men utan Marta var han ingenting.

"Jag måste gå på toa", sa han och reste sig.

"Din mamma har säkert rätt", sa Patrik till hans rygg.

Han svarade inte. Egentligen behövde han inte alls gå på toaletten. Han behövde bara några minuter för att samla ihop sig så att de inte skulle se hur allt var på väg att rämna.

Uppifrån hördes hans far stöna och stånka. Han lät säkert extra högt, eftersom han uppfattade röster på undervåningen. Men Jonas tänkte inte gå upp till honom. Just nu var Einar den sista människan på jorden han ville träffa. Så fort han kom nära sin far kände han den svidande hettan som från en eld som brann. Det hade alltid varit så. Helga hade försökt vara kylan mellan dem men aldrig lyckats. Nu fanns bara en stilla glöd kvar, och Jonas visste inte hur länge han skulle orka hjälpa fadern att hålla den vid liv. Hur länge han var skyldig honom det.

Jonas gick in på den lilla toaletten och lutade pannan mot spegeln. Det svalkade skönt och han kände hur hans kinder hettade. När han blundade blixtrade bilder förbi, så många minnen av det liv han delat med Marta. Han snörvlade till och böjde sig ner för att ta en bit toapapper, men det var slut och bara den tomma rullen satt kvar. Utanför dörren hörde han mumlet av röster från köket blandas med Einars ljud från övervåningen. Han satte sig på huk och öppnade badrumsskåpet, där Helga alltid förvarade extra toapappersrullar.

Han stirrade in i skåpet. Bredvid rullarna låg något gömt. Först förstod han inte vad han såg. Sedan förstod han allt.

Erica hade erbjudit sig att följa med och leta, men Patrik hade påpekat det uppenbara: att någon måste stanna hemma med barnen. Motvilligt hade hon gett honom rätt och hon tänkte i stället ägna kvällen åt filmerna med de anhöriga. De låg i en kasse i hallen, men vis av erfarenhet visste hon att hon inte skulle kunna titta på dem förrän alla tre barnen hade somnat i sina sängar. Så hon sköt undan tanken på filmerna och satte sig med barnen i soffan.

Tidigare hade hon satt på ännu en dvd med Emil, och hon log åt hans upptåg och drog barnen närmare intill sig. Med tre barn var det lite svårt att gosa i soffan, eftersom hon bara hade två sidor och alla ville sitta nära. Till slut tog hon Anton i knäet och lät Noel sitta på ena sidan och Maja på den andra. Båda lutade sig mot henne, och hon fylldes av tacksamhet för allt hon hade i livet. Hon tänkte på Laila och undrade om hon någonsin hade känt likadant för sina barn. Hennes gärningar tydde på motsatsen.

Medan Emil hällde blåbärssoppa i fru Petrells ansikte kände hon hur barnen blev allt tyngre i kroppen, och till slut hörde hon det omisskännliga ljudet av sovande andetag. Försiktigt krånglade hon sig ur högen av barn, bar upp dem en och en och bäddade ner dem. Hon stannade till några sekunder i pojkarnas rum och betraktade deras små blonda huvuden mot kudden, så trygga, så nöjda, så ovetande om den ondska som fanns ute i världen. Sedan smög hon försiktigt ut, gick ner i hallen och hämtade filmerna och satte sig i soffan igen. Hon tittade på de noggrant märkta dvd-skivorna och valde att se dem i den ordning som flickorna försvunnit.

Det högg till i magen av medlidande när hon såg Sandra Anderssons familj, deras härjade ansikten när de försökte svara poliserna, ivriga att hjälpa till och samtidigt plågade av de tankar som frågorna väckte. Vissa frågor ställdes flera gånger, och även om Erica förstod varför sympatiserade hon med de anhörigas frustration när de inte kunde ge några svar.

Hon fortsatte med den andra och tredje filmen och försökte ha både ögon och sinne öppna. Missmodet kom sakta smygande när hon inte lyckades se det där odefinierade som hon sökte efter. Hon insåg att det hade varit en chansning att be henne om hjälp, att Patrik egentligen inte trodde att hon skulle hitta något. Men hon hade ändå hoppats att få den där snilleblixten, när hon såg allting klart och bitarna plötsligt föll på plats. Hon hade varit med om det förut och visste att det kunde hända, men i det här fallet såg hon bara sörjande, förtvivlade familjer som bar på mängder av obesvarade frågor.

Hon stängde av filmen. Lidandet i föräldrarnas ögon kröp in under huden på henne. Deras smärta strålade ut från tv-rutan, den fanns i gesterna, i rösterna som emellanåt sprack av ansträngningen att hålla tårarna tillbaka. Hon orkade inte se mer just nu, så hon bestämde sig för att slå Anna en signal i stället.

Systern lät trött när hon svarade. Till Ericas förvåning hade hon varit i stallet när det upptäcktes att Marta och Molly var borta, och Erica kunde å sin sida berätta att polisen nu var inkopplad. Sedan småpratade de om vad som hänt sedan sist, den vardag som trots allt fortfarande pågick. Hon frågade inte hur Anna mådde. Just i kväll orkade hon inte lyssna på hennes uppenbara lögner om att allt var okej, så hon lät systern småprata och låtsas som om allt var som det skulle.

"Hur är det egentligen med dig?" sa Anna.

Erica visste inte riktigt hur hon skulle formulera sig. Hon hade berättat vad hon höll på med, och nu försökte hon sortera känslorna.

"Det är så märkligt att sitta och titta på de här filmerna. Det är som att dela sorgen med de här familjerna, att känna och åtminstone till viss del förstå hur fasansfullt det måste vara att genomlida något sådant. Samtidigt kan jag inte låta bli att känna en sådan lättnad över att mina barn ligger trygga i sina sängar där uppe."

"Ja, tack gode gud för barnen. Utan dem vet jag inte hur jag skulle ha orkat. Om bara…"

Anna avbröt sig, men Erica visste vad hon hade tänkt säga. Att det borde ha funnits ett barn till.

"Jag måste lägga på nu", sa Anna, och Erica hade med ens lust att fråga om Dan nämnt att hon ringt honom i dag. Men så hejdade hon sig.

Det bästa var kanske att vänta och låta dem ta det i sin egen takt.

När de sagt hej då och lagt på reste sig Erica ur soffan och lade i nästa dvd-skiva i spelaren. Det var samtalet med Minnas mamma, och hon kände igen lägenheten hon besökt några dagar tidigare. Hon kände också igen det uppgivna uttrycket i Nettans ansikte. Precis som de övriga föräldrarna försökte hon svara på polisernas frågor, var lika angelägen om att hjälpa till, men Nettan skilde sig ändå från de andra nästan alltför prydliga familjerna. Hennes slitna hår var okammat, och hon hade på sig samma noppiga kofta som när Erica var där. Dessutom kedjerökte hon under hela samtalet, och Erica hörde hur poliserna på plats emellanåt hostade till av röken.

De ställde till stor del samma frågor som hon själv hade ställt, vilket hjälpte henne att fräscha upp minnet innan hon än en gång skulle berätta om sitt samtal för Patrik. Den stora skillnaden var att hon hade fått bläddra i fotoalbumen och därmed fått en personligare bild av Minna och Nettan. Något sådant verkade polisen inte ha brytt sig om. Själv hade hon däremot alltid varit mest intresserad av människorna som var inblandade i och berörda av ett brott. Hur såg deras privatliv ut, deras relationer? Vilka var deras minnen? Hon älskade att titta i fotoalbum, att se högtider och vardag genom det mänskliga öga som fanns bakom sökaren. Det var personen som valde motivet, och det intressanta var hur han eller hon ville skildra sitt liv.

I Nettans fall hade det varit plågsamt tydligt hur stor vikt hon lade vid de olika män som kommit och gått. Längtan efter en familjetillhörighet, en make till sig själv och en pappa till Minna, hade strålat ut från sidorna. Foton av Minna på någon mans axlar, av Nettan på en badstrand med en annan, av dem båda med Nettans senaste pojkvän framför en bil packad med förhoppningar om semesterlycka. Sådant var viktigt för Erica att se även om det inte var relevant för polisen.

Hon bytte dvd-skiva igen, nu till samtalet med Victorias föräldrar och bror. Men det fanns inget särskilt hon lade märke till där heller. Hon tittade på klockan. Åtta. Patrik skulle säkert bli sen, om han alls kom hem. Hon kände sig hyfsat pigg och beslutade sig för att se om alla filmerna, ännu mer uppmärksamt.

Ett par timmar senare var hon klar och kunde konstatera att hon inte hade upptäckt något nytt. Hon bestämde sig för att gå och lägga sig. Det var ingen idé att vänta uppe på Patrik, och han hade inte hört av sig, så han hade säkert fullt upp. Hon skulle ha gett vadsomhelst för att få veta vad som hände, men åren med en polis hade lärt henne att det enda alternativet ibland var att lägga band på sin nyfikenhet och vänta. Och detta var ett sådant tillfälle.

Trött och full av intryck kröp hon ner i sängen och drog upp täcket till hakan. Både hon och Patrik älskade att sova svalt, och det var alltid aningen för kallt i sovrummet så att man i stället fick njuta av värmen under duntäcket. Nästan genast kände hon hur dåsigheten tog över hennes kropp och i ingenmanslandet mellan sömn och vaka bläddrade hennes hjärna vilt bland bilderna från filmerna. Utan ordning for de förbi och ersattes genast av nya. Kroppen blev allt tyngre och när hon började glida in i sömnen saktades flödet ner. Hjärnans bildspel stannade på en bild. Och hon blev med ens klarvaken.

Det rådde febril aktivitet på stationen. Patrik hade tänkt kalla till ett snabbt möte för att koordinera sökandet efter Molly och Marta, men arbetet var redan i full gång. Gösta, Martin och Annika höll på och ringde till vänner och bekanta, klasskamrater till Molly, stalltjejer och alla andra som stod på listan de fått av Jonas. Namnen ledde vidare till nya namn, men hittills hade de inte fått tag i någon som visste var Molly och Marta höll hus. Nu började kvällen bli så sen att de rimliga skälen till deras bortavaro blev allt färre.

Han gick genom korridoren mot köket. När han passerade Göstas rum såg han i ögonvrån hur kollegan hoppade upp från sin kontorsstol.

"Hallå, vänta!"

Patrik hejdade sig mitt i steget.

"Vad är det?"

Gösta kom fram till honom med högröda kinder. "Jo, det hände en grej när ni var borta i dag. Jag ville inte ta upp det när vi var ute hos Jonas, men Pedersen ringde förut. Det var Lasses blod på bryggan."

"Precis som vi trodde alltså."

"Ja, men det var inte allt."

"Okej, vad hittade han mer?" sa Patrik tålmodigt.

"Pedersen fick ett infall och jämförde blodet med dna på fimpen som vi skickade in för analys. Den som jag hittade i Victorias grannes trädgård."

"Och?" Patrik var nu på helspänn.

"Det matchade", sa Gösta och inväntade triumferande Patriks reaktion.

"Var det alltså Lasse som stod där?" Han stirrade på Gösta medan han försökte foga ihop alla spridda delar. "Var det han som spionerade på Victoria?"

"Ja, och troligtvis var det han som skickade de där hotfulla breven också. Men det kommer vi tyvärr aldrig få veta eftersom Ricky kastade dem."

"Så Lasse pressade kanske pengar av någon som han visste att Victoria hade en relation med?" tänkte Patrik högt. "Någon som hade anledning att vilja hålla det hemligt. Även mot betalning."

Gösta nickade. "Precis min tanke."

"Jonas alltså?" sa Patrik.

"Det trodde jag också, men Ricky hade fel."

Patrik lyssnade uppmärksamt när Gösta förklarade, och allt han hade trott vändes upp och ner.

"Vi måste berätta det här för de andra. Säger du till Martin, så hämtar jag Annika?"

Någon minut senare satt de alla i köket. Utanför fönstret var det kolmörkt och snön föll stilla. Martin hade satt på en ny kanna kaffe.

"Var fan är Mellberg?" sa Patrik.

"Han var här en stund, men sedan gick han hem och åt. Han somnade säkert på soffan", sa Annika.

"Okej, då får vi klara oss utan honom." Adrenalinet hade fått honom att överreagera. Även om det var irriterande att Mellberg alltid lyckades smita insåg Patrik att de kunde arbeta bättre i hans frånvaro.

"Vad är det som har hänt?" sa Martin.

"Vi har fått en del ny information som kan vara viktig i sökandet efter

Molly och Marta." Patrik hörde själv hur högtravande han formulerade sig, men det var lätt hänt när situationen var så allvarlig som nu. "Kan du berätta vad du fått reda på, Gösta."

Gösta harklade sig och förklarade hur de kommit fram till att Lasse måste ha bevakat Victoria.

"Han måste helt enkelt ha upptäckt att Victoria hade ett förhållande med någon. Och eftersom han tydligen ansåg att den relationen var moraliskt förkastlig började han skicka hotfulla brev till henne samtidigt som han började med utpressningen."

"Kan det till och med vara han som förde bort Victoria?" frågade Martin.

"Det är ju en teori, men Lasse verkar inte vara den typ av gärningsman som Struwer beskrev, och jag har svårt att tro att han skulle kunna utföra något sådant", sa Patrik.

"Men vem var det Lasse pressade på pengar?" sa Annika. "Det måste vara Jonas, eller hur? Det var ju honom Victoria hade ett förhållande med."

"Det var naturligtvis den slutsats jag drog. Men …" Gösta gjorde en konstpaus och Patrik såg att han njöt av att få allas uppmärksamhet.

"Men det var inte han", inflikade Patrik. Han nickade mot Gösta att han skulle fortsätta.

"Ricky trodde som ni alla vet att det var Jonas som hans syster hade ett förhållande med, men deras mamma kände till en sida av Victoria som ingen annan hade upptäckt. Det var inte pojkar hon förälskade sig i."

"Va?" sa Martin och satte sig rakare på stolen. "Men hur kom det sig att ingen annan visste det? Vi har ju inte hört något om det när vi har pratat med hennes vänner och klasskompisar. Och hur visste hennes mamma?"

"Helena anade det nog på mammors vis. Sedan råkade hon se något en gång när Victoria hade en kompis hemma. Hon tog upp det med henne vid ett tillfälle, för att Victoria skulle veta att hon kunde vara öppen med det i familjen. Men Victoria hade gripits av panik och bett henne att inte berätta något för Ricky och hennes pappa."

"Det är klart att det var känsligt för henne", sa Annika. "Det kan inte vara lätt i den åldern i ett sådant litet samhälle."

"Ja, jo. Men min gissning är att hon blev så bestört för att hon vid det laget inlett en relation med någon som hennes föräldrar inte skulle gilla att hon var tillsammans med." Gösta sträckte sig efter kaffekoppen.

"Vem då?" sa Annika.

Martin rynkade pannan. "Var det Marta? Det skulle kunna förklara grälet mellan Jonas och Victoria den dagen. Det kanske handlade om Marta."

Gösta nickade. "Vilket betyder att Jonas antagligen visste om det."

"Vi får alltså anta att Lasse utpressade Marta? Tröttnade hon på att betala och dödade honom, eller blev Jonas så förbannad när han fick veta det att han tog saken i egna händer? Eller finns det något annat möjligt scenario som vi missar?" Martin kliade sig fundersamt i bakhuvudet.

"Nej, jag tror på något av de två första alternativen", sa Patrik och tittade på Gösta som nickade instämmande.

"Då måste vi prata med Jonas igen", sa Martin. "Kan det vara så att Marta och Molly inte alls har förts bort av samma gärningsman som de övriga flickorna? Är det möjligt att Marta har tagit med sig Molly och flytt för att inte bli anklagad för mord? Kanske vet Jonas egentligen var de är och spelar bara teater?"

"I så fall spelar han rätt bra ...", började Patrik men blev avbruten när han hörde steg i korridoren. Häpen fick han se sin fru stiga in i rummet.

"Hej", sa Erica. "Det var öppet, så jag klev på."

Patrik stirrade på henne. "Vad gör du här? Och var är barnen?"

"Jag ringde och bad Anna komma över."

"Men varför?" sa Patrik innan han insåg att han ju faktiskt hade bett henne om en tjänst. Kunde det vara så att hon kommit på något? Han tittade på henne med frågande blick. Hon nickade.

"Jag har hittat en gemensam nämnare mellan flickorna. Och jag tror också att jag vet varför Minna skiljer sig från de andra."

Läggdags var den tid på dagen som Laila avskydde mest. I nattmörkret kom livet ikapp henne, allt det som hon kunde förtränga under dagen. På natten skulle ondskan kunna nå henne igen. Hon visste ju att den fanns där ute, att den var lika verklig som väggarna i hennes rum och den alltför hårda madrass hon låg på.

Laila stirrade upp i taket. Det var becksvart i rummet och precis innan hon somnade kändes det ibland som om hon svävade i rymden och det svarta intet hotade att sluka henne.

Det var så märkligt att tänka sig att Vladek var död. Fortfarande var det svårt att begripa. Hon kunde höra ljuden från dagen då de träffades, glada skratt, tivolimusik, djurläten hon aldrig tidigare hört. Och dofterna var lika starka nu som då: popcorn, sågspån, gräs och svett. Men starkast var alltid minnet av hans röst. Den hade fyllt hennes hjärta redan innan hon såg honom. När hon mötte hans blick var det med en visshet som hon sekunden därpå även såg i hans ögon.

Hon försökte minnas om hon fått någon föraning om den olycka som deras möte skulle leda till, men hon kunde inte komma på något. De kom från helt olika världar och levde helt olika liv, så visst hade de haft svårigheter att övervinna, men ingen hade anat den katastrof som väntade. Inte ens sierskan Krystyna. Hade hon varit blind den dagen, hon som såg allt? Eller hade hon förstått men velat tro att hon tog miste när hon såg hur stor deras kärlek till varandra var?

Inget hade känts omöjligt då. Inget hade känts konstigt eller fel. Allt hade handlat om att skapa en framtid tillsammans och livet hade lurat dem att tro att de skulle lyckas med det. Kanske var det därför som chocken sedan blev så stor och de hanterade det som följde på ett sätt som inte var försvarbart. Hon hade vetat redan från början att det inte var rätt, men överlevnadsinstinkten hade gjort att förnuftet fått ge vika. Nu var det för sent att ångra något. Hon kunde bara ligga här i mörkret och begrunda deras misstag.

Jonas förvånades över sitt eget lugn. Han tog tid på sig att förbereda allt. Det fanns många år av minnen att välja bland och han ville välja rätt, för när han väl hade gett sig av skulle det inte finnas någon återvändo. Han trodde inte heller att det var bråttom. Ovissheten hade gett ångesten bränsle, men när han nu visste var Marta var kunde han planera med en iskyla som hjälpte honom att hålla hjärnan skarp och klar.

Han kisade i dunklet där han satt på huk. En glödlampa hade gått sönder och han hade inte hunnit byta den. Förbiseendet störde honom.

Det gällde att alltid vara förberedd, alltid ha saker och ting i ordning. Allt för att undvika misstag.

När han reste sig slog han huvudet i taket på det lägsta stället. Han svor högt och för ett ögonblick tillät han sig att stanna upp och dra in lukten i näsborrarna. De hade så många minnen härifrån, men minnena var inte bundna till en plats och skulle dessutom kunna återupplevas om och om igen. Han kände på väskan. Om underbara stunder vägde något borde väskan vara omöjlig att lyfta. I stället var den fjäderlätt i hans hand och det förundrade honom.

Försiktigt klättrade han uppför stegen. Han fick inte tappa väskan. Den innehöll inte bara hans liv utan ett liv som delats i perfekt harmoni.

Hittills hade han gått i någon annans fotspår. Han hade fortsatt något som redan påbörjats utan att sätta ett eget avtryck. Nu var det dags för honom att träda fram och lämna det förflutna bakom sig. Det skrämde honom inte, snarare tvärtom. Med ens såg han allt så klart. Han hade hela tiden haft makten att förändra allt, att bryta med det gamla och i stället bygga något eget och bättre.

Tanken svindlade och väl utomhus slöt han ögonen och andades in den kalla nattluften. Det kändes som om marken gungade och han bredde ut armarna för att hålla balansen. Han stod så en stund innan han sänkte dem och sakta öppnade ögonen.

Så fick han ett infall och gick mot stallet. Han tryckte upp den tunga dörren, tände ljuset och ställde varsamt ner väskan med dess dyrbara innehåll intill väggen. Sedan öppnade han boxarna och föste ut hästarna i frihet. Han lossade på grimskaften i spiltorna och en efter en gick hästarna undrande ut genom stalldörren. De stannade på gårdsplanen, vädrade i luften och gnäggade innan de började röra sig bortåt med svansar som piskade i nattluften. Han log när han såg dem försvinna i mörkret. De skulle få njuta av en stunds frihet innan de fångades in igen. Själv var han på väg ut i en ny sorts frihet och han tänkte aldrig låta sig fångas.

Det var välsignat vilsamt att sitta i deras barndomshem med barnen som sov en våning upp som enda sällskap. Här satt ingen skuld i väggarna.

Här fanns bara minnen från en barndom som tack vare Erica och deras far Tore var ljus och trygg. Anna var inte ens bitter eller arg längre över deras mors märkliga kyla. Den hade ju fått sin förklaring, och sedan dess kände Anna bara medlidande med henne som varit med om sådant som gjort att hon inte vågade älska sina egna döttrar. Hon trodde nog att modern ändå gjort det, hon hade bara inte haft förmågan att visa sin kärlek. Hon hoppades att Elsy tittade ner på dem från sin himmel och visste att döttrarna nu förstod, att de förlät och älskade henne.

Hon reste sig ur vardagsrumssoffan och började plocka i ordning lite. Det var förvånansvärt välstädat här och hon log vid tanken på Kristina och Byggare Bob. Svärmödrar var verkligen en sort för sig. Dans mamma var snarast Kristinas motsats, nästan för försynt, och hon bad alltid om ursäkt för att hon trängde sig på om hon kom hem till dem. Frågan var vilket som var bäst. Men det var väl med svärmödrar som med barn: man fick ta det som kom. Man valde sin man men inte sin svärmor.

Och hon hade valt Dan av hela sitt hjärta, och sedan svikit honom. Tanken på det hon gjort fick illamåendet att välla upp igen. Hon rusade till toaletten och det kändes som om hela magen vändes ut och in när hon kräktes upp kvällens middag.

Anna sköljde munnen med vatten. Svetten hade brutit fram i pannan så hon blaskade sig i ansiktet, och medan kallvattnet fortfarande droppade tittade hon sig i spegeln. Hon ryggade nästan tillbaka inför den nakna förtvivlan i sin blick. Var det det här Dan såg varje dag? Var det därför han inte ens klarade av att se på henne längre?

Det ringde på dörren och hon ryckte till. Vem var det som kom hem till Erica och Patrik så här sent? Hon torkade sig snabbt i ansiktet och gick för att öppna. På trappan stod Dan.

"Vad gör du här?" sa hon förvånat innan skräcken satte klorna i henne. "Barnen? Har det hänt något med barnen?"

Dan skakade på huvudet. "Nej, det är helt lugnt. Jag ville prata med dig och kände att det inte kunde vänta, så jag bad Belinda komma över och hålla koll på ungarna en stund." Dans äldsta dotter bodde inte längre hemma, men ryckte ibland in som barnvakt till småsyskonens stora förtjusning. "Men jag måste snart tillbaka."

"Okej." Hon tittade på honom och han mötte hennes blick. "Får jag komma in? Jag fryser ihjäl här ute snart."

"Ja, förlåt, kom in", sa hon artigt som till en främling och klev åt sidan.

Det här var alltså slutet. Han ville inte prata om det hemma, med barnen omkring sig och alla fina minnen som ändå fanns där. Och trots att hon hade börjat längta efter att det ångestfyllda dödläget skulle få ett slut, vilket det än blev, var det som om hela hennes inre ville skrika i protest över att hon nu skulle förlora det dyrbaraste hon hade: sitt livs stora kärlek.

Med tunga steg gick hon in i vardagsrummet och satte sig och väntade. Hon började genast fundera på det praktiska. Erica och Patrik skulle säkert inte ha något emot om hon och barnen bodde i gästrummet tills hon hittade en ny lägenhet. Redan i morgon kunde hon packa ihop det nödvändigaste. När beslutet väl var fattat var det lika bra att de flyttade omedelbart, och troligtvis skulle Dan bli lättad över att hon såg det så. Han måste vara lika trött på att se henne och hennes skuldkänslor som hon var på att bära runt på dem.

Det högg till i henne när Dan kom in i rummet. Han drog handen genom håret med en trött gest, och hon slogs som så ofta av hur snygg han var. Det skulle inte bli svårt för honom att hitta någon ny. Många tjejer i Fjällbacka kastade sina blickar på honom och ... Hon tvingade bort tankarna. Det gjorde alldeles för ont att tänka på Dan i någon annans armar. Så storsint klarade hon inte av att vara.

"Anna ...", sa Dan och satte sig bredvid henne.

Hon såg hur han kämpade för att få fram orden, och ville för tusende gången skrika "Förlåt, förlåt, förlåt", men visste att det var för sent. Hon tittade ner i knäet och sa tyst:

"Jag förstår, du behöver inte säga något. Jag ber Patrik och Erica att vi får bo här ett tag, vi kan flytta och ta med det vi behöver redan i morgon, så hämtar jag resten sedan."

Dan såg bestört på henne. "Vill du lämna mig?"

Anna rynkade pannan. "Nej, jag trodde att du kom för att säga att du vill lämna mig. Vill du inte det?" Hon kunde knappt andas när hon väntade på svaret. Det brusade i öronen och hjärtat spratt av ett nytänt hopp.

Dans ansikte uttryckte så många känslor på en och samma gång att hon hade svårt att tyda det.

"Älskade Anna, jag har försökt tänka tanken att lämna dig, men jag kan inte. I dag ringde Erica … och ja, hon fick mig att förstå att jag måste göra något om jag inte skulle förlora dig. Jag kan inte lova att det blir enkelt eller att allt går över med en gång, men jag kan inte tänka mig ett liv utan dig. Och jag vill att vi ska ha ett bra liv. Vi förlorade nog fotfästet båda två ett tag, men nu är vi här, vi har varandra och jag vill att det ska fortsätta så."

Han tog hennes hand och förde den till sin kind. Hon kände hans skäggstubb mot handflatan och undrade hur många gånger hon smekt den raspiga huden.

"Du skakar ju", sa Dan och höll hennes hand hårdare. "Vill du? Vill du att vi fortsätter tillsammans, på riktigt?"

"Ja", sa Anna. "Ja, Dan. Det vill jag."

Fjällbacka 1975

Knivarna skrämde henne mer än något annat. Vassa och blänkande låg de plötsligt på ställen där de inte hörde hemma. Till en början hade hon bara plockat upp dem och lagt tillbaka dem i kökslådan, hoppats att hennes utmattade, jagade sinne spelade henne ett spratt. Men sedan dök de upp igen: bredvid sängen, i byrålådan med underkläder, på bordet i vardagsrummet. Som makabra stilleben låg de där, och hon förstod inte vad det betydde. Ville inte förstå.

En kväll vid köksbordet fick hon ett jack i armen. Hugget kom från ingenstans och hon överraskades av smärtan. Illrött pulserade blodet ur såret och hon betraktade det förundrat en stund innan hon rusade fram till diskbänken för att hämta en handduk som hon kunde använda till att stoppa blodflödet.

Såret tog tid på sig att läka. Det blev infekterat, och när hon tvättade det sved det så mycket att hon fick bita sig i läppen för att inte skrika högt. Egentligen hade det behövt sys, men hon tejpade ihop det så gott det gick. De hade bestämt sig för att undvika att gå till doktorn här i Fjällbacka.

Men hon anade att såren skulle bli fler. Det kunde vara lugnt ett par dagar, men sedan bröt helvetet lös och en ilska och ett hat som trotsade all beskrivning vällde fram. Maktlösheten förlamade henne. Varifrån kom ondskan? Hon anade att hon aldrig skulle få svar på den frågan. Sanningen var nog att det inte fanns något.

Det var knäpptyst i köket. Alla tittade förväntansfullt på Erica som fortfarande stod upp, trots att både Gösta och Martin hade erbjudit henne sina platser. Hon hade så mycket nervös energi i kroppen att hon inte skulle klara av att sitta still.

"Patrik bad mig titta igenom de här." Hon pekade på kassen med dvd-skivor som hon ställt mitt på golvet.

"Ja, Erica brukar vara bra på att se saker som kan undgå andra", sa Patrik lätt ursäktande, men ingen verkade ha något att invända.

"Först såg jag ingenting som kändes värt att notera, men andra gången jag tittade på dem…"

"Ja?" sa Gösta med blicken fäst på henne.

"Då insåg jag att den gemensamma nämnaren egentligen inte har med flickorna själva att göra, utan med deras syskon."

"Vad menar du?" sa Martin. "Det stämmer att alla utom Minna och Victoria hade småsystrar, men vad har de med tjejernas försvinnande att göra?"

"Exakt hur det hänger ihop vet jag inte. Men alla systrarna har filmats i sina egna rum, och på väggarna hos allihop satt plaketter och sådana där prisrosetter som man får på ridtävlingar. De är alla aktiva ryttare. Och det var ju Victoria också, även om hon väl inte tävlade."

Det blev helt tyst igen. Bara puttret från kaffebryggaren hördes, och Erica såg hur alla försökte få ihop de olika bitarna.

"Men Minna då?" sa Gösta. "Hon hade ju inte ens något småsyskon. Och höll inte på med ridning."

"Nej, precis", sa Erica, "och därför tror jag att Minna inte tillhör gärningsmannens offer. Det är inte säkert att hon ens är kidnappad, eller död."

"Var är hon då?" sa Martin.

"Jag vet inte. Men jag ska ringa hennes mamma i morgon, tänkte jag. Jag har en teori."

"Okej, men vad kan man dra för slutsats av att de försvunna flickornas småsystrar red?" sa Gösta förvirrat. "Förutom Victoria har ingen av flickorna försvunnit i närheten av något stall eller någon tävling."

"Nej, men kanske dras gärningsmannen till de miljöerna och har sett tjejerna när de har varit och tittat på sina systrar? Jag tänkte att man skulle kolla datumen för försvinnandena och se om det pågick någon tävling på de orterna då."

"Borde inte någon av familjerna ha nämnt det i så fall?" sa Annika och rätade till glasögonen som åkt ner för långt på näsan. "Att de var på en tävling samma dag som deras döttrar försvann?"

"De kopplade det antagligen inte till försvinnandet, utan allt fokus lades på flickorna, vilket umgänge de hade, vilka intressen och aktiviteter de sysslade med och så vidare. Ingen tänkte på småsyskonen."

"Helvete också", sa Patrik.

Erica såg på honom. "Vad är det?"

"Jonas. Gång på gång har han dykt upp i den här utredningen på olika sätt: ketaminet, grälet med Victoria, det påstådda förhållandet, Martas otrohet, utpressningen. Och han har ju kuskat runt på ridtävlingar med sin dotter. Kan det verkligen vara han som gjort det här?"

"Han har ju ett vattentätt alibi för Victorias försvinnande", påpekade Gösta.

Patrik suckade. "Ja, jag vet. Men vi får helt enkelt granska det ännu mer noggrant nu när så mycket ändå pekar mot honom. Annika, kan du försöka ta reda på om det var några tävlingar de här dagarna? Och om Molly Persson finns med på deltagarlistan?"

"Visst", sa Annika. "Jag ska se vad jag kan få fram."

"Då var det kanske inget inbrott ändå", sa Gösta.

"Nej, Jonas kan ju ha anmält det för att styra bort misstankarna från sig själv om Victoria hittades. Men förutom den stora frågan om alibit återstår det ju en hel del andra. Hur kunde han få med sig flickorna när både Molly och Marta var med i bilen? Och var har han hållit flickorna fångna, och var finns de nu?"

"Kanske på samma ställe som Molly och Marta", sa Martin. "De kanske kom på vad han sysslade med …"

Patrik nickade. "Ja, det är inte omöjligt. Vi måste undersöka deras hus och resten av gården igen. Med tanke på var Victoria dök upp kan hon faktiskt ha hållits fången där. Vi får åka dit igen."

"Borde vi inte vänta på ett tillstånd för husrannsakan?" sa Gösta.

"Jo, men vi har inte tid med det. Martas och Mollys liv kan vara i fara."

Patrik gick fram till Erica och tittade länge på henne. Sedan böjde han sig fram och gav henne en stor puss utan att bry sig om att de andra tittade.

"Bra jobbat, älskling."

Helga tittade ut genom rutan på passagerarsidan med tom blick. Det började alltmer likna en rejäl snöstorm, en sådan som det kunde vara förr om åren.

"Vad ska vi göra nu?" frågade hon.

Jonas svarade inte, men hon hade heller inte förväntat sig det.

"Vad gjorde jag för fel?" sa hon och vände sig mot honom. "Jag hade så höga förhoppningar om dig."

Väglaget fick honom att rikta all uppmärksamhet framåt, och han svarade utan att kasta en blick på henne.

"Inget fel alls."

Svaret borde ha glatt henne, eller åtminstone gjort henne lugn. Men i stället blev hon ännu mer orolig. Vad skulle hon egentligen ha gjort om hon hade vetat?

"Det fanns inget du kunde göra", sa han som om han läst hennes tankar. "Jag är inte som du. Jag är inte som någon annan. Jag är … speciell."

Hans tonfall röjde inga känslor och hon rös till.

"Jag älskade dig. Jag hoppas att du förstår det. Och jag älskar dig fortfarande."

"Det vet jag", sa han lugnt, lutade sig framåt och spanade ut genom den yrande snön. Vindrutetorkarna for över rutan, men de kunde inte stå emot den mängd snö som föll. Han körde så sakta att det kändes som om bilen kröp fram.

"Är du lycklig?" Hon undrade själv var frågan kom ifrån, men den var uppriktig. Hade han varit lycklig?

"Hitintills har mitt liv nog varit bättre än de flestas", log han.

Hans leende fick huden att knottra sig på henne. Men så var det nog. Han hade säkert haft ett bättre liv än hon i alla fall. Hon som levt kuvad och i skräck för den sanning som hon inte ville se.

"Det kanske är vi som har rätt och du som har fel. Har du tänkt på det?" tillade han.

Hon förstod inte riktigt vad han menade, och hon funderade en stund. När hon trodde att hon kommit på det, blev hon sorgsen.

"Nej, Jonas. Jag tror inte att det är jag som har fel."

"Varför inte? Nu har du ju visat att vi inte är så olika."

Hon grimaserade vid tanken och värjde sig mot den sanning som möjligen fanns i hans ord.

"Att en mor försvarar sitt barn är den mest grundläggande instinkten i världen. Det finns inget naturligare. Allt det andra, det är … onaturligt."

"Är det?" För första gången vände han blicken mot henne. "Jag håller inte med dig."

"Kan du inte bara säga vad vi ska göra när vi kommer fram?" Helga försökte se hur långt det var kvar. Men mörkret och det täta snöfallet gjorde det omöjligt.

"Det får du se när vi kommer dit", sa han. Och utanför bilen fortsatte snön att falla.

Erica var på uselt humör när hon klev in i hallen hemma. Hennes glädje över att ha tillfört utredningen något nytt hade förbytts i missnöje när hon inte fick följa med till gården. Hon hade på alla sätt försökt övertala Patrik, men han hade varit benhård och hon hade inte haft något annat val än att åka hem. Nu skulle hon säkert ligga sömnlös hela natten och undra vad som hände.

Anna kom ut från vardagsrummet och mötte henne.

"Hej, hur har det gått med ungarna?" Erika hejdade sig. "Vad glad du ser ut. Har det hänt något?"

"Ja, Dan kom hit. Tack snälla för att du pratade med honom." Hon krängde på sig jackan och stack fötterna i kängorna. "Jag tror att det kan bli bra nu, men jag berättar mer i morgon." Hon pussade Erica på kinden innan hon kastade sig ut i ovädret.

"Kör försiktigt, det är snorhalt!" ropade Erica efter henne och stängde dörren för att inte alltför mycket snö skulle yra in.

Hon log för sig själv. Tänk om det äntligen kunde ordna sig för systern. Med Dan och Anna i tankarna gick hon upp till sovrummet för att hämta en kofta. Sedan tittade hon till barnen. De sov alla djupt, och hon fortsatte in i arbetsrummet. Hon blev stående en lång stund och stirrade på kartan. Egentligen borde hon gå och lägga sig, men de blå markeringarna gäckade henne fortfarande. Hon kunde svära på att de på något sätt hängde ihop med allt det andra, men frågan var hur. Varför hade Laila sparat på klippen om flickorna? Vilken var hennes koppling till allt? Och hur kom det sig att Ingela Eriksson och Victoria hade haft likadana skador? Det fanns så många lösa trådar, men samtidigt kände hon på sig att svaret låg framför henne om hon bara hade förmågan att se det.

Frustrerad slog hon på datorn och satte sig vid skrivbordet. Det enda hon kunde göra nu var att gå igenom allt material hon hade samlat. Hon skulle inte kunna somna, så hon kunde lika gärna göra lite nytta.

Sidor och åter sidor av anteckningar. Hon var tacksam att hon tagit för vana att renskriva dem på datorn. Annars skulle hon vid det här laget inte kunnat tyda sina egna kråkfötter.

Laila. I centrum av allt fanns Laila, likt en sfinx: tyst och outgrundlig. Hon hade svaren men blickade bara tigande ut över livet och omgivningen. Kunde det vara så att hon skyddade någon? I så fall vem och varför? Och varför ville Laila inte tala om det som hände den där ödesdigra dagen?

Metodiskt började Erica läsa igenom alla utskrifter av samtalen med Laila. I början hade hon varit ännu tystare än nu. Anteckningarna från de första mötena var ytterst få och Erica mindes hur märkligt det hade varit att sitta där med någon som knappt sa någonting.

Inte förrän Erica hade frågat om barnen, hade Laila börjat tala. Den stackars dottern hade hon undvikit att prata om, så det hade egentligen mest handlat om Peter. Medan Erica fortsatte att läsa mindes hon stämningen i rummet och Lailas ansikte när hon berättade om sonen. Hennes blick hade varit ljusare än vanligt men också full av saknad och sorg. Kärleken gick inte att ta miste på. Hon beskrev hans mjuka kinder, hans skratt, hans tystlåtenhet, läspningen när han väl började prata, den ljusa luggen som alltid föll ner i ögonen på honom, den...

Erica hejdade sig och läste om det sista stycket. Sedan läste hon det en gång till, blundade och funderade. Och med ens föll den på plats. En av de viktiga pusselbitar som hon saknat. Det var visserligen något av en chansning, men den räckte för att se en möjlig bild träda fram. Hon fick ett infall att ringa Patrik men beslöt sig för att vänta. Hon var inte helt säker än. Och det fanns bara ett sätt att ta reda på om hon hade rätt. Endast Laila kunde bekräfta det hon misstänkte.

Patrik kände spänningen i luften när han klev ut ur bilen på gårdsplanen framför Jonas och Martas hus. Skulle de äntligen få svar på alla sina frågor? På sätt och vis skrämde det honom. Om sanningen var så grym som han befarade skulle det inte bli lätt vare sig för dem eller för flickornas familjer. Men under sina år som polis hade han ändå lärt sig att visshet alltid var bättre än ovisshet.

"Vi hämtar Jonas först", skrek han till Martin och Gösta genom blåsten. "Gösta, du tar med honom tillbaka till stationen och förhör honom, så börjar Martin och jag söka igenom husen."

Hukande gick de uppför yttertrappan och ringde på dörren, men ingen öppnade. Bilen var borta och det var knappast troligt att Jonas sov när Marta och Molly var försvunna, så redan efter andra försöket tryckte Patrik försiktigt ner handtaget. Dörren var olåst.

"Vi går in", sa han och de andra följde efter.

Huset var helt nedsläckt. Det andades tystnad och de kunde snabbt konstatera att ingen var hemma.

"Jag föreslår att vi söker igenom alla byggnader snabbt så att vi kan säkerställa om Molly och Marta finns här på gården. Sedan kan vi gå tillbaka och göra en noggrannare genomsökning här. Torbjörn står standby om vi skulle behöva hans team."

"Okej." Gösta tittade sig omkring i vardagsrummet. "Undrar var Jonas är?"

"Kanske ute och letar", sa Patrik. "Eller så vet han som sagt precis var de är."

De gick ut igen och Patrik höll sig i räcket för att inte halka nedför trappan, där det låg ett tjockt lager nyfallen snö. Han svepte med blicken över gården. Efter ett ögonblicks funderande bestämde han sig för att avvakta med att knacka på hos Helga och Einar. De skulle kunna bli än mer oroliga och förvirrade och det var bättre att först söka av de andra byggnaderna i lugn och ro.

"Vi börjar med stallet, sedan Jonas mottagning", sa han.

"Kolla, det är öppet där", sa Martin och tog täten mot den långa stallbyggnaden.

Dörren stod och slog i blåsten och vaksamt klev de in i stallet som var tyst och stilla. Martin gick snabbt stallgången fram och kikade in i boxarna och spiltorna.

"Det är helt tomt."

Patrik kände hur en hård klump började växa i magen. Saker och ting stod inte rätt till här. Tänk om de hade haft gärningsmannen mitt framför näsan, om han hela tiden funnits i deras distrikt och de hade kommit på allt för sent.

"Har du förresten ringt Palle?" frågade Gösta.

Patrik nickade. "Ja, han är informerad. De står redo om vi behöver förstärkning."

"Bra", sa Gösta och öppnade dörren till ridhuset. "Tomt här med."

Martin hade under tiden kollat samlingsrummet och foderkammaren och kom nu in i stallet igen.

"Okej, då går vi vidare till Jonas mottagning", sa Patrik. Han klev ut i kylan, med Gösta och Martin tätt efter. Snön var som småspik mot kinderna när de sprang tillbaka till huset.

Gösta kände på dörren. "Det är låst."

Han kastade en frågande blick på Patrik som nickade. Och med illa dold förtjusning backade Gösta ett par steg, tog sats och sparkade på dörren. Han gjorde om manövern ett par gånger och till slut flög dörren upp på vid gavel. Med tanke på vilka preparat som förvarades där inne var den inte särskilt inbrottssäker, och Patrik kunde inte hejda ett leende. Det var inte varje dag man fick se Gösta utöva kung-fu.

Mottagningen var liten, och det gick snabbt att söka igenom den. Där fanns ingen Jonas och allt var städat och i sin ordning. Förutom medicinskåpet som stod öppet, med flera tomma hyllor.

Gösta synade innehållet. "Han verkar ha plockat med sig en del."

"Fan också", sa Patrik. Tanken på att Jonas flytt med ketamin och vad mer som saknades var djupt oroande. "Kan han ha drogat sin fru och dotter och fört bort dem?"

"Den sjuka jäveln." Gösta skakade på huvudet. "Hur kunde han verka så normal? Det är nästan det otäckaste av allt. Att han var så ... trevlig."

"Psykopater kan lura alla", sa Patrik och gick ut i nattmörkret efter att ha kastat en sista blick på mottagningsrummet.

Martin följde huttrande efter. "Vad tar vi härnäst? Jonas föräldrars hus eller ladan?"

"Ladan", sa Patrik.

De skyndade så snabbt det gick över den hala gårdsplanen.

"Vi borde ha tagit med oss ficklampor", sa Patrik när de steg in i ladan. Det var så mörkt att de knappt kunde urskilja bilarna som stod där inne.

"Ja, eller så tänder vi lampan", sa Martin och drog i ett snöre intill väggen.

Ett svagt spökaktigt ljus lyste upp det stora utrymmet. Här och var kom det in lite snö genom springorna i väggen, men det kändes ändå lite varmare inne i ladan eftersom de kommit undan snålblåsten.

Martin rös. "Det ser ut som ett slags gravplats för bilar här."

"Å nej, det här är fina bilar. Med lite kärlek och omvårdnad skulle de bli riktiga dyrgripar", sa Gösta och strök längtansfullt med handen över huven på en Buick.

Han började gå fram och tillbaka mellan bilarna medan han såg sig omkring. Patrik och Martin gjorde likadant, och en stund senare kunde de konstatera att det inte fanns något att hämta här heller. Patrik kände modet sjunka. Kanske borde de skynda sig att utfärda en efterlysning av Jonas. Här var han ju inte, om han inte gömde sig hemma hos sina föräldrar. Men Patrik trodde inte det. Antagligen var det bara Helga och Einar som låg och sov i huset.

"Vi får ta och väcka hans föräldrar nu", sa Patrik och drog i det smutsiga snöret så att ljuset släcktes.

"Hur mycket ska vi berätta?" frågade Martin.

Patrik funderade. Det var en relevant fråga. Hur berättade man för ett par föräldrar att deras son troligen var en psykopat som fört bort och torterat unga flickor? Något sådant hade de inte fått lära sig på polishögskolan.

"Vi får ta det som det kommer", sa han till slut. "De vet ju att vi letar efter Marta och Molly, och nu är Jonas också borta."

Än en gång korsade de den vindpinade gårdsplanen. Patrik knackade på ytterdörren, hårt och bestämt. När ingenting hände bultade han på den igen. En lampa tändes på övervåningen, kanske var det i sovrummet. Men ingen kom och öppnade.

"Ska vi kliva på?" frågade Martin.

Patrik kände på ytterdörren. Den var öppen. Ibland underlättade det för polisen att folk på landet bara i undantagsfall låste dörren. Han klev in i hallen.

"Hallå?" ropade han.

"Vem fan är det?" hördes det ilsket från övervåningen. Snabbt insåg de hur det låg till. Einar var ensam hemma och därför hade ingen kunnat öppna dörren.

"Det är polisen. Vi kommer upp." Patrik gjorde en gest åt Gösta att följa med honom, medan han lågt sa till Martin: "Se dig omkring lite medan vi pratar med Einar."

"Var är Helga då?" sa Martin.

Patrik skakade på huvudet. Han undrade precis samma sak. Var befann sig Helga?

"Vi får fråga Einar", sa han och skyndade uppför trappan.

"Vad sysslar ni med? Komma och väcka folk mitt i natten!" fräste

Einar, där han yrvaket halvsatt i sängen, med rufsigt hår och endast iklädd ett par kalsonger och ett vitt linne.

Patrik ignorerade hans fråga. "Var är Helga?"

"Hon sover där inne!" Einar pekade på en stängd dörr på andra sidan hallen.

Gösta gick dit och öppnade den, tittade in och skakade sedan på huvudet. "Ingen där, och sängen är bäddad."

"Vad fan? Var är hon då? Helgaaa!" vrålade Einar och ansiktet började anta en rödaktig ton.

Patrik synade honom. "Du vet alltså inte var hon är?"

"Nä, om jag hade vetat det skulle jag ha sagt det. Varför är hon ute och ränner?" En sträng saliv rann ur mungipan och ner på bröstet.

"Hon är kanske ute och letar efter Marta och Molly", föreslog Patrik.

Einar fnös. "Äh, det var fasligt vilket liv det blev om det. De dyker nog upp ska du se. Det skulle inte förvåna mig om Marta har blivit upprörd över något som Jonas har gjort eller inte gjort, och så ska hon hålla sig undan med Molly för att straffa honom. Precis sådana barnsligheter som fruntimmer sysslar med." Orden dröp av förakt, och det kliade i Patrik att säga vad han tyckte.

"Du vet alltså inte var Helga är?" upprepade han tålmodigt. "Eller Molly och Marta?"

"Nej, säger jag ju!" röt Einar och slog med handen ovanpå täcket.

"Och Jonas?"

"Är han borta, nu också? Nej, jag vet inte var han är." Einar himlade med ögonen, men Patrik hann notera att han även kastade en snabb blick genom fönstret.

En känsla av lugn fyllde honom, som om han plötsligt hamnat i stormens öga. Han vände sig mot Gösta.

"Jag tror att vi måste söka igenom ladan igen."

Det luktade mögligt och instängt, och den kvalmiga doften fyllde näsborrarna. Molly kände det som om hon skulle kvävas och hon svalde för att få bort den unkna smaken ur munnen. Det var svårt att hålla sig så lugn som Marta ville.

"Varför är vi här?" frågade hon ut i mörkret, för vilken gång i ordningen visste hon inte.

Inte heller den här gången fick hon något svar.

"Slösa inte på krafterna", sa Marta till slut.

"Men vi är fångna här! Någon har satt fast oss här och det måste vara samma person som tog Victoria, och jag har hört vad som hände med henne. Jag fattar inte att du inte är rädd."

Hon hörde själv hur svag hon lät och hon snyftade till och lutade huvudet mot knäna. Kedjan spändes och hon flyttade sig lite närmare väggen för att handkloven inte skulle skava om vristen.

"Det tjänar ingenting till", sa Marta, precis som hon upprepat de senaste timmarna.

"Vad ska vi göra då?" Molly ryckte i kedjan. "Vi kommer att svälta ihjäl och ruttna bort här inne!"

"Var inte så dramatisk. Vi kommer att få hjälp."

"Hur kan du egentligen veta det? Det har ju fortfarande inte kommit någon."

"Jag litar på att det kommer att lösa sig. Och jag är inte en bortskämd unge som är van att få allt serverat", snäste Marta.

Molly började gråta tyst. Även om hon visste att Marta inte älskade henne, var det svårt att förstå att hon kunde vara så känslokall i en sådan här hemsk situation.

"Det var dumt sagt", sa Marta i ett mjukare tonfall. "Men det är ingen idé att skrika och förbanna. Det är bättre att vi sparar på krafterna i väntan på att någon kommer och hjälper oss."

Molly teg, en aning blidkad. Det var så nära en ursäkt Marta någonsin skulle komma.

De satt tysta en stund men sedan tog hon mod till sig. "Varför har du aldrig älskat mig?" sa hon tyst. Hon hade velat ställa frågan länge utan att våga, men nu, i skydd av mörkret, kändes den med ens inte lika skrämmande.

"Det passade mig aldrig att bli mamma."

Molly kunde ana hennes axelryckning. "Men varför skaffade du barn då?"

"För att din pappa ville det. Han ville se sig själv i ett barn."

"Ville han inte egentligen ha en pojke då?" Molly förundrades över sin egen djärvhet. Alla frågor som legat som små hårt inslagna paket inuti henne vecklades upp. Hon frågade utan att känna sig sårad, utan att känna att det handlade om henne. Hon ville bara veta.

"Det ville han nog innan du kom. Men när du väl var född var han lika glad för en dotter."

"Det var ju skönt att höra", sa Molly ironiskt, och hon menade inte att beklaga sig. Det var som det var.

"Jag gjorde så gott jag kunde, men jag var inte menad att ha barn."

Det var märkligt att deras första uppriktiga samtal ägde rum när det kanske redan var för sent, men nu fanns det ingen anledning att dölja något längre och kanske var det vad som krävdes för att de skulle sluta låtsas.

"Hur kan du vara så säker på att vi ska bli räddade?" Molly frös alltmer på det kalla golvet, och blåsan började göra sig påmind. Tanken på att behöva kissa där hon satt gjorde henne nästan panikslagen.

"Jag bara är det", sa Marta, och som ett svar på det självsäkra uttalandet hörde de hur en dörr öppnades.

Molly tryckte sig mot väggen. "Tänk om han kommer nu. Tänk om han kommer och gör oss illa."

"Lugn", sa Marta. Och för första gången sedan Molly vaknade upp i det kompakta mörkret, kände hon Martas hand på sin arm.

Martin och Gösta stod handlingsförlamade vid rummets ena kortsida. De visste inte hur de skulle hantera den ofattbara ondska som stirrade dem i ansiktet.

"Herrejävlar", sa Gösta. För vilken gång i ordningen hade Martin ingen aning om, men han kunde bara instämma: herrejävlar.

Ingen av dem hade riktigt trott på Patrik när han stegat ut från Einars rum och sagt att det fanns något i ladan. Men de hade hjälpt honom att söka igenom den en gång till, nu mer noggrant, och när han hittade luckan i golvet under en av bilarna hade alla deras invändningar tystnat. Ivrig att hitta Molly och Marta hade Patrik slitit upp luckan och skyndat nedför den smala stege som ledde ner i mörkret. Ljuset hade varit sparsamt där nere och Patrik hade haft svårt att se något, men han hade ändå kunnat konstatera att ingen var där och att de behövde kalla dit teknikerna. Till dess fick de vänta uppe i ladan.

Nu var Torbjörn och hans team här och rummet lystes upp av strålkastare likt en scen. Efter att de hade säkrat spår på stegen och delar av golvet hade Patrik fått gå ner, och Gösta och Martin hade klättrat ner efter honom.

Martin hade hört hur Gösta kippade efter andan där de klev ner i rummet, och själv var han fortfarande chockad av synen som mött honom. De kala väggarna och det stampade jordgolvet, den nedsolkade madrassen vars mörka fläckar med all sannolikhet var intorkat blod. I mitten av rummet fanns en upprätt stång och runt den var ett par grova rep fästa, också de fläckade av blod. Luften var tjock att andas, och det stank som av något ruttet.

Torbjörns röst väckte honom ur de skrämmande tankarna.

"Det har stått något här, och det är mycket möjligt att det var ett kamerastativ."

"Någon har alltså filmat vad som än försiggått här." Patrik sträckte på halsen för att se var Torbjörn pekade.

"Jag skulle tro det. Ni har inte hittat några filmer?"

"Nej", sa Patrik och skakade på huvudet. "Men de kanske kan ha stått där?"

Han gick fram till en smutsig bokhylla som stod vid rummets ena långsida. Martin följde efter honom. På ett av hyllplanen fanns ett dammfritt område, och intill det låg ett tomt dvd-fodral.

"Han måste ha hämtat dem och tagit dem med sig", sa Martin. "Frågan är bara vart."

"Ja, och om Molly och Marta är med honom."

Martin kände hur den vämjeliga atmosfären här nere tog alltmer på krafterna.

"Var fan kan de vara?"

"Ingen aning", sa Patrik. "Men vi måste hitta honom. Och vi måste hitta dem."

Martin såg hur han bet ihop käkarna för att behärska sig.

"Tror du att han har ..." Han fullföljde inte meningen.

"Jag vet inte. Jag vet ingenting längre."

Den uppgivna tonen i Patriks röst fick Martin att nästan tappa modet, men han förstod honom. De hade visserligen gjort ett genombrott i utredningen, men de hade inte lyckats med det allra viktigaste: att lokalisera Molly och Marta. Och med tanke på vad de hittat här var de troligtvis i händerna på en mycket sjuk människa.

"Kom och kolla på en sak", ropade Torbjörn uppifrån ladan.

"Kommer!" ropade Patrik tillbaka.

De tog sig alla tre uppför stegen igen.

"Du hade rätt", sa Torbjörn till Patrik medan han med raska steg gick mot bortre änden av ladan där hästtransporten stod parkerad. Den var större och stadigare än många andra som Martin hade sett ute på vägarna, och den verkade vid närmare eftertanke onödigt rymlig om man som familjen Persson bara var ute med en häst.

"Titta. Transporten har byggts om. På den sida där inte hästen stått har man höjt golvet så att det bildats ett tomt utrymme därunder, lagom stort för en inte alltför storväxt människa. Man kan tycka att någon borde ha sett det, men det låg hö ovanpå och kanske hade mor och dotter annat att tänka på."

"Hur fan ...?" sa Gösta med en förundrad blick på Patrik.

"Jag funderade på hur Jonas kunde frakta flickorna hit. Inne i bilen hade varit omöjligt eftersom Molly och Marta också var med. Så hästtransporten var det enda alternativet.

"Ja, såklart." Martin kände sig dum som inte tänkt på det, men allt hade hänt så snabbt att han knappt hunnit ta in allt. Detaljerna kom efterhand, när bilden av det som hänt sakta började bli klarare.

"Säkra alla bevis ni kan för att flickorna har legat där", sa Patrik. "Vi kommer att behöva ha ordentligt på fötterna. Jonas måste vara en slug jävel om han har lyckats med det här utan att någon kommit honom på spåren."

"Yes, sir", sa Torbjörn men utan att dra på munnen.

Ingen av dem hade lust att skämta, och Martin ville mest av allt gråta.

Gråta över hur onda människor det fanns i världen, att de kunde leva så nära inpå och i skydd av sin normalitet göra fasansfulla saker.

Han hukade sig ner och tittade in i utrymmet. Det var mörkt ute och lampan i ladan var svag, men de medhavda strålkastarna gjorde så att de kunde se ordentligt.

"Tänk att vakna upp i det här utrymmet." Han kände klaustrofobin som ett tryck över bröstet.

"Han höll dem antagligen sövda hela resan. Dels av praktiska skäl, dels för att inte Molly och Marta skulle höra något."

"Han hade med sig sin egen dotter när han kidnappade flickor i samma ålder som hon", sa Gösta konstaterande. Han stod en bit bakom de andra, med armarna i kors och en blick som sa att han fortfarande inte kunde tro sina ögon.

"Vi måste hitta filmerna", sa Patrik.

"Och Jonas", fyllde Martin i. "Kan han ha känt att han var på väg att bli avslöjad och dragit utomlands? Var är Marta och Molly i så fall, och Helga?"

Patrik skakade på huvudet. Grå i ansiktet av trötthet stirrade han på det lilla utrymmet i hästtransporten.

"Jag vet inte", sa han igen.

"Du kom till slut", sa Marta när lyset hade tänts och stegen hade nått längst ner i trappan.

"Jag skyndade mig så gott det gick." Jonas knäböjde och lade armarna om henne. Som alltid kändes det som om de smälte samman.

"Jonas!" skrek Molly, men han rörde sig inte. Till slut släppte han Marta och vände sig mot dottern.

"Ta det bara lugnt. Jag ska ta loss er."

Molly började gråta hysteriskt och Marta hade lust att ge henne en rejäl örfil. Var inte allt bra nu? De fick ju komma loss, precis som dottern hade ylat om. Själv hade hon aldrig oroat sig. Hon visste att Jonas skulle hitta dem.

"Vad gör farmor här?" hulkade Molly.

Marta mötte Jonas blick. Hon hade räknat ut det under timmarna i mörkret. Det söta teet som Helga hade bjudit på, hur allt plötsligt blev svart. Att svärmodern lyckats baxa in dem såväl i bilen som ner hit var imponerande. Men kvinnor var starkare än man kunde tro, och alla åren på gården hade säkert gett Helga de krafter som behövdes.

"Farmor var tvungen att följa med. Hon har nycklarna, inte sant?" Jonas sträckte ut handen till sin mor som tyst och avvaktande stod bakom honom.

"Det gick inte på något annat sätt. Du förstår väl det. Polisen var dig på spåren och jag var tvungen att få dig att verka mindre misstänkt."

"Det var min fru och dotter du offrade", sa Jonas.

Efter en sekunds tvekan körde Helga ner handen i fickan och tog upp två nycklar. Jonas provade den ena i låset till Martas handklovar. Den passade inte, men den andra fick låset att gå upp med ett klick. Hon masserade vristen.

"Helvete, vad ont det gör", sa hon med en grimas. Hon mötte Helgas blick och gladde sig åt skräcken som glimtade till i den.

Jonas gick bort till Molly och sjönk ner på huk. Han hade svårt att få i nyckeln, för Molly klamrade sig fast vid honom och hulkade mot hans axel.

"Hon är inte din", sa Helga stilla.

Marta stirrade på henne. Hon ville kasta sig fram och tysta henne, men hon höll sig lugn och avvaktade vad som skulle komma.

"Va?" Jonas vred sig ur Mollys grepp utan att ha fått upp handklovarna.

"Molly är inte din dotter." Helga kunde inte längre dölja att hon njöt av att få säga orden högt.

"Du ljuger!" sa han och ställde sig upp.

"Fråga henne så får du höra." Helga pekade på Marta. "Du behöver inte tro mig, men fråga henne."

Snabbt övervägde Marta alla möjliga utvägar. Olika strategier och lögner for blixtsnabbt genom hennes hjärna, men det var lönlöst. Hon kunde ljuga för vemsomhelst utan att blinka och utan att någonsin bli ifrågasatt. Men med Jonas var det annorlunda. Hon hade visserligen tvingats leva med denna lögn i femton år, men hon skulle aldrig kunna ljuga för honom nu.

"Det är inte säkert att det är så", sa hon med blicken på Helga. "Hon kan vara Jonas dotter."

Helga fnös. "Jag kan räkna. Hon blev till under de två veckor som Jonas var borta på utbildning."

"Va? När?" sa Jonas och såg från sin mor till Marta.

Även Molly hade tystnat och tittade förvirrat på de vuxna.

"Hur kom du på det?" sa Marta och ställde sig upp. "Ingen visste ju någonting."

"Jag såg er", sa Helga. "Jag såg er i ladan."

"Såg du då att jag spjärnade emot? Såg du att han tog mig med våld?"

"Som om det skulle ha någon betydelse." Helga vände sig mot Jonas. "Din far låg med din hustru medan du var borta, och det är han som är far till Molly."

"Säg att hon ljuger, Marta", sa Jonas, och hon kände ett styng av irritation över hans upprördhet. Vad spelade det för roll? Det hade bara varit en tidsfråga när Einar skulle förgripa sig på henne. Det måste ju även Jonas ha förstått. Så väl kände han ändå sin far efter allt som hänt. Att hon blivit gravid var olyckligt, men Jonas hade aldrig ifrågasatt något, aldrig räknat på fingrarna, så veterinär han var. Han hade bara accepterat Molly som sin.

"Det är som Helga säger. Du var bortrest och din far kunde inte motstå frestelsen längre. Det borde inte förvåna dig."

Hon tittade på Molly som satt tyst med uppspärrade ögon, som sakta fylldes med tårar.

"Sluta böla. Du är stor nog att få höra sanningen, även om det bästa såklart hade varit att ingen av er hade fått veta något. Men nu är det som det är. Så vad tänker du göra, Jonas? Ska du straffa mig för att din far våldtog mig? Jag höll tyst för allas bästa."

"Du är sjuk", sa Helga och knöt händerna.

"Är jag sjuk?" Marta kände skrattet bubbla upp inom henne. "Jag skulle nog säga att man blir som dem man umgås med i så fall. Du verkar ju inte heller helt frisk, med tanke på vad du har gjort." Hon pekade på handklovarna som fortfarande höll Molly fången.

Jonas stod tyst och tittade på henne, och Molly tog tag i hans ben.

"Snälla, släpp loss mig. Jag är rädd."

Bryskt tog han ett kliv framåt så att hon tappade taget. Hon snyftade högt med armarna utsträckta mot honom.

"Jag fattar inte vad ni pratar om, men jag är rädd. Släpp loss mig nu."

Jonas gick fram till Marta och hon betraktade hans ansikte som var så nära hennes. Sedan kände hon hans hand mot sin kind. Gemenskapen var inte bruten. Den fanns fortfarande och skulle alltid finnas där.

"Det var inte ditt fel", sa han. "Inget var ditt fel."

Han stod så en stund, med sin hand på hennes kind. Hon kände styrkan som han utstrålade, samma vilda otyglade kraft som hon instinktivt vetat att han hade redan första gången hon såg honom.

"Vi har en del att göra", sa han och såg henne djupt i ögonen.

Hon nickade. "Ja, det har vi."

Anna hade för första gången på länge sovit djupt och drömlöst. När hon väl somnat, vill säga. Dan och hon hade pratat i flera timmar och bestämt sig för att låta såren läka, även om det skulle ta tid. De hade bestämt sig för att välja varandra igen.

Hon lade sig på sidan och sträckte ut armen. Dan låg där, och i stället för att vända sig bort tog han hennes hand och höll den mot sitt bröst. Leende kände hon värmen sprida sig genom kroppen, ända från tårna och upp i magen och … Hon kastade sig ur sängen, flydde in på toaletten och hann precis få upp toalocket innan hennes mage tömdes på sitt innehåll.

"Älskling, hur är det", sa Dan oroligt från dörröppningen. Trots det eländiga i situationen kunde hon inte låta bli att få tårar i ögonen av lycka över att han kallade henne älskling.

"Jag tror att det är någon sorts maginfluensa. Jag har känt av den ett tag." Hon reste sig på darriga ben, spolade vatten i handfatet och sköljde ur munnen. Fortfarande kände hon smaken av spyor, så hon satte tandkräm på tandborsten och började borsta.

Dan ställde sig bakom henne och såg på henne i spegeln. "Hur länge då?"

"Jag vet inte, men har nog känt mig mer eller mindre illamående i ett par veckor nu. Det är som om det aldrig vill bryta ut", sa hon med tandborsten i munnen. Hon kände Dans hand på sin axel.

"Så brukar det väl inte vara med maginfluensa? Du har inte övervägt ett annat alternativ?" Deras blickar möttes och Anna hejdade sig mitt i en rörelse. Hon spottade ut tandkrämen, vände sig om och stirrade på honom.

"När hade du mens sist?" sa han.

Hon funderade febrilt. "Det var nog ett tag sedan. Men jag tänkte att det berodde på ... ja, på all stress. Tror du att ...? Det var ju bara en gång."

"Det kan räcka med en gång, det vet du väl." Han log och lade handen på hennes kind. "Vore det inte fint om det var så?"

"Jo", sa hon och kände tårarna komma. "Jo, det vore fint."

"Ska jag åka till apoteket och köpa ett test?"

Anna nickade stumt. Hon ville inte hoppas på något ifall det visade sig vara en vanlig maginfluensa.

"Okej, jag sticker direkt." Dan kysste henne på kinden.

Hon satte sig på sängen, väntade och försökte känna efter. Visst var brösten lite ömma och svullna, och nog var magen en aning svullen också. Var det verkligen möjligt att något kunnat gro i det karga landskap som hennes kropp blivit? Om det var så, lovade hon att aldrig mera ta något för givet, att aldrig riskera att förlora något så sällsynt och värdefullt igen.

Hon väcktes ur sina tankar av Dan som andfådd kom in i sovrummet.

"Här", sa han och räckte fram en apotekspåse.

Med darrande händer tog hon upp asken, och efter en panikslagen blick på honom gick hon in i badrummet. Hon satte sig på toaletten, höll stickan mellan benen och försökte sikta rätt. Sedan lade hon stickan på handfatet och tvättade händerna. De darrade fortfarande, och hon kunde inte ta blicken från den lilla rutan som skulle visa om deras framtid skulle förändras, om de skulle få välkomna ett nytt liv eller inte.

Hon hörde dörren öppnas. Dan kom in, ställde sig bakom henne och lade armarna om henne. Tillsammans stirrade de på stickan. Och väntade.

Erica hade bara fått några timmars orolig sömn. Egentligen hade hon velat ge sig av på direkten, men hon visste att hon inte skulle kunna träffa Laila förrän tidigast klockan tio om hon inte hört av sig i förväg. Dessutom måste hon få iväg barnen till dagis.

Hon sträckte på sig i sängen. Tröttheten gjorde kroppen stel och trög. Hon kände med handen på den tomma platsen bredvid sig. Patrik hade fortfarande inte kommit hem, och hon undrade vad som hade hänt där ute på gården, om de hittat Molly och Marta och vad Jonas hade sagt. Men hon ville inte ringa honom och störa även om också hon hade något att berätta nu. Förhoppningsvis skulle han bli nöjd med hennes insats. Ibland blev han ju irriterad när hon lade sig i hans jobb, men det var bara var för att han var orolig och den här gången hade han ju faktiskt bett om hjälp. Det fanns heller ingen risk att hon skulle råka illa ut. Hon skulle bara prata med Laila, och efter det skulle hon kunna lämna alla uppgifter till Patrik så att han kunde använda dem i utredningen.

I bara nattlinne och med sömnrufsigt hår smög hon försiktigt ut ur rummet och nedför trappan. Att få en liten stund för sig själv och i lugn och ro dricka en kopp kaffe innan barnen vaknade var guld värt. Hon hade tagit med sig några utskrifter för att läsa igenom dem igen. Det var viktigt att ha en bra grund att stå på inför besöket. Men hon hann inte särskilt långt förrän hon hörde rop från övervåningen. Med en suck reste hon sig för att gå upp och ta hand om sina alltför pigga ungar.

Efter att ha klarat av alla morgonbestyr och lämnat barnen på dagis hade hon ytterligare en stund till godo, så hon bestämde sig för att dubbelkolla några sista saker. Hon gick in i arbetsrummet och återigen blev hon stående framför kartan. En lång stund stod hon där utan att se något som helst mönster. Sedan kisade hon och skrattade till. Att hon inte sett det tidigare. Det var ju så enkelt.

Hon sträckte sig efter telefonen och ringde upp Annika på stationen. När hon lade på fem minuter senare var hon ännu mer förvissad om att hon hade rätt i sin gissning.

Bilden blev klarare och klarare, och om Erica dessutom berättade det hon kommit på i går kunde inte Laila fortsätta tiga. Den här gången borde hon berätta hela historien.

Fylld av nytt hopp gick hon ut och satte sig i bilen. Innan hon körde iväg försäkrade hon sig en extra gång om att hon hade vykorten med sig. Hon skulle behöva dem för att få Laila att avslöja de hemligheter som hon burit på i så många år.

Framme vid anstalten gick hon och anmälde sig hos vakten.

"Jag skulle vilja träffa Laila Kowalska. Jag har inte meddelat att jag skulle komma i dag, men kan ni höra med henne om hon vill ta emot mig ändå? Säg att jag vill prata om vykorten."

Erica höll andan medan hon väntade utanför gallergrinden. Snart surrade den till och öppnades, och med bultande hjärta gick hon mot byggnaden. Adrenalinet rusade genom blodet och fick henne att andas snabbt och ytligt, och hon stannade upp och tog några djupa andetag för att lugna ner sig. Nu var det inte bara ett gammalt mordfall det handlade om, utan om fem bortförda flickor.

"Vad vill du?" sa Laila direkt när Erica steg in i besöksrummet. Hon stod med ryggen till och såg ut genom fönstret.

"Jag har sett vykorten", sa Erica och satte sig ner. Hon tog upp dem ur handväskan och lade dem på bordet.

Laila stod kvar och solen lyste in på hennes snaggade hår, så att man tydligt såg hårbotten därunder.

"De skulle inte ha sparats. Jag bad uttryckligen om att de skulle slängas." Hon lät inte arg utan snarare uppgiven, och Erica tyckte sig också höra en ton av något som liknade lättnad.

"De slängdes inte. Och jag tror att du vet som skickade dem. Och varför."

"Jag anade att du förr eller senare skulle komma på något. Innerst inne var det väl det jag hoppades." Laila vände sig om och sjönk sakta ner på stolen mittemot Erica. Hon satt med sänkt blick och betraktade sina händer där de vilade på bordet, flätade i varandra.

"Du vågade inte berätta, eftersom vykorten var förtäckta hot. Ett budskap som bara du skulle förstå. Stämmer inte det?"

"Jo. Och vem skulle tro mig?" Laila ryckte på axlarna och händerna darrade lätt. "Jag var tvungen att skydda det enda jag har kvar. Det enda som fortfarande betyder något."

Hon höjde blicken och betraktade Erica med sina isblå ögon.

"Du vet det också, eller hur?" tillade hon.

"Att Peter lever och att du tror att han kan vara i fara? Att det är honom du skyddar? Ja, jag gissade det. Och jag tror att du och din syster står varandra betydligt närmare än ni har velat ge sken av. Att osämjan mellan er bara var en dimridå för att dölja att hon tog hand om Peter när er mamma dog."

"Hur kom du på det?" sa Laila.

Erica log. "Du nämnde i ett av våra samtal att Peter läspade, och när jag ringde till din syster svarade en man som sa att han var hennes son. Han läspade också, och först trodde jag att det var en svag spansk brytning. Det tog ett tag innan jag kopplade, och det var givetvis en chansning."

"Hur lät han?"

Det skar i hjärtat när Erica insåg att Laila varken hade sett eller talat med sin son på alla år. Impulsivt lade hon sin hand på Lailas.

"Han lät trevlig och sympatisk. Jag hörde hans barn i bakgrunden."

Laila nickade och lät sin hand ligga kvar. Ögonen blev fuktiga och Erica såg att hon kämpade med gråten.

"Vad hände när han tvingades fly?"

"Han kom hem och hittade mamma, sin mormor, död. Han förstod vem som hade gjort det, och han insåg att han själv var i fara. Så han kontaktade min syster, som hjälpte honom att ta sig till Spanien. Hon tog hand om honom som sin egen son."

"Men hur har han klarat sig utan id-handlingar och sådant i alla år?" sa Erica.

"Agnetas man är en högt uppsatt politiker. Han kunde på något sätt ordna så att Peter fick nya papper, som deras son."

"Har du förstått sambandet med poststämplarna på vykorten?" frågade Erica.

Laila tittade häpet på henne och drog åt sig handen. "Nej, jag har inte ens tänkt på dem. Jag vet bara att jag fick ett vykort varje gång någon försvann, eftersom det några dagar efter kom ett brev med ett tidningsurklipp."

"Gjorde det? Var skickades de ifrån?" Erica kunde inte dölja sin förvåning. Det här hade hon inte vetat något om.

"Ingen aning. Det fanns ingen avsändare, och jag slängde kuverten. Men adressen var stämplad, precis som på vykorten. Jag blev förstås livrädd. För jag förstod att Peter hade blivit upptäckt och att han kanske stod näst på tur. Jag kunde inte tolka vykortens motiv på något annat vis."

"Jag förstår det. Men hur tolkade du tidningsurklippen?" Erica såg nyfiket på henne.

"Som jag såg det fanns det bara ett alternativ. Att Flicka levde och ville hämnas på mig genom att ta ifrån mig Peter. Tidningsurklippen var väl ett sätt att tala om för mig vad hon var förmögen till."

"Hur länge har du vetat att hon lever?" frågade Erica tyst, men frågan ekade ändå i rummet.

Den isblå blicken vändes mot henne, och i den låg alla år av hemligheter, sorg, förluster och ilska samlade.

"Sedan hon mördade min mor", sa Laila.

"Men varför gjorde hon det?" Erica tog inga anteckningar utan satt bara och lyssnade. Det viktiga nu var inte om hon fick material till sin bok eller inte. Hon visste inte ens om hon skulle klara av att skriva den.

"Vem vet?" Laila ryckte på axlarna. "Hämnd? För att hon ville och njöt av det? Jag förstod aldrig vad som försiggick i hennes huvud. Hon var ett främmande väsen, som inte fungerade som vi andra."

"När märkte du att allt inte stod rätt till?"

"Tidigt, nästan redan från början. Mödrar vet när något inte är som det ska. Men jag hade aldrig…" Hon vände bort huvudet, men Erica hann se smärtan i hennes ansikte.

"Men varför…?" Erica visste inte hur hon skulle formulera sig. Frågorna var svåra att ställa, och svaren skulle under alla omständigheter vara svåra att förstå.

"Vi gjorde fel. Jag vet det. Men vi hade ingen aning om hur vi skulle hantera det. Och Vladek kom från en värld med helt andra vanor och idéer." Hon tittade vädjande på Erica. "Han var en god människa men ställdes inför något som han inte kunde hantera. Och jag gjorde inget för att hejda honom. Allt blev bara värre och värre, vår okunnighet och rädsla tog över och jag erkänner att jag hatade henne till slut. Jag hatade mitt eget barn." Laila snyftade till.

"Hur kände du när du förstod att hon levde?" sa Erica försiktigt.

"Jag sörjde när jag fick höra att hon var död. Tro mig, det gjorde jag. Även om jag kanske snarare sörjde den dotter jag aldrig fick." Hon mötte

Ericas blick och tog ett djupt andetag. "Men jag sörjde ännu mer när jag förstod att hon trots allt levde och att hon dödat även min mor. Det enda jag kunde be om var att hon inte skulle ta Peter ifrån mig också."

"Vet du var hon finns?"

Laila skakade häftigt på huvudet. "Nej. För mig är hon bara en ond skugga som rör sig där ute." Sedan smalnade hennes ögon. "Men du vet?"

"Jag vet inte, men jag har mina misstankar."

Erica lade ut vykorten på bordet med baksidan uppåt. "Här ska du få se. De här vykorten är poststämplade någonstans mellan en ort där en flicka försvunnit och Fjällbacka. Jag upptäckte det för att jag markerade ut alltihop på en Sverigekarta."

Laila tittade på vykorten och nickade.

"Okej, men vad betyder det?"

Erica insåg att hon hade börjat i fel ände. "Jo, polisen har nyss upptäckt att det just den dag då flickorna rövades bort anordnades en hästtävling på orten där de försvann. Eftersom Victoria försvann på väg hem från Jonas och Martas stall har de alltid figurerat i utredningen. När det nu visade sig att hästtävlingarna var den gemensamma nämnaren och jag dessutom upptäckte det här med poststämplarna, så började jag undra…"

"Vadå", sa Laila andlöst.

"Jag ska berätta, men innan jag gör det vill jag höra vad som hände den där dagen då Vladek dog."

Först blev det en lång tystnad. Sedan började Laila berätta.

Fjällbacka 1975

Det var en dag som alla andra, lika mörk och fylld av hopplöshet. Laila hade haft ännu en sömnlös natt, där minuter sakta segade sig fram mot morgonen.

Flicka hade tillbringat natten i källaren. Sorgen över att ha henne där nere hade lagt sig. Alla tankar på att skydda henne, att det var en moders plikt att göra allt för sitt barn, hade förbytts i lättnad över att slippa vara rädd. Den Laila måste skydda var Peter.

Sina egna skador hade hon slutat bry sig om. Flicka fick göra vad hon ville med henne. Men mörkret i blicken när hon lyckades åsamka smärta var alltför skrämmande för att inte låtsas om, och några gånger hade hon skadat Peter när hon oväntat exploderat i raseri. Han hade inte förstått hur han skulle försvara sig och vid ett tillfälle hade hans arm vridits ur led. Gnyende och skräckslagen hade han hållit armen intill kroppen och de hade varit tvungna att åka till sjukhuset. Morgonen efter hade hon hittat knivar under hans säng.

Det var efter det som Vladek slutgiltigt hade gått över gränsen. Plötsligt hade kedjan suttit där i källaren. Hon hade inte hört honom arbeta där nere, inte märkt att han funnit ett sätt för dem att kunna sova tryggt om natten och få ro om dagen. Det var den enda lösningen, sa han. Det räckte inte att låsa in henne i hennes rum, och hon måste förstå att det hon gjorde var fel. De kunde inte hantera hennes ilska, de oberäkneliga utbrotten som var omöjliga att förutse, och ju större och starkare hon blev, desto värre skulle skadorna kunna bli. Även om Laila visste att det var vansinne hade hon inte orkat säga emot.

Flicka hade protesterat till en början. Skrikit, slagit och rivit honom i ansiktet när han stoiskt bar henne ner i källaren och satte fast henne i kedjans handklovar. Vladek hade baddat såren med sårtvätt och plåstrat om sig så gott det gick. Till sina kunder hade han sagt att katten hade rivit honom. Ingen ifrågasatte det.

Till slut hade hon resignerat och slutat spjärna emot. Lealös hade hon låtit sig fästas i kedjan. Om de lät henne sitta där länge ställde de ner mat och vatten, som till ett djur. För så länge hon njöt av att se smärta, fascinerades av blodet och skriken, var de tvungna att kontrollera henne som ett sådant. När hon inte satt i källaren eller rummet var det någon av dem som vaktade henne, oftast Vladek. Även om Flicka var liten var hon redan stark och snabb, och han litade inte på att Laila skulle rå på henne. Det gjorde hon inte själv heller, så det blev Vladek som höll uppsikt över Flicka medan hon tog hand om Peter.

Men den här morgonen gick allting snett. Även Vladek hade haft svårt att sova på natten. Det hade varit fullmåne, och timme efter timme hade han legat bredvid henne och stirrat i taket. När de slutligen steg upp var han vresig och yr av trötthet. Dessutom var mjölken slut, och eftersom Peter vägrade att äta annat än gröt och mjölk till frukost, satte hon honom i bilen och körde iväg till Konsum för att handla.

En halvtimme senare var de hemma igen. Med Peter i famnen skyndade hon sig från bilen. Han var hungrig och hade fått vänta alldeles för länge med att äta.

Så snart hon klev in i hallen förstod hon att något inte stod rätt till. Det var märkligt tyst i huset, och när hon ropade på Vladek fick hon inget svar. Hon satte ner Peter och förde fingret mot läpparna för att visa att han skulle tiga. Han såg oroligt på henne men lydde.

Med försiktiga steg gick hon mot köket. Det var tomt, och rester av en framdukad frukost stod på bordet. En kopp till Vladek och en till Flicka.

Så hörde hon en röst från vardagsrummet. En ljus och entonig flickstämma som rabblade meningar i en strid ström. Hon försökte urskilja orden. Hästar, lejon, eld – det var berättelserna om cirkusen som Vladek hade trollbundit dem med.

Sakta började hon röra sig ditåt. Vissheten värkte inombords. Hon tvekade att ta de sista stegen, ville inte se, men det fanns ingen återvändo.

"Vladek?" viskade hon men visste att det var förgäves.

Hon fortsatte fram mot soffan och skriket gick inte att hejda. Det kom från magen, från lungorna och hjärtat, och det fyllde rummet.

Flicka log nästan stolt. Hon verkade inte reagera på ljudet utan lade fascinerat huvudet på sned, tittade på henne och verkade snarast nära sig på hennes plåga. Hon var lycklig. För första gången såg Laila lycka i sin dotters blick.

"Vad har du gjort?" Rösten bar knappt och hon vacklade fram och lade ömt händerna om Vladeks kinder. Hans uppspärrade ögon stirrade oseende upp i taket, och hon mindes den där dagen på cirkusen, då deras blickar mötts och de båda förstått att livet från och med nu skulle ta en ny vändning. Om de hade vetat vad som sedan skulle ske, hade de nog gått åt var sitt håll och fortsatt leva de liv som förväntades av dem. Det hade varit det bästa. Då skulle de inte tillsammans ha skapat denna grymhet.

"Det här är vad jag har gjort", sa Flicka.

Laila lyfte blicken och betraktade dottern där hon satt uppflugen på armstödet till soffan. Hennes nattlinne var täckt av blod, och det långa mörka håret hängde tovigt ner över hennes rygg och fick henne att se ut som en trollunge. Vreden hon måste ha känt när hon gång på gång stack kniven i sin far hade redan försvunnit och hon verkade lugn och foglig. Tillfreds.

Laila såg på Vladek igen, mannen som hon älskat. I hans bröst syntes spår av knivhugg och över halsen gick ett djupt snitt, som om han bar en röd scarf.

"Han somnade." Flicka drog upp benen mot kroppen och lutade huvudet mot knäna.

"Varför gjorde du så?" sa Laila, men Flicka ryckte bara på axlarna.

Ett ljud bakom ryggen fick Laila att vända sig om. Peter hade kommit in i vardagsrummet och med ögonen fulla av skräck tittade han på Vladek och sedan på Flicka.

Systern såg på honom. "Du måste rädda mig", sa hon.

Laila kände kylan sprida sig efter ryggraden. Det var henne Flicka talade till, och hon betraktade den späda flickan och försökte intala sig att hon bara var ett barn. Men hon visste vad Flicka var kapabel till. Hon hade egentligen alltid vetat det. Därför förstod hon vad orden betydde och att hon måste göra just det: rädda henne.

Hon reste sig. "Kom, så tvättar vi av dig blodet. Sedan måste jag sätta fast dig, som pappa brukade göra."

Flicka log. Sedan nickade hon och följde efter sin mor.

Mellberg strålade som en sol när han kom in i köket på stationen.

"Men vad ni ser trötta ut!"

Patrik blängde på honom. "Vi har jobbat hela natten."

Han blinkade bort lite grus i ögonen. Det var knappt att han kunde hålla dem öppna efter en hel natt utan sömn, men han drog kort för Mellberg vad som hänt och vad de hittat på gården. Mellberg slog sig ner på en av de hårda pinnstolarna vid köksbordet.

"Det låter ju som om fallet är klappat och klart."

"Nja, det har inte lett till det vi hoppades." Patrik fingrade på sin kaffekopp. "Det är fortfarande alldeles för mycket som hänger i luften, Marta och Molly saknas, Helga verkar vara försvunnen och fan vet vart Jonas tagit vägen. Och kopplingen till mordet på Ingela Eriksson känns väldigt vag. Även om vi kan vara nästan säkra på att Jonas kidnappade fyra av de flickor som försvunnit de senaste åren, var han ju bara ett barn när Ingela mördades. Sedan har vi mordet på Lasse Hansson. Om Victoria hade en relation med Marta, var det då Marta som tog livet av honom, och hur i så fall? Eller berättade hon om utpressningen för Jonas som tog saken i egna händer?"

Mellberg hade flera gånger varit på väg att säga något, men Patrik hade avbrutit honom. Nu harklade han sig med en belåten min.

"Jag tror att jag kan ha hittat en koppling mellan Ingela Erikssons och Victorias fall, förutom skadorna alltså. Det är inte Jonas som är skyldig. Eller ja, jo, det kan det ju delvis vara."

"Vadå?" Patrik rätade på ryggen och var med ens klarvaken. Kunde det vara möjligt att Mellberg faktiskt hade lyckats komma på något?

"Jag läste igenom utredningsmaterialet en gång till i går kväll. Minns du att Ingela Erikssons man sagt att de samma dag haft besök av en typ som svarat på en annons?"

"Ja …", sa Patrik och kände att han ville luta sig fram och slita orden ur Mellberg.

"Det var en bilannons. Mannen var intresserad av att köpa en gammal bil. För restaurering. Du förstår väl vem jag tänker på?"

Patrik såg framför sig ladan där han befunnit sig flera timmar under den gångna natten.

"Einar?" sa han vantroget.

Han kände hur kugghjulen sakta började röra sig och en teori började ta form. En fruktansvärd teori, men inte helt otrolig. Han reste sig.

"Jag går och säger till de andra. Vi måste åka ut till gården igen." Han var inte längre det minsta trött.

Erica for fram på vägen som ännu inte blivit plogad efter nattens snöstorm. Säkert höll hon för hög hastighet men hon hade svårt att koncentrera sig på körningen. Det enda hon kunde tänka på var det som Laila hade berättat, och att Louise levde.

Hon hade försökt ringa Patrik för att berätta allt hon fått veta, men han svarade inte. Frustrerad försökte hon själv sortera sina intryck, men en tanke var hela tiden starkare än de andra: Molly var i fara om hon var med Louise, eller Marta som hon numera kallade sig. Erica undrade hur det kom sig att hon valt det namnet och hur hon och Jonas hade träffats. Vad var oddsen för att två så dysfunktionella människor skulle stråla samman? Det fanns ju flera historiska exempel på ödesdigra kombinationer av människor: Myra Hindley och Ian Brady, Fred och Rosemary West, Karla Homolka och Paul Bernardo. Men det gjorde inte det hela mindre skrämmande.

Det slog henne att Patrik och hans kolleger kanske redan hade hittat Molly och Marta, men hon insåg att det knappast var troligt. Nej, då hade han hört av sig och meddelat det, om så bara kort, det var hon säker på. Alltså hade de inte varit på gården. Var kunde de vara?

Hon passerade norra infarten till Fjällbacka via Mörhult och bromsade i de snäva kurvorna där vägen sluttade ner mot raden av nybyggda sjöbodar. Att få möte i full fart här var inte önskvärt. Gång på gång gick hon i tankarna igenom Lailas berättelse om den fasansfulla dagen, om vad som ägt rum i det ensligt belägna huset. Det hade varit ett skräckens hus redan innan folk hade börjat kalla det så, innan någon visste sanningen.

Erica ställde sig på bromsen. Bilen slirade och hjärtat slog hårt medan hon kämpade för att få kontroll över den. Sedan slog hon handen mot ratten. Hur korkad fick man vara? Hon trampade på gasen igen, körde förbi Richters hotell och restaurang som låg i den gamla konservfabriken, och fick behärska sig för att inte köra som en vettvilling på Fjällbackas i och för sig vintertomma men väldigt smala gator. När hon kom ut ur samhället vågade hon öka farten igen, men manade sig själv att ta det lugnt med tanke på väglaget.

Med blicken fäst på vägen ringde hon Patrik igen. Inget svar. Hon försökte med både Gösta och Martin också, men det var förgäves. De måste vara upptagna av något, och hon skulle gärna vilja veta vad. Efter en stunds tvekan ringde hon återigen Patriks nummer och talade in ett meddelande på hans telefonsvarare och sa kort vad hon fått veta och vart hon var på väg. Han skulle förmodligen bli galen men hon hade inget alternativ. Om hon hade rätt och ändå inte gjorde något, kunde det få katastrofala följder. Och hon skulle vara försiktig. Lite hade hon lärt sig under åren. Hon hade barnen att tänka på, hon skulle inte ta några risker.

Hon parkerade en bit bort så att inte motorn skulle höras och smög därefter fram mot huset. Det såg helt öde ut, men det fanns färska hjulspår i snön, så någon hade nyligen varit här. Så tyst hon kunde öppnade hon ytterdörren. Hon spetsade öronen. Först hörde hon ingenting, men sedan tyckte hon att hon uppfattade ett svagt ljud. Det verkade komma nedifrån och det lät som om någon ropade på hjälp.

Alla tankar på att ta det försiktigt var med ens som bortblåsta. Hon rusade mot källardörren och slet upp den.

"Hallå? Vem är det?" Hon hörde paniken i vad som lät som en äldre kvinnas röst, och försökte febrilt komma ihåg var det hade funnits en strömbrytare.

"Det är Erica Falck", sa hon. "Vilka är det som är här?"

"Det är jag", hördes det som måste vara Mollys panikslagna röst. "Och farmor."

"Ta det lugnt. Jag ska bara försöka tända", sa Erica och svor innan hon till slut hittade strömbrytaren. Lättad vred hon om den och bad en stilla bön att lampan fortfarande skulle fungera. När den tändes kisade hon reflexmässigt tills ögonen vant sig vid det skarpa ljuset, och väl nere i källaren kunde hon se två figurer som satt hopkrupna intill väggen, båda med händerna som skydd för ögonen.

"Herregud", sa Erica och tog den branta trappan i snabba kliv. Hon kastade sig fram till Molly som snyftande klamrade sig fast vid henne. Hon lät henne gråta en stund mot sin axel innan hon varsamt lossade hennes grepp.

"Vad är det som har hänt? Var är din mamma och pappa?"

"Jag vet inte, allt är så konstigt ...", hackade Molly fram.

Erica såg på handklovarna som var fästa vid den grova kedjan. Hon kände igen den från förra gången hon hade varit nere i den här källaren. Det var samma kedja som många år tidigare fjättrat Louise vid väggen. Hon vände sig mot den äldre kvinnan och betraktade henne medlidsamt. Hennes ansikte var smutsigt och rynkorna djupa.

"Vet du om det finns några nycklar här, så att jag kan få loss er?"

"Nyckeln till mina handklovar ligger där." Helga pekade på en bänk som stod längsmed väggen mittemot. "Om du låser upp åt mig, så kan vi hjälpas åt att leta efter nyckeln till Mollys handklovar. Det är inte samma nyckel och jag såg inte vart den tog vägen."

Erica imponerades över den gamlas lugn och reste sig för att hämta nyckeln. Bakom henne snyftade Molly okontrollerat och mumlade saker som hon inte förstod. Med nyckeln i hand gick hon tillbaka och satte sig på knä bredvid kvinnan.

"Vad hände? Var är Jonas och Marta? Är det de som har kedjat fast er här? Herregud, hur kan man göra så mot sitt eget barn?"

Hon pladdrade nervöst på medan hon fumlade med låset. Men så avbröt hon sig. Det var Mollys mamma och pappa hon talade om. Vilka de än var och vad de än hade gjort, var de fortfarande hennes föräldrar.

"Var inte orolig, polisen kommer att få tag i dem", sa hon tyst. "Det din son har gjort mot dig och Molly är fruktansvärt, men jag lovar att han kommer att åka fast. Jag vet tillräckligt mycket för att han och hans fru aldrig ska komma ut igen."

Låset gick upp och Erica reste sig och borstade av knäna. Sedan sträckte hon fram handen och hjälpte den äldre kvinnan på fötter.

"Då får vi försöka hitta den andra nyckeln", sa hon.

Mollys farmor betraktade henne med en blick som hon inte kunde tyda, och oron började sakta mola i magen. Efter en stunds märklig tystnad lade Helga huvudet på sned och sa lugnt:

"Jonas är min son. Jag kan tyvärr inte låta dig förstöra hans liv."

Med oväntad snabbhet böjde hon sig ner, lyfte upp en spade som låg på golvet och höjde den. Det sista Erica hörde var Mollys gälla skrik som ekade mellan väggarna. Sedan blev allt svart.

Det var en märklig känsla att komma tillbaka till gården efter timmarna de tillbringat där, i skenet av strålkastarna som avslöjat saker som ingen levande människa borde tvingas se. Det var tyst och stilla. Hästarna hade fångats in, men i stället för att återföras hit hade de tagits om hand av folk på gårdarna runtomkring. Ägarna saknades ju, så det fanns ingen annan lösning.

"Med facit i hand borde vi kanske ha haft någon som höll vakt här", sa Gösta när de gick över den öde gårdsplanen.

"Precis min åsikt", sa Mellberg.

Patrik nickade. Det var lätt att vara efterklok, men Gösta hade rätt. Färska bilspår ledde fram till Einars och Helgas hus, och även därifrån. Däremot fanns det varken bilspår eller fotspår utanför Marta och Jonas. Kanske hade de trott att någon var kvar här och bevakade huset. Patrik kände obehaget öka. Med tanke på den ofattbara teori som börjat växa fram var det omöjligt att veta vad som väntade härnäst.

Martin öppnade ytterdörren och klev på.

De ropade inget utan gick tysta in och tittade sig vaksamt omkring. Men det vilade ett slags tomhet över rummen som sa Patrik att alla som kunde hade gett sig av härifrån. Det skulle bli nästa problem, att försöka lokalisera de fyra personer som fortfarande var försvunna, några frivilligt, andra inte. Förhoppningsvis var alla vid liv, men han var inte helt säker på den saken.

"Okej, Martin och jag går upp", sa han. "Ni andra stannar här nere om det mot förmodan skulle komma någon."

För varje steg uppför trappan blev Patrik alltmer säker på att något inte stod rätt till, och det var som om hela hans inre värjde sig mot det han skulle möta på övervåningen. Men fötterna fortsatte röra sig.

"Hyssj", sa han och höll ut armen för att stoppa Martin som var på väg förbi honom. "Det är bäst att ta det säkra för det osäkra."

Han tog upp sin pistol och osäkrade den, och Martin följde hans exempel. Med höjda vapen smög de sig uppför de sista trappstegen. De första rummen som vette mot hallen var alla tomma, och de fortsatte mot sovrummet längst bort.

"Fy fan." Patrik sänkte vapnet. Hjärnan registrerade det han såg men han kunde ändå inte ta in det.

"Åh, fy fan", upprepade Martin bakom honom. Sedan backade han några steg och Patrik kunde höra hur han kräktes i hallen.

"Vi går inte in", sa Patrik. Han hade stannat på tröskeln och betraktade den makabra scenen framför dem. Einar halvsatt i sängen. Benstumparna låg ovanpå täcket och armarna hängde slappt utefter sidorna. En spruta låg bredvid ena armen, och Patrik gissade att den hade innehållit ketamin. Ögonhålorna gapade tomma och blodiga. Det verkade som om det gjorts i hast, och syran hade runnit och orsakat frätskador på kinder och bröstkorg. Strimmor av blod hade runnit ur öronen, och munnen var en röd och kladdig grimas.

Till vänster om sängen stod tv:n på och först nu såg Patrik vad som visades i rutan. Han pekade stumt på den och hörde hur Martin svalde bakom honom.

"Vad i helvete är det där?" sa han.

"Jag tror att vi har hittat några av filmerna som saknades under ladan."

Hamburgsund 1981

Hon var trött på deras frågor. Berit och Tony undrade hela tiden hur hon mådde, om hon var ledsen. Hon visste inte vad hon skulle svara, vad det var de ville höra, så hon teg.

Hon höll sig lugn också. Trots alla timmar i källaren, då hon tvingats äta mat ur en skål som en hund, hade hon vetat att mami och papi skulle skydda henne. Men det skulle inte Berit och Tony göra. De skulle kanske skicka iväg henne om hon inte uppförde sig, och hon ville stanna här. Inte för att hon trivdes hos paret Wallander eller på gården utan för att hon ville vara med Tess.

Från första stund hade de känt igen sig i varandra. De var så lika. Och hon hade lärt sig så mycket av Tess. I sex år hade hon varit på gården och ibland var det svårt att kontrollera raseriet. Hon längtade efter att se smärtan i någon annans ögon och saknade känslan av makt, men med Tess hjälp hade hon förstått hur hon skulle undertrycka sina impulser och dölja sig under ett skal av normalitet.

När längtan blev för stark hade de haft djuren. Men de hade sett till så att man kunde tro att skadorna uppkommit på annat sätt. Berit och Tony misstänkte inget. De ojade sig bara över vilken otur de hade och förstod inte heller att Tess och hon hade vakat över den sjuka kossan för att de njöt av att se djurets plågor och hur lågan i dess ögon sakta slocknade. De var så naiva och dumma.

Tess var så mycket bättre än hon på att smälta in och inte väcka uppmärksamhet. På nätterna berättade hon viskande om eld, om den totala euforin i att se något brinna. Hon sa att hon kunde hålla den lusten i sin

329

hand och krama den hårt tills det inte fanns någon risk att hon skulle bli avslöjad om hon släppte ut den.

Det var nätterna hon tyckte bäst om. Ända sedan första dagen hade Tess och hon sovit i samma säng. Först för att söka värme och trygghet, men gradvis hade något annat smugit sig in. En skälvning som fortplantade sig genom kroppen när deras hud möttes under täcket. Försiktigt hade de börjat utforska varandra, låtit fingrarna löpa över okända former tills de slutligen kände varje millimeter av varandras kroppar.

Hon visste inte hur hon skulle beskriva känslan. Var det kärlek? Hon hade nog aldrig älskat någon, inte heller hatat. Mami trodde säkert att hon gjort det, men det stämde inte. Hon kände inget hat, bara en likgiltighet inför sådant som andra verkade tycka vara viktigt i livet. Tess kunde däremot hata. Ibland kunde hon se det flamma upp i hennes ögon, höra det i hennes tonfall när hon med förakt talade om människor som gjort dem illa. Hon frågade mycket: om papi, mami och lillebror. Och om mormor. Efter att mormor kommit på besök pratade hon om henne i flera veckor, undrade om hon var en av de människor som förtjänade att straffas. Själv kunde hon inte riktigt förstå ilskan. Hon hatade ingen i sin familj, hon brydde sig helt enkelt inte om dem. De hade slutat existera i samma ögonblick som hon flyttade till Tony och Berit. De var hennes förflutna. Tess var hennes framtid.

Det enda hon ville minnas från sitt gamla liv var historierna som papi berättat om cirkusen. Alla namn, alla städer och länder, alla djur och konster, hur det luktade, hur det lät, de färger som gjort cirkusen till ett magiskt fyrverkeri. Tess älskade att lyssna på berättelserna. Varje kväll ville hon höra dem, och även då ställde hon frågor: om människorna på cirkusen, om hur de levde, vad de sagt, och hon lyssnade andlöst till svaren.

Ju bättre de lärde känna varandras kroppar, desto mer ville hon berätta. Hon ville göra Tess lycklig, och papis historier var något som hon kunde ge henne.

Hela hennes tillvaro kretsade numera kring Tess och hon förstod alltmer att hon betett sig som ett djur. Tess förklarade hur allt fungerade i det verkliga livet. De skulle aldrig vara svaga och låta sig styras av det de hade inom sig. De måste lära sig att vänta tills ögonblicket var det rätta, de måste lära sig självbehärskning. Det var svårt, men hon övade och belöningen var att varje kväll få krypa in i Tess famn och känna hennes värme sprida sig i kroppen, känna hennes fingrar mot huden, hennes andedräkt i håret.

Tess var allt. Tess var världen.

De stod i kylan ute på gårdsplanen och andades in så mycket av den friska luften som de kunde. Torbjörn var inne i huset. Patrik hade ringt honom med blicken fortfarande fäst på tv-rutan. Sedan hade han tvingat sig att stå kvar i dörröppningen och titta.

"Hur länge tror du att han höll på?" sa Martin.

"Vi får gå igenom alla filmer han hade där och matcha dem mot anmälda försvinnanden. Men det ser ut att gå långt tillbaka i tiden. Kanske går det att avgöra genom att bedöma Jonas ålder också."

"Fy fan. Att han tvingade sin egen son att titta på, och filma. Tror du att han tvingade honom att delta också?"

"Det såg inte ut så, men det kanske finns med på andra filmer. Om inte annat verkar Jonas ha upprepat det hela sedan."

"Och då med Martas hjälp", sa Martin och skakade vantroget på huvudet. "Sjuka jävlar."

"Jag har aldrig ens tänkt tanken att hon skulle vara inblandad i det här", sa Patrik. "Men om det stämmer blir jag ännu mer orolig för Molly. Skulle de kunna skada sitt eget barn?"

"Ingen aning", sa Martin. "Vet du, jag trodde att jag hade viss människokännedom, men det här visar att jag inte vet någonting. I vanliga fall skulle jag säga nej, de kommer inte att skada henne, men av de här människorna kan man nog vänta sig vadsomhelst."

Patrik förstod att de hade samma bilder på näthinnan. De gryniga filmerna, med hack och fläckar, överförda till dvd men inspelade med gammal utrustning. Einar var lång och kraftfull, till och med stilig. Han befann sig i rummet under ladan, det som nästan var omöjligt att hitta om man inte letade, vilket ingen hade tänkt på att göra under alla år. Det han gjorde med de än så länge namnlösa flickorna var obeskrivligt, liksom hans blick in i kameran. Flickornas skrik blandades med hans lugna, entoniga instruktioner till sonen om hur han skulle filma. Ibland tog Einar kameran och vände den mot Jonas. En gänglig tonårspojke som Patrik gissade att de på senare filmer skulle se bli vuxen. Och vid ett tillfälle: en ung Marta.

Men vad hade fått Jonas att föra vidare sin fars vidriga arv? När hade det skett? Och hur kom det sig att Marta hade dragits in i den skräckvärld som far och son byggt upp? Om de inte hittade dem skulle de kanske aldrig få hela bilden klar för sig. Han undrade vad Helga hade vetat om allt det här. Var befann hon sig nu?

Han tog upp telefonen och slängde ett öga på den. Tre missade samtal från Erica och ett röstmeddelande. Fylld av onda aningar slog han numret till röstbrevlådan och lyssnade av den. Sedan svor han så högt att Martin hoppade till.

"Hämta Gösta. Jag tror att jag vet var de är. Och Erica är där också."

Patrik var redan på språng mot bilen och Martin följde efter medan han ropade på Gösta, som gått runt knuten för att kissa.

"Vad är det om?" Gösta sprang emot dem.

"Marta är Louise!" sa Patrik över axeln.

"Vad menar du?"

Patrik slet upp dörren till förarsätet, och Martin och Gösta hoppade in i bilen.

"Erica har varit hos Laila nu på morgonen. Marta är Louise, den lilla tjejen som satt fängslad i sina föräldrars källare. Som man trodde hade dött i en drunkningsolycka. Hon lever, och det är Marta. Jag vet inga fler detaljer, men om Erica säger att det är så, stämmer det säkert. Och Erica tror att Marta och Molly finns i Martas föräldrahem, och hon har åkt dit, så nu måste vi snabba på!"

Han gjorde en rivstart och svängde ut från gårdsplanen. Martin kollade på honom som om han inte förstod någonting, men det struntade han i.

"Din dumma jävla människa", väste Patrik mellan sammanbitna tänder. "Förlåt, älskling", lade han sedan till. Han ville inte svära åt sin högst älskade hustru, men rädslan gjorde honom så arg.

"Försiktigt", skrek Gösta när bilen slirade till.

Patrik tvingade sig att sakta ner farten fast han egentligen ville trampa gasen i botten. Oron rev i honom som ett vilddjur.

"Borde vi inte tala om för Bertil vart vi har tagit vägen?" sa Martin.

Patrik svor. Just ja, Mellberg var kvar på gården. Han hade varit inne hos Torbjörn och "assisterat vid den tekniska undersökningen" när de åkte. Säkert drev han i denna stund Torbjörn och hans team till vansinne.

"Jo, ring honom", sa Patrik utan att ta blicken från vägen.

Martin gjorde som han sa, och efter några korta meningar avslutade han samtalet.

"Han kommer efter, säger han."

"Bäst för honom att han inte ställer till med något då."

De hade svängt in på avtagsvägen mot huset, och Patrik bet ihop tänderna ännu hårdare när han såg deras Volvo kombi parkerad längre fram. Erica hade säkert ställt sig en bit från huset för att inte bli upptäckt, och det lugnade honom inte det minsta.

"Vi kör ända fram", sa han och ingen hade något att invända.

Han tvärbromsade mitt framför det fallfärdiga huset och sprang in utan att vänta på Gösta och Martin. Men när han kom innanför ytterdörren hörde han dem tätt bakom sig.

"Hyssj", sa han och satte fingret mot läpparna.

Dörren till källaren var stängd, men något sa honom att det var det logiska stället att börja leta på. Det var dit han trodde att Louise skulle söka sig. Han öppnade dörren, som tack och lov inte knarrade. Men när han satte ner foten på det första trappsteget lät det desto högre, och han hörde ett gällt skrik nedifrån:

"Hjälp! Hjääälp!"

Han rusade nedför trappan och hörde Martin och Gösta göra likadant. En ensam glödlampa lyste upp rummet och han tvärstannade vid synen som mötte honom. Molly satt och vaggade fram och tillbaka med uppdragna knän medan hon skrek gällt och stirrade på dem med uppspärrade ögon. Och på golvet låg Erica på mage, och det såg ut som om hon blödde från huvudet.

Han rusade fram och lade med bultande hjärta handen på hennes hals. När han kände att hon både var varm och andades fylldes han av lättnad, och han konstaterade att blodet såg ut att komma från ett sprucket ögonbryn.

Hon slog långsamt upp ögonen och stönade: "Helga..."

Patrik vände sig mot Molly som hade fått hjälp av Martin och Gösta att stödja på benen. De försökte få loss henne från kedjan hon var fäst i, och Patrik insåg att också Erica var fjättrad vid den grova kedjan.

"Var är din farmor?" frågade han.

"Hon drog. Det var inte alls längesedan."

Patrik rynkade pannan. De borde ha sett henne på vägen hit.

"Hon slog Erica", tillade Molly och underläppen darrade.

Patrik såg på såret i sin hustrus ansikte. Hon kunde ha skadats betydligt värre, och om hon inte hade meddelat vart hon var på väg skulle han kanske aldrig ha kommit på tanken att leta här. Då hade hon och Molly svultit ihjäl här nere.

Han reste sig och tog upp telefonen. Täckningen var dålig här nere men precis tillräcklig för att han skulle kunna ringa. Han gav sina instruktioner, sedan avslutade han samtalet och vände sig till Gösta och Martin, som hittat nyckeln till Mollys handklovar.

"Jag har bett Mellberg hålla utkik efter henne och stoppa henne om han ser henne."

"Varför slog hon Erica?" sa Gösta medan han tafatt strök Molly över ryggen.

"För att skydda Jonas." Erica satte sig upp med ett stön och rörde vid sitt huvud. "Gud, vad jag blöder", sa hon och tittade på sina klibbiga fingrar.

"Det är inte så djupt", sa Patrik bistert. Nu när den värsta oron lagt sig hade han på nytt lust att ge henne en utskällning.

"Har ni hittat Jonas och Marta?" Hon ställde sig vingligt upp men svor till när hon kände handklovarna runt ankeln.

"Men vad i!"

"Det var nog meningen att du skulle dö här nere", sa Patrik. Han såg sig omkring efter en nyckel. Egentligen hade han god lust att låta henne sitta fast en stund, och kanske skulle det bli så. Han kunde inte se någon nyckel, så hon fick nog vänta tills någon sågade loss henne.

"Nej, vi har inte hittat dem." Han ville inte berätta vad de funnit på gården, efter vad som måste ha varit Jonas och Martas besök där. Inte så länge Molly lyssnade. Nu stod hon och snyftade med armarna om Göstas midja och ansiktet dolt mot hans bröst.

"Jag känner på mig att vi aldrig kommer att se dem igen", sa Erica, men kastade sedan en blick på Molly och tystnade.

Det ringde och Patrik tog upp telefonen. Det var Mellberg. Han lyssnade en stund och med Mellberg kvar i telefonen mimade han mot de andra:

"Han har Helga."

Sedan lyssnade han lite till innan han med vissa svårigheter lyckades avbryta Mellbergs triumferande svada.

"Han hade tydligen mött henne längs vägen. Han är på väg med henne till stationen nu."

"Ni måste hitta Jonas och Marta. De är … de är inte friska", sa Erica lågt för att inte Molly skulle höra.

"Jag vet", viskade Patrik och kunde inte längre hålla sig från att lägga armarna om Erica och krama henne hårt. Herregud, vad skulle han ha gjort om han förlorat henne? Om barnen förlorat henne. Han sköt henne ifrån sig och sa allvarligt: "De är redan lysta. Man håller utkik efter dem på flygplatserna och vid gränserna. I morgon kommer kvällstidningarna att publicera bilder på dem. De kommer inte att komma undan."

"Bra", sa Erica. Hon lade armarna på Patriks axlar och knäppte händerna bakom hans nacke. "Men se nu till att jag kommer loss härifrån."

Fjällbacka 1983

När hon hade sett affischerna om att Cirkus Gigantus skulle komma till Fjällbacka hade hon bestämt sig med en gång. Hjärtat hade slagit hårt i bröstet. Det var ett tecken. Cirkusen hade blivit en del av henne. Hon visste hur den luktade och lät, och det var som om hon kände människorna och djuren. De hade lekt leken så många gånger. Hon var cirkusprinsessan som fick hästarna att lyda medan publiken applåderade och visslade.

Hon hade velat att de skulle göra det tillsammans, och det skulle de ha gjort om allt inte gått så förfärligt snett. Nu kom hon i stället ensam till cirkusen.

Vladeks släkt tog emot henne med öppna armar. Tog emot henne som hans dotter. De sa att de hade tänkt söka upp honom, men hon förklarade att han dött i en hjärtinfarkt. Ingen tyckte att det var konstigt, han var inte den första i sin släkt som haft ett svagt hjärta. Hon insåg att hon hade haft tur, men det fanns en risk att någon Fjällbackabo skulle börja prata om Vladek och avslöja det som egentligen hänt. Tre långa dagar höll hon andan tills cirkusen packade ihop och lämnade Fjällbacka. Då var hon säker.

Hon var bara femton år och de ställde även frågor om hennes mor, om hon verkligen hade lov att ge sig av och lämna henne. Hon böjde på huvudet och tvingade till och med fram en tår. Sa att Laila hade dött i cancer för många år sedan. Vladeks svägerska lade sin knotiga hand mot hennes kind och strök bort krokodiltårarna. Efter det ställde de inga fler frågor, de bara visade henne var hon kunde sova och gav henne kläder och mat. Hon hade aldrig trott att det skulle vara så enkelt, men

337

hon blev snabbt en i familjen. För dem var blod tjockare än vatten.

Två veckor väntade hon innan hon gick till Vladeks bror och sa att hon ville lära sig något, bli en del av cirkusen och föra släktens arv vidare. Han och alla andra blev glada, precis som hon hade räknat med, och hon föreslog att hon skulle hjälpa till med hästarna. Hon ville bli som Paulina, den vackra unga kvinna som varje föreställning utförde konster på hästarnas rygg, iförd en glittrande klänning.

Hon fick börja som Paulinas assistent. Dygnets alla vakna timmar befann hon sig i hästarnas närhet och tittade på när Paulina övade. Paulina avskydde henne från första stund, men hon hörde inte till släkten och efter ett samtal med Vladeks bror började Paulina motvilligt lära upp henne. Och hon var en flitig elev. Hästar förstod hon sig på, och de förstod sig på henne. Det tog henne inte mer än ett år att lära sig grunderna, och efter två år var hon lika duktig som Paulina. Så när olyckan hände kunde hon ta över.

Ingen såg det ske, men en morgon hittades Paulina död inne hos hästarna. Man antog att hon ramlat och slagit i huvudet eller att någon av hästarna hade sparkat henne illa. Det var en katastrof för cirkusen, men som tur var kunde hon ta på sig en av Paulinas vackra klänningar och kvällens föreställning kunde genomföras som om inget hänt. Efter det var det hon som varje kväll utförde Paulinas gamla nummer.

Tre år hade hon rest med cirkusen. I en värld där det udda och fantastiska möttes, hade ingen märkt att hon var annorlunda. Det hade varit en perfekt plats för henne. Men nu var cirkeln sluten, nu var hon snart tillbaka. I morgon skulle Cirkus Gigantus anlända till Fjällbacka igen, och det var dags att ta itu med sådant som fått vänta alldeles för länge. Hon hade tillåtit sig själv att bli någon annan, att vara en cirkusprinsessa på vita hästar med vajande plymer och glittriga betsel. Hon hade levt i en fantasivärld och nu måste hon återvända till verkligheten.

"Jag går ut och hämtar posten", sa Patrik och stoppade fötterna i kängorna. De senaste dagarna hade han och Erica knappt sett varandra. Alla förhör och all uppföljning hade sysselsatt honom och kollegerna från morgon till kväll. Nu var det äntligen fredag och han hade tagit en ledig förmiddag.

"Satan, vad det är kallt!" sa han när han kom in igen. "Det måste ha kommit en meter snö i natt."

"Ja, det verkar aldrig ta slut." Erica log trött mot honom där hon satt vid köksbordet.

Han slog sig ner mittemot henne och började bläddra igenom kuverten. Erica stödde huvudet i händerna och tycktes försjunka i tankar. Han lade ner högen på bordet och betraktade henne fundersamt.

"Hur är det egentligen?"

"Vet inte. Jag känner mig nog mest lite osäker på hur jag ska gå vidare med boken. Om jag ska göra det. Historien har ju fått ett slags fortsättning nu."

"Men Laila vill väl att du ska skriva den?"

"Ja, jag tror att hon ser det som en säkerhetsåtgärd att boken kommer ut. Att Marta helt enkelt inte kommer att våga sig fram igen om människor får läsa om vem hon är och vad hon har gjort."

"Och det finns ingen risk att det kan bli tvärtom?" sa Patrik försiktigt. Han ville inte tala om för Erica vad hon borde göra, men han fann det olustigt att hon skulle skriva en bok som handlade om människor som var så fulla av ondska som Jonas och Marta. Tänk om de skulle vilja hämnas på henne?

"Nej, jag tror att Laila har rätt. Och innerst inne vet jag att jag måste skriva färdigt boken. Du behöver inte vara orolig", sa Erica och mötte stadigt hans blick. "Lita på mig."

"Det är dem jag inte litar på. Vi har ju ingen aning om var de befinner sig." Han kunde inte dölja oron i sin röst.

"Men de vågar sig nog inte tillbaka hit, och de har inget här som skulle få dem att återvända."

"Förutom sin dotter", sa Patrik.

"De bryr sig inte om Molly. Marta har nog aldrig gjort det, och Jonas intresse verkar ha försvunnit så fort han förstod att hon inte var hans dotter."

"Frågan är vart de kan ha tagit vägen. Det verkar otroligt att de kan ha lyckats lämnat landet med tanke på rikslarmet som gick ut."

"Ingen aning", sa Erica och sprättade upp ett av de många fönsterkuverten. "Men Laila verkar lite orolig för att de ska ta sig till Spanien och söka upp Peter."

Patrik nickade. "Jag förstår det, men jag tror som sagt att de är kvar i landet och förr eller senare tar vi dem. Och då kommer de att ha mycket att stå till svars för. Vi har redan lyckats identifiera några av flickorna på filmerna. Både de som Einar rövade bort och Jonas och Martas offer."

"Jag förstår inte hur ni har klarat av att sitta och titta på de där filmerna."

"Nej, det var vidrigt."

Patrik såg bildrutorna framför sig. De skulle antagligen finnas kvar i hans medvetande för alltid, som en påminnelse om vilken ondska människan är kapabel till.

"Varför tror du egentligen att de valde att röva bort Victoria?" sa han sedan. "Det måste ju ha inneburit en oerhört stor risk."

Erica satt tyst en stund. Det fanns ju inga givna svar. Jonas och Marta var borta och filmerna visade deras gärningar utan att avslöja något om motivet.

"Jag tror att Marta blev förälskad i Victoria, men när Jonas upptäckte förhållandet var det inget tvivel om var hon hade sin lojalitet. Kanske var Victoria ett slags offer till Jonas. Ett sätt att säga förlåt."

"Vi borde snabbare ha förstått att hon var inblandad", sa Patrik. "Det måste ju ha varit hon som tillfångatog Victoria."

"Men hur skulle ni ha kunnat misstänka det? De här människornas handlingar och drivkrafter är omöjliga att förstå sig på. Jag försökte prata med Laila om det i går, och inte heller hon hade någon förklaring till Martas beteende."

"Nej, jag inser det men jag kan ändå inte låta bli att klandra mig själv. Och hur det än är vill jag ju försöka begripa hur det kunde bli så här. Varför valde till exempel Marta och Jonas att följa Einar i spåren? Varför skadade de offren på samma makabra sätt?" Patrik svalde. Illamåendet kom över honom så fort han påmindes om filmerna.

Erica funderade ett tag igen. "Jag tänker mig att Jonas galenskap grundlades under uppväxten när Einar tvingade honom att filma övergreppen. Och Marta, eller Louise, var lika skadad av det hon upplevt i barndomen. Om det som Gerhard Struwer sa stämmer, handlade alltihop om att skapa kontroll. Einar verkar ju ha hållit flickorna fångna, utom Ingela Eriksson och kanske någon mer som vi inte känner till. Genom att förvandla dem till viljelösa dockor tillfredsställde han något sjukt inre behov, ett behov som han sedan förde över till Jonas, som i sin tur invigde Marta. Kanske fick deras eget förhållande laddning av den makt de hade över flickorna."

"Fy, vilken fruktansvärd tanke." Patrik svalde för att stå emot illamåendet.

"Vad säger egentligen Helga?" frågade Erica. "Visste hon om allt?"

"Hon vägrar att prata. Säger bara att hon är villig att ta sitt straff och att vi aldrig kommer att hitta Jonas. Men jag tror att hon visste och valde att blunda. Hon var ju på sätt och vis också ett offer."

"Ja, hon måste ha levt i ett helvete i alla år. Och även om hon förstod och såg hans sanna natur, så är Jonas hennes son, och hon älskade honom."

Patrik suckade. "Alla dessa om och kanske. Det är så frustrerande att vi fortfarande inte har alla svar. Att vi måste fortsätta spekulera. Men du är i alla fall säker på att Marta är Louise Kowalska?"

"Det är jag. Jag kan inte förklara det helt logiskt, men det kändes självklart när jag förstod att Marta och Jonas hade fört bort flickorna i samband med hästtävlingar och att det måste vara de som hade skickat vykorten och tidningsurklippen till Laila. Vem förutom Louise hade anledning att hata och hota Laila? Dessutom stämmer Martas ålder med Louises. Sedan bekräftades ju mina misstankar av Laila, som länge hade anat att Louise var i livet och ville döda både henne och Peter."

Patrik såg allvarligt på henne. "Jag önskar att jag hade lite mer av din intuition, även om du gärna får sluta upp med att följa den blint. Skönt att du den här gången i alla fall hade sinnesnärvaro att tala in ett meddelande och berätta vart du hade tagit vägen." Han rös vid tanken på vad som hade kunnat hända om Erica blivit liggande i den iskalla källaren i Skräckens hus.

"Men nu gick det ju bra till slut." Erica tog upp ett kuvert ur högen, sprättade upp det med fingret och drog ut en räkning. "Tänk ändå att Helga var villig att offra både Marta och Molly för att hennes son skulle gå fri."

"Ja, fast du vet ju själv hur stark moderskärleken kan vara", sa Patrik.

"På tal om det", sa Erica och lyste upp, "så pratade jag med Nettan igen och det verkar som om hon och Minna håller på att hitta tillbaka till varandra."

Patrik log. "Det var en himla tur att du kom på det där med bilen."

"Ja, det grämer mig bara att jag inte kopplade ihop det med en gång när jag såg bilden i albumet."

"Det märkliga är väl egentligen att Nettan inte själv gjorde kopplingen. Både Palle och jag har ju frågat henne om den vita bilen."

"Jag vet, och när jag hörde av mig blev hon nästan arg. Sa att hon självklart skulle ha sagt det redan om hon kände någon som hade en liknande bil. Men när jag nämnde att jag mindes en bild av hennes före detta sambo Johan framför en vit bil, blev hon helt tyst. Sedan sa hon att det var omöjligt att Minna frivilligt skulle ha stigit in i hans bil. Hon hatade honom mer än något annat."

"Det är mycket man inte vet om sina tonårsdöttrar", sa Patrik.

"Helt sant. Men vem hade kunnat ana att Minna skulle bli kär i sin mammas före detta kille som hon alltid bråkade med? Och att hon dessutom skulle bli gravid och välja att rymma med honom för att hon var rädd att Nettan skulle bli arg."

"Nej, det är ju inte det första man gissar på."

"Hursomhelst har Nettan lovat Minna att hjälpa till med barnet. De är båda lika förbannade på den där skitstöveln Johan som tydligen tröttnade på Minna så fort hon började bli lite större om magen. Och jag tror att Nettan blev så lättad när de hittade Minna välbehållen där i Johans stuga att hon kommer att göra allt för att de ska få det bra."

"Åtminstone något gott som har kommit ur det här eländet", sa Patrik.

"Ja, och snart kommer även Laila att återförenas med sin son. Efter över tjugo år… När vi pratade sist berättade hon att Peter snart ska besöka henne på anstalten, och då ska även jag få träffa honom."

Ericas ögon glittrade av glädje och Patrik blev varm i hjärtat när han såg sin hustrus förväntan. Hon var så lycklig över att ha kunnat hjälpa Laila. Själv längtade han mest efter att få lägga det här fallet bakom sig. Han hade fått nog av ondska och mörker.

"Vad trevligt det ska bli att Dan och Anna kommer på middag i kväll", sa han för att byta samtalsämne.

"Ja, det är så underbart att de har hittat tillbaka till varandra igen. Dessutom sa Anna att de hade en glad nyhet som de ville berätta för oss. Jag avskyr när hon gör så där – har man sagt A får man säga B. Men hon var orubblig och hävdade att jag får ge mig till tåls till i kväll…"

Erica bläddrade bland breven på bordet. Det verkade mest vara räkningar men underst låg ett tjockt vitt kuvert som såg betydligt elegantare ut än dem från Telia och Fortum.

"Vad kan det här vara? Det ser nästan ut som en bröllopsinbjudan." Hon reste sig och hämtade en kniv för att öppna kuvertet. I det låg ett vackert inbjudningskort med två ringar i guld på framsidan. "Känner vi någon som ska gifta sig?"

"Inte vad jag vet", sa Patrik. "De flesta av våra vänner är ju gifta sedan länge."

Erica vek upp kortet. "Åhhh…", sa hon och tittade på Patrik.

"Vad?" Han ryckte kortet ifrån henne. Sedan läste han högt, med en klentrogen ton i rösten:

"Vi vill välkomna er till vigseln mellan Kristina Hedström och Gunnar Zetterlund."

Han tittade upp på Erica och sedan ner på inbjudan igen.

"Är det här ett skämt?" sa han och vände och vred på kortet.

"Jag tror inte det." Erica började fnissa. "Det är ju jättemysigt!"

"Men de är ju så… gamla", sa Patrik och försökte mota bort bilden av sin mor i lång vit klänning och slöja.

"Äh, sluta tramsa nu", sa Erica och reste sig och kysste honom på kinden. "Det blir toppen. En egen Byggare Bob i familjen. Vi kommer inte ha något kvar att fixa på det här huset, och troligtvis kommer han att vilja bygga ut det också, så att vi kan få dubbelt så stort."

"Hemska tanke", sa han men kunde inte låta bli att skratta. För hon hade ju rätt. Egentligen unnade han sin mor all glädje i livet och det var fantastiskt att hon hade funnit kärleken på gamla dagar. Han behövde bara lite tid att vänja sig vid tanken.

"Gud, vad du är barnslig ibland", sa Erica och rufsade honom i håret. "Det är tur att du är så söt."

"Tack detsamma", sa han och log.

Han bestämde sig för att försöka lägga tankarna på Victoria och de andra flickorna bakom sig. Nu fanns det inget mer han kunde göra för att hjälpa dem. Men här hemma fanns hans fru och hans barn, som behövde honom och som gav honom så mycket kärlek. Det fanns inget i sitt liv han skulle vilja ändra. Inte en enda detalj.

De hade ännu ingen aning om vart de skulle ta vägen, men hon var inte orolig. Sådana som hon och Jonas klarade sig alltid. För dem fanns inga gränser, inga hinder.

Hennes liv hade redan börjat om två gånger. Senast var i det övergivna huset, då hon träffade Jonas. Hon hade legat och sovit och när hon slog upp ögonen satt en okänd pojke där och betraktade henne. Så snart deras blickar möttes hade de vetat att de hörde samman. Hon hade sett mörkret i hans själ, och han hade sett mörkret i hennes.

Hon hade dragits till Fjällbacka av ett slags oemotståndlig kraft. När hon rest runt med cirkusen hade hela Europa varit hennes hem, men hon hade vetat att hon måste återvända. Aldrig tidigare hade hon känt något så starkt, och när hon till slut kommit hade Jonas väntat på henne där.

Han var hennes öde, och i husets dunkel hade han berättat allt. Om rummet under ladan, om vad hans far gjorde med flickor där, flickor som ingen saknade, som inte hörde hemma någonstans. Flickor som inte hade något värde.

När de väl bestämt sig för att föra Einars arv vidare, hade de till skillnad från honom velat ta flickor som skulle bli saknade, som var älskade. Att skapa en marionett, en hjälplös docka, av någon som var betydelsefull för andra gjorde njutningen större. Kanske hade det blivit deras fall, men de hade inte kunnat göra det annorlunda.

Det okända skrämde henne inte. Det innebar endast att de var tvungna att skapa nya världar någon annanstans. Så länge de hade varandra spelade det ingen roll. Då hon träffade Jonas hade hon blivit Marta. Hans tvilling, hans själsfrände.

Jonas fyllde hennes sinne och hela hennes tillvaro. Ändå hade hon inte kunnat motstå Victoria. Det var märkligt. Hon som alltid förstått vikten av självbehärskning och aldrig låtit sig styras av sina begär. Men hon var inte dum. Hon hade förstått att Victorias dragningskraft bestod i att hon liknade någon som en gång varit en del av henne, som fortfarande var det. Victoria hade omedvetet framkallat gamla minnen och hon hade inte kunnat välja bort henne. Hon ville ha både Jonas och Victoria.

Det hade varit ett misstag att ge efter för frestelsen att åter få röra vid en ung flickas hud, en flicka som påminde henne om en kärlek som hon mist. Efter ett tag hade hon insett att det var ohållbart och hon hade dessutom börjat tröttna. Olikheterna var trots allt fler än likheterna. Så hon gav henne till Jonas. Han förlät henne, och det var som om hans kärlek till henne blev ännu starkare av det de sedan delat.

Det var oförlåtligt att de inte stängt luckan ordentligt den där kvällen. De hade börjat bli slarviga och låtit henne röra sig fritt nere i rummet, men de hade nog aldrig kunnat föreställa sig att hon skulle klara av att ta sig uppför stegen, ut ur ladan och sedan fly till fots genom skogen. De hade underskattat Victoria, och de hade tagit en risk när de lät döden komma så nära inpå dem. Det hade stått dem dyrt, men ingen av dem såg det här som ett slut på något. I stället innebar det en ny början. Ett nytt liv. Hennes tredje.

Den första gången hade varit en av de där sommardagarna då det kändes som om hettan fick blodet att koka i kroppen. Louise och hon hade bestämt sig för att gå och bada och det hade varit hennes förslag att de skulle röra sig bort från badplatsen och hoppa från klipporna.

Efter att ha räknat till tre hoppade de i, hand i hand. Farten fick det att ila i magen, och svalkan när de slog i vattnet var ljuvlig. Men ögonblicket därpå var det som om ett par starka armar tog tag i henne och drog henne ner i djupet. Vattnet slöts ovanför hennes huvud, och hon kämpade mot strömmarna av alla krafter.

När huvudet klöv vattenytan igen, började hon simma in till land, men det var som att simma i tjära. Långsamt tog hon sig framåt, och hon försökte vrida på huvudet men kunde inte se Louise. Lungorna var för ansträngda för att hon skulle orka ropa, och hjärnan fylldes av en enda tanke: att överleva, att ta sig in mot land.

Plötsligt släppte strömmen, och hon for framåt för varje simtag. Efter några minuter nådde hon stranden. Utmattad låg hon på mage i strandkanten, med benen i vattnet och kinden mot sanden. När hon återfått andan satte hon sig mödosamt upp och tittade sig omkring. Hon ropade på Louise, ut över havet, men ingen svarade. Med handen som en skärm ovanför ögonen lät hon blicken fara fram och tillbaka över vattenytan. Sedan sprang hon upp på klippan som de hade hoppat ifrån. Fram och tillbaka sprang hon och letade, ropade, alltmer desperat. Till slut sjönk hon ner på klippan och satt där länge och väntade. Kanske borde hon springa efter hjälp, men då skulle deras planer gå om intet. Louise var borta, och det var bättre att hon gav sig av ensam än inte alls.

Hon lämnade allt på klippan. Deras kläder, deras tillhörigheter. Hon hade lånat ut sin favoritbaddräkt, en blå, och hon var på ett märkligt sätt glad att Louise fått den med sig i djupet. Som en gåva.

Med havet i ryggen gick hon därifrån. Vid ett hus i närheten stal hon några klädesplagg från en tvättlina, och målmedvetet promenerade hon vidare mot platsen där hon visste att hennes framtid fanns. För säkerhets skull vandrade hon genom skogen, så hon var inte framme i Fjällbacka förrän på kvällen. När hon upptäckte cirkusen på avstånd, såg de lysande färgerna, hörde de glada ljuden, sorlet av människor och musik, kändes det märkligt välbekant. Hon hade kommit hem.

Den dagen hade hon blivit Louise. Hon som gjort sådant hon själv längtat efter, som sett blodet rinna ur en människas kropp, sett livets låga släckas. Avundsjukt hade hon lyssnat till berättelserna om cirkusen, om Vladeks liv som lejontämjare. Det lät så exotiskt i jämförelse med hennes egen smutsiga bakgrund. Hon hade velat vara Louise, velat ha hennes förflutna.

Hon hade känt hatet mot Peter och Laila. Louise hade berättat allt. Hur modern tagit på sig skulden för mordet, hur mormodern hade tagit sig an den älskade sonen men inte ville ha något med Louise att göra. Även om Louise aldrig bett om det skulle hon hämnas henne. Hatet hade brunnit kallt och hon hade gjort det som hon var tvungen till.

Sedan hade hon sökt sig till Louises hem, till sitt hem, och där hade hon träffat Jonas. Hon var Tess. Hon var Louise. Hon var Marta. Hon var Jonas andra hälft. Och hon var inte färdig än. Vem hon blev nu fick framtiden utvisa.

Hon log mot honom där de satt i den stulna bilen. De var fria och modiga, de var starka. De var lejon som inte gick att tämja.

Det hade gått några månader sedan Laila för första gången på alla år fått träffa Peter. Fortfarande mindes hon känslan när han klev in i besöksrummet. Han hade varit så stilig, så lik sin far men mer finlemmad, såsom hon var.

Hon hade också varit tacksam för att äntligen få träffa Agneta. De hade alltid stått varandra så nära, men det hade varit nödvändigt att vara skilda åt. Och systern hade gett henne den största gåvan som fanns att få. Hon hade tagit hennes son under sina vingars skugga och gett honom en fristad, en familj. Han hade varit trygg hos dem, åtminstone så länge Laila hade bevarat alla hemligheter.

Nu behövde hon inte längre tiga. Det var så befriande. Det skulle dröja lite, men hennes historia skulle berättas, liksom Flickas. Hon vågade ännu inte tro att Peter var trygg, men polisen letade efter Flicka överallt och hon var antagligen för smart för att ge sig på honom nu.

Hon hade försökt känna efter om hon kände något för dottern, barnet som ändå var hennes kött och blod. Men nej, hon hade varit ett främmande väsen ända från början. Flicka hade inte varit en del av henne eller av Vladek, inte som Peter.

Kanske skulle hon själv få komma ut nu, om hon kunde få dem att förstå att hennes historia var sann. Hon visste inte om hon hoppades på det eller inte. Hon hade tillbringat så stor del av sitt liv här att det egentligen inte spelade någon roll längre. Det viktigaste var att Peter och hon kunde ha kontakt igen, att han kunde komma hit ibland och en dag kanske till och med ha sina barn med sig. Det var tillräckligt för att livet skulle vara värt att leva.

En försynt knackning väckte henne ur de lyckliga tankarna.

"Kom in!" ropade hon med ett leende på läpparna.

Dörren öppnades och Tina klev in i rummet. Hon stod tyst en stund.

"Ja?" sa Laila till slut.

Tina höll något i handen, och när Laila flyttade blicken nedåt kände hon hur leendet sakta dog.

"Du har fått ett vykort", sa Tina.

Handen darrade okontrollerat när Laila tog emot det som sträcktes fram till henne. Ett vykort, utan någon hälsning och med adressen stämplad i blått. Hon vände på kortet. En matador som spetsade en tjur.

Laila var tyst i några sekunder. Sedan kom skriet ur strupen.

Efterord

Först av allt vill jag säga att alla eventuella felaktigheter eller medvetna ändringar av fakta helt är mitt ansvar. Jag har tagit mig friheter att ändra vissa verkliga händelser, i tid och rum, för historiens bästa.

Som vanligt när jag skriver en bok finns det en mängd människor runtomkring mig som jag vill tacka, och jag är alltid lika rädd att glömma någon. Men jag vill ändå nämna några som jag vill rikta ett särskilt tack till. Många på mitt förlag Forum har gjort ett stort jobb kring *Lejontämjaren*. En av dem är min förläggare Karin Linge Nordh som jag har arbetat med ända sedan andra boken. Hon är alltid en fantastisk klippa även om känslorna ibland svallar, eftersom vi båda är känslomänniskor och brinner för det vi gör och för böcker. Tack för att du är en underbar förläggare och fin vän. Jag vill också rikta ett enormt stort tack till Matilda Lund som bidragit till att göra *Lejontämjaren* till den bok den nu är. Jag vill även tacka Sara Lindegren – att du gör ett grymt jobb med marknadsföringen av boken är en sak, men du förtjänar något slags tapperhetsmedalj, alternativt sinnesundersökning, för att du vågar anförtro ditt barns religiösa fostran till mig.

Inga böcker hade heller blivit skrivna utan dem som hjälper mig att få ihop mitt dagliga liv: min mamma Gunnel Läckberg, "mamma Stiina" – Christina Melin – och "sladdisen" Sandra Wirström. Ett varmt tack också till mina tre underbara barn Wille, Meja och Charlie, som aldrig tvekar att stötta och hjälpa till när mamma behöver skriva.

Jag vill också tacka alla mina underbara vänner, jag väljer att inte nämna några namn för ni är så många och jag vill inte riskera att glömma någon. Men ni vet vilka ni är och jag är djupt tacksam för att ni finns.

Tack också till min agent Joakim Hansson och hans medarbetare på Nordin Agency.

Ett stort TACK även till Christina Saliba som inte bara varit min vapendragare och en stor inspiration som affärskvinna utan också blivit som en libanesisk syster. Jag vill särskilt tacka för att du gjorde min fyrtioårsfest till ett minne för livet. Tack också till Maria Fabricius och övrig personal på MindMakers som arbetar med mig. Ni rockar.

Sist men definitivt inte minst vill jag rikta ett särskilt tack till min kärlek Simon. Du som kom in i mitt liv mitt i arbetet med boken och gav mig tro, hopp och kärlek. Tack för att du stöttar mig i allt och för att ditt motto i livet är: "Happy wife, happy life." Du gör mig happy.

Camilla Läckberg
Gamla Enskede 30 september 2014